高等职业教育"互联网+"新形态一体化教材

液压与气动技术

第 2 版

主　编　王宝敏　王新琴
副主编　王　稳　苏振恒　姬耀锋
参　编　刘远祥　胡蕴海　李鸣亚
　　　　袁树成

本书以高等职业教育的技术应用为特色，以培养学生职业能力为宗旨，突出培养学生应用 Festo（FluidSIM）仿真软件设计构建液压与气动系统的能力。本书将液压与气动技术融为一体，应用真实案例进行理论与实践训练一体化教学。本书主要内容包括液压与气动技术的认知，动力源的选用，执行元件和辅助元件的选用，换向回路、调压回路、调速回路、多缸动作回路的设计与构建，以及典型液压与气动系统。为便于教学，本书配套有电子教案、课程标准、教学设计方法等教学资源，选择本书作为授课教材的教师可以登录机械工业出版社教育服务网（www.cmpedu.com），注册后免费下载。

本书可作为高等职业院校机电设备类和自动化类专业课程的教材，也可作为成人教育相关专业的教材和技术培训用书。

图书在版编目（CIP）数据

液压与气动技术 / 王宝敏，王新琴主编. -- 2 版. -- 北京：机械工业出版社，2024.9. --（高等职业教育"互联网+"新形态一体化教材）. -- ISBN 978-7-111-76587-5

Ⅰ．TH137；TH138

中国国家版本馆 CIP 数据核字第 2024ST3020 号

机械工业出版社（北京市百万庄大街 22 号　邮政编码 100037）
策划编辑：赵红梅　　　　　　责任编辑：赵红梅　王　宁
责任校对：刘雅娜　张　薇　　封面设计：张　静
责任印制：单爱军
北京虎彩文化传播有限公司印刷
2024 年 11 月第 2 版第 1 次印刷
184mm×260mm・15.75 印张・385 千字
标准书号：ISBN 978-7-111-76587-5
定价：45.00 元

电话服务　　　　　　　　　　网络服务
客服电话：010-88361066　　　机　工　官　网：www.cmpbook.com
　　　　　010-88379833　　　机　工　官　博：weibo.com/cmp1952
　　　　　010-68326294　　　金　书　网：www.golden-book.com
封底无防伪标均为盗版　　机工教育服务网：www.cmpedu.com

前　言

当前，新一轮科技革命和产业变革与我国加快转变经济发展方式形成历史性交汇，国际产业分工格局正在重塑。液压与气动技术已成为现代工业自动化领域不可或缺的重要技术，随着互联网、大数据、人工智能等技术的不断发展，数字化已成为制造业发展的重要趋势，液压与气动技术近年来得到了进一步发展，特别是机、电、液、气复合控制技术在各个领域的应用日益广泛。为紧跟技术发展，服务工程实际，特修订本书。

通过对机电设备类及自动化类相关专业学生的就业岗位需求和典型工作任务分析，本书修订时侧重培养学生使用Festo（FluidSIM）仿真软件设计构建液压与气动系统的基本技能，以提高学生的动手能力为主线，按工作过程的项目任务来确定学习内容。本书立足于培养"德技双修"的高素质技术技能人才，将价值塑造、知识传授和能力培养三者融为一体，将岗位的核心知识融于专业技术能力的培养过程中，使教材突出实用性、指导性和可操作性。

本书尝试将液压技术与气动技术交叉融合，不是按原来的液压理论体系、气动技术理论体系编写，有利于学生对照学习、掌握两种技术应用。本书在内容安排上突出培养学生使用Festo（FluidSIM）仿真软件设计构建液压、气动系统的技能，同时培养学生液压、气动系统维护的技能，理论知识够用即可。本书建议按52~72学时讲授。

本书由无锡商业职业技术学院王宝敏、王新琴任主编，江苏健雄职业技术学院王稳、河南机电职业学院苏振恒、郑州职业技术学院姬耀锋任副主编。具体编写分工如下：王宝敏修订编写项目一、项目四和附录，王新琴修订编写项目二、项目三、项目六，王稳修订编写项目七，苏振恒修订编写项目五，姬耀锋编写项目八。无锡商业职业技术学院刘远祥、江苏信息职业技术学院胡蕴海、无锡科技职业学院李鸣亚、无锡远山科技有限公司袁树成参与了部分项目的修订编写，无锡市海卓力克液压机械有限公司的技术人员也在教材修订过程中给予大力支持。

由于编者编写水平和经验有限，书中难免存在不足之处，恳请广大读者批评指正。

编　者

二维码索引

名称	二维码	页码	名称	二维码	页码
液压油的特性		21	蓄能器保压回路工作原理		146
Festo仿真软件的使用		29	调速阀的工作原理		155
液压缸的连接方式与特点		63	利用蓄能器的快速回路		167
单向阀的结构与工作原理		103	双液压泵供油快速回路		167
换向阀种类和应用		104	用行程节流阀的速度换接回路		168
换向回路工作原理		116	插装阀的工作原理		184
直动式溢流阀的结构与工作原理		131	行程阀控制的顺序动作回路		198
先导式溢流阀的工作原理		132	行程开关控制的顺序动作回路		198
先导式减压阀的结构与工作原理		134			

目 录

前言
二维码索引

项目一 液压与气动技术的认知 ······ 1
 任务一 液压与气动技术概述 ······ 1
 任务二 理解流体力学基础知识 ······ 9
 任务三 工作介质的选用 ······ 20
 课后练习 ······ 30

项目二 动力源的选用 ······ 32
 任务一 液压泵的选用 ······ 32
 任务二 气源装置的选用 ······ 50
 课后练习 ······ 60

项目三 执行元件和辅助元件的选用 ······ 62
 任务一 液压缸的选用 ······ 62
 任务二 气缸的选用 ······ 76
 任务三 液压马达与气马达的选用 ······ 84
 任务四 辅助元件的选用 ······ 89
 课后练习 ······ 100

项目四 换向回路的设计与构建 ······ 101
 任务一 方向控制阀的结构与选用 ······ 101
 任务二 常用方向控制回路的设计 ······ 115
 课后练习 ······ 128

项目五 调压回路的设计与构建 ······ 130
 任务一 压力控制阀的结构与维护 ······ 130
 任务二 常用压力控制回路的设计 ······ 142
 课后练习 ······ 150

项目六　调速回路的设计与构建 ·· 152
任务一　流量控制阀的结构与维护 ·· 152
任务二　常用速度控制回路的设计 ·· 160
任务三　液压与气动回路的电气控制线路设计 ·· 172
课后练习 ··· 181

项目七　多缸动作回路的设计与构建 ·· 183
任务一　新型控制阀的选用 ·· 183
任务二　多缸动作控制回路的设计 ·· 197
课后练习 ··· 206

项目八　典型液压与气动系统 ·· 208
任务一　熟悉组合机床动力滑台液压系统 ·· 208
任务二　熟悉数控加工中心液压系统 ·· 212
任务三　熟悉塑料注射成型机液压系统 ··· 216
任务四　熟悉气动机械手气动系统 ·· 224
任务五　熟悉客车车门气动系统 ··· 227
课后练习 ··· 231

附录　常用液压与气动系统及元件图形符号（摘自GB/T 786.1—2021） ·········· 232

参考文献 ··· 243

项目一　液压与气动技术的认知

项目分析

液压与气动技术广泛应用于工程机械、机械制造、交通运输设备及各种专业设备中，是现代工业不可缺少的一种工程技术。通过本项目的学习使学生了解液压与气动技术的特点，液压与气动回路的基本工作原理，熟悉液压与气动元件的工程表示方法，同时熟悉液体静力学与液体动力学的基本知识，本项目还要学习液压油的性能与选用。

项目目标

知识与技能目标：
1. 掌握液压与气动系统的组成和工作原理。
2. 了解液压与气动技术的特点。
3. 掌握液压、气动元件的符号表示。
4. 熟悉流体力学基础知识。
5. 会选用液压油。

素质目标：
1. 用发展的思维看液压技术发展史，强化科技自信。
2. 用对立统一的哲学观思考问题。
3. 树立科技报国的理想信念。

任务一　液压与气动技术概述

任务分析

液压技术是实现各类机械装备传动及控制的重要技术手段，其广泛应用于智能机械（数字式体育锻炼机、模拟驾驶舱、机器人等）、工程机械、起重运输机械、汽车、矿山机械、建筑机械、冶金机械、农业机械、轻工机械中。

气压传动的工作介质是压缩空气。由于空气用量不受限制，排气处理简单，不污染环境，且气动装置具有结构简单、安装维护简便等特点，因此气压传动系统在机械行业、冶金行业、轻纺行业、食品行业、化工行业、交通运输行业、航空航天行业等应用十分广泛。

任务重点

1. 了解液压与气动技术的发展概况。

2. 掌握液压与气动系统的组成及工作原理。
3. 熟悉液压与气动元件的工程表示。
4. 熟悉液压传动的特点。
5. 熟悉气压传动的特点。

任务难点

液压与气动技术的特点。

知识链接

一、液压与气动技术发展状况

近代液压传动技术是由19世纪崛起并蓬勃发展的石油工业推动起来的。最早实践成功的液压传动装置是舰艇上的炮塔转位器，第二次世界大战期间，在一些兵器上应用了功率大、反应快、动作准的液压传动和控制装置，大大提高了兵器的性能，也大大促进了液压技术的发展。第二次世界大战后，液压技术迅速转向民用，并随着各种标准的不断制订和完善以及各类元件的标准化、规格化、系列化，在机械制造、工程机械、农业机械、汽车制造等行业中迅速推广开来。20世纪60年代后，原子能技术、空间技术、电子技术等的发展再次将液压技术向前推进，使它在国民经济的各个方面都得到了广泛的应用。

我国的液压工业开始于20世纪50年代，其产品最初只用于机床和锻压设备，后来用到拖拉机和工程机械上。自从20世纪60年代从国外引进一些液压元件生产技术，同时进行自行设计液压产品以来，我国的液压件生产已从低压到高压形成系列，并在各种机械设备上得到了广泛的使用。我国从20世纪80年代起加快了对国外先进液压产品和技术的有计划引进、消化、吸收和国产化工作，以确保我国的液压技术能在产品质量、经济效益、研究开发等各个方面全方位地赶上世界水平。

近年来，液压传动由于应用了计算机技术、信息技术、自动控制技术、摩擦磨损技术并采用了新工艺、新材料而取得了新的发展，使液压系统和元件正向高压、高速、大功率、高效率、低噪声、低能耗、经久耐用和高度集成化方向发展，在完善比例控制、伺服控制、数字控制等技术上取得了一些进展。此外，液压元件和液压系统在计算机辅助设计、计算机仿真和优化以及微机控制等方面，也取得了显著的成绩。

以空气为介质做功的机器发明得很早。1869年美国威斯汀豪斯发明了火车气动制动装置，1871年人们利用风镐采矿。20世纪30年代初，气动技术成功地应用于自动门的开闭及各种机械的辅助动作上。进入20世纪60年代，尤其是70年代初，随着工业机械化和自动化的发展，气动技术才广泛应用在生产自动化的各个领域，形成了现代化气动技术。

据各国行业资料统计，20世纪70年代，液压元件与气动元件的产值比约为9∶1。如今，在工业技术发达的国家，该比例已达6∶4，甚至接近5∶5。从20世纪70年代起，我国开始重视气动技术的开发，特别是改革开放以来，气动行业发展很快，尤其是气动控制技术在智能领域的迅速增长，气动行业产值的年递增高于其他机械工业。但我国气动行业与世界先进工业国家还有差距，相信不久以后在我国得到迅速发展的气动行业技术水平将会达到世界先进水平。

二、液压系统的工作原理

图 1-1 所示为机床工作台液压控制系统的工作原理。它由油箱、过滤器、液压泵、溢流阀、节流阀、换向阀、液压缸以及连接这些元件的油管、接头组成。其工作原理如下：液压泵由电动机驱动后，从油箱中吸油。油液经过滤器 18 进入液压泵，油液在泵腔中从入口低压到泵出口高压，在图 1-1a 所示状态下，通过换向阀 10、节流阀 7、换向阀 5 进入液压缸左腔，推动活塞使工作台向右移动。这时，液压缸右腔的油经换向阀 5 和回油管 6 排回油箱。如果将换向阀手柄转换成图 1-1b 所示状态，则压力管中的油将经过换向阀 10、节流阀 7 和换向阀 5 进入液压缸右腔，推动活塞使工作台向左移动，并使液压缸左腔的油经换向阀 5 和回油管 6 排回油箱。

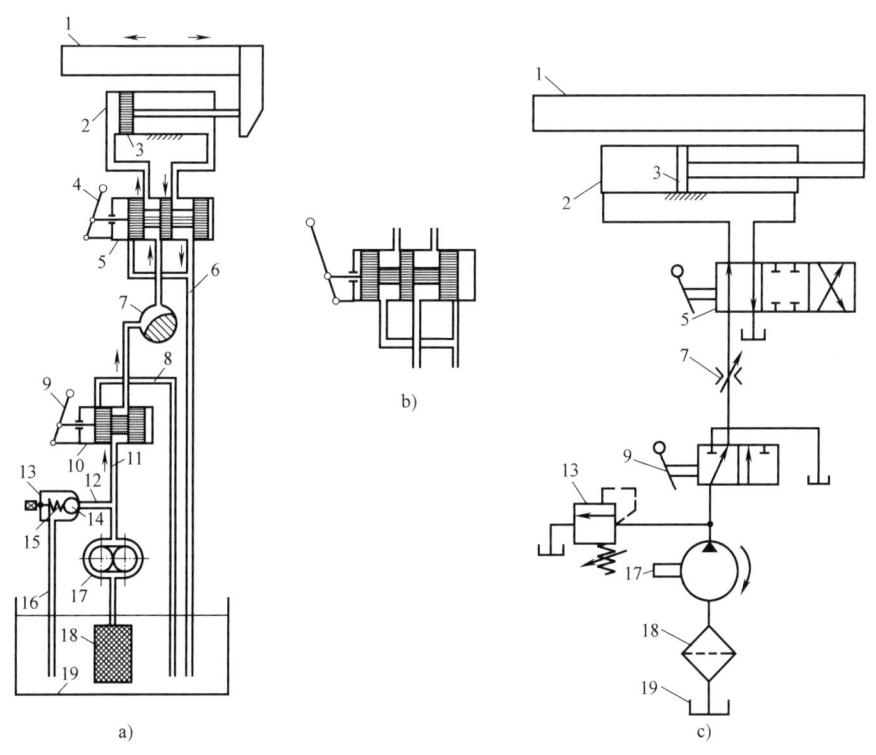

图 1-1　机床工作台液压控制系统工作原理

1—工作台　2—液压缸　3—活塞　4、9—换向手柄　5、10—换向阀　6、8、16—回油管　7—节流阀
11—压力管　12—压力支管　13—溢流阀　14—钢球　15—弹簧　17—液压泵
18—过滤器　19—油箱

工作台的移动速度是通过节流阀来调节的。当节流阀开大时，进入液压缸的油量增多，工作台的移动速度增大；当节流阀调小时，进入液压缸的油量减小，工作台的移动速度减小。为了克服移动工作台时所受到的各种阻力，液压缸必须产生一个足够大的推力，这个推力是由液压缸中的油液压力所产生的。要克服的阻力越大，液压缸中的油液压力越高；反之，压力就越低。

三、液压系统的组成

一个完整的液压系统主要由以下几部分组成。

1. 动力元件

动力元件一般就是液压泵。液压泵是将原动机所输出的机械能转换成液体压力能的元件，其作用是向液压系统提供液压油。液压泵是液压系统的心脏。

2. 执行元件

执行元件是把液体压力能转换成机械能以驱动工作机构的元件。执行元件包括液压缸和液压马达两种。

3. 控制元件

控制元件包括压力阀、方向阀和流量阀，是对系统中油液压力、方向、流量进行控制和调节的元件。

4. 辅助元件

辅助元件是指上述三个组成部分以外的其他元件，如蓄能器、油箱、过滤器、管道、管接头等。

四、气动系统的组成

气动系统的基本构成如图 1-2 所示。气动元件按功能可分成以下几类。

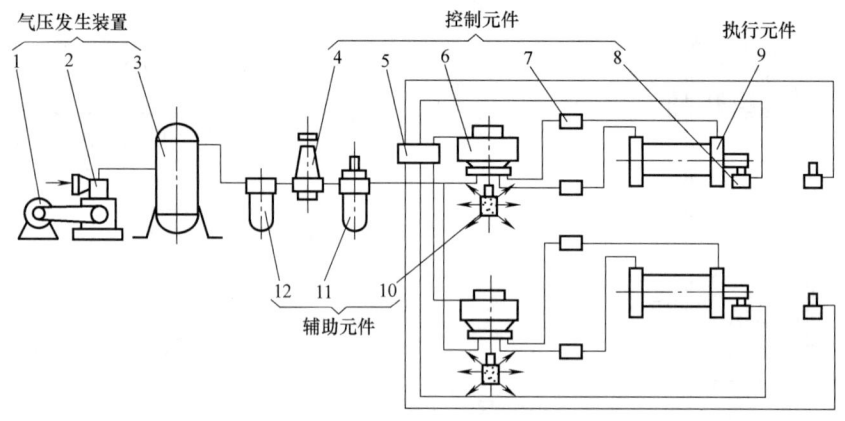

图 1-2　气动系统的基本构成

1—电动机　2—空气压缩机　3—储气罐　4—压力控制器　5—逻辑元件　6—方向控制阀
7—流量控制阀　8—机动控制阀　9—气缸　10—消声器　11—油雾器
12—空气过滤器

1. 气压发生装置

气压发生装置将原动机供给的机械能转换成气体的压力能，作为传动与控制的动力源。气压发生装置包括空气压缩机、后冷却器、储气罐、过滤器、干燥器和自动排水器等。

2. 执行元件

执行元件把压缩空气的压力能转化为机械能，以驱动执行机构做往复或旋转运动。执行元件包括气缸、摆动马达、气马达、气爪和复合气缸等。

3. 控制元件

控制元件控制和调节压缩空气的压力、流速和流动方向,以保证气动执行元件按预定的程序正常进行工作。控制元件包括压力阀、流量阀、方向阀和逻辑阀等。

4. 辅助元件

辅助元件是指元件内部润滑、消除噪声、元件间的连接以及信号转换、显示、放大、检测等所需要的各种气动元件。辅助元件包括油雾器、消声器、压力开关、管接头及连接管、气液转换器、气动显示器、气动传感器等。

5. 真空元件

真空元件是指利用压缩空气的流动形成一定真空来吸附物体的元件。真空元件包括真空发生器、真空吸盘、真空压力开关和真空过滤器等。

五、液压与气动技术的工程表示

图 1-1a 所示的液压系统图是一种半结构式的工作原理图。其直观性强,容易理解,但难以绘制。在实际工作中,除少数特殊情况下,一般都采用 GB/T 786.1—2021 所规定的流体传动系统及元件图形符号(参看附录)来绘制,如图 1-1c 所示。

GB/T 786.1—2021 对于图形符号有以下几条基本规定:

1)符号只表示元件的职能,连接系统的通路,不表示元件的具体结构和参数,也不表示元件在机器中的实际安装位置。

2)元件符号内的油液流动方向用箭头表示,线段两端都有箭头的,表示流动方向可逆。

3)符号均以元件的静止位置或中间零位置表示,当系统的动作另有说明时,可作为例外。

使用图形符号既便于绘制,又可使液压与气动系统简单明了。当有些元件无法用图形符号表达或国家标准中未列入时,可根据标准中规定的符号绘制规则和所给出的符号进行派生。

六、液压与气动技术的特点

1. 液压技术的特点

(1)优点 液压传动与机械传动、电气传动相比有以下主要优点:

1)在同等功率的情况下,液压执行元件的体积小、重量轻、结构紧凑。例如,同功率液压马达的重量约只有电动机的 1/6。

2)液压传动系统的各种元件可根据需要方便、灵活地布置。

3)液压装置工作平稳,换向冲击小,易于实现快速起动、制动和频繁的换向(直线运动速度可达 1000m/min,回转速度可达 500r/min)。

4)操纵控制方便,可实现大范围的无级调速(调速范围达 2000:1),而且它可以在运行的过程中进行调速。

5)一般采用矿物油为工作介质,相对运动面可自行润滑,使用寿命长。

6)既易实现自动化,又能实现过载保护,当采用电液联合控制或计算机控制后,可实现大负载、高精度、复杂运动的自动控制。

7)液压元件实现了标准化、系列化、通用化,便于设计、制造和推广使用。

(2) 缺点　液压传动的缺点如下：

1）液压传动能量损失（摩擦损失、泄漏损失等）较大，传动效率比机械传动和电力传动要低。

2）液压传动不能保证严格的传动比，这主要是由于液压油泄漏等造成的。

3）工作性能易受温度变化的影响，不宜在高温或很低的温度条件下工作。

4）液压系统出现故障不易诊断。

2. 气动技术的特点

气动控制元件参与方式和实现设备自动化的方法与液压传动大体相同，它们的元件名称、结构、规格等方面有很多类似之处，容易产生用相同方法处理的错觉。但由于工作介质不同，元件的结构及系统的构成方法都不完全相同，所以处理方法还是有区别的。

(1) 气动技术的优点

1）气动系统的工作介质是空气，它是取之不尽用之不竭的。现代工厂内压缩空气输送管路像电气配线一样比比皆是，压缩空气的使用是十分方便的。

2）使用快换接头可以非常简单地进行配管，因此系统的组装、维修以及元件的更换比较简单。

3）全气动控制装置具有防火、防爆、耐潮的能力。与液压方式相比，气动方式可在高温场合下使用。

4）由于空气的黏度只有液压油的万分之一，因此流动阻力小，管道中空气流动的沿程压力损失小，有利于工作介质集中供应和远距离输送。

5）做完功的空气可以直接排向大气中，不需要设置回程管道，即使系统稍有泄漏也不会造成环境污染。

6）气动比液压动作快，空气的压力波传递速度每秒达几百米，一般只需 0.02~0.3s 就可以达到所需的压力速度。气缸动作速度一般为 50~500mm/s。

7）气压具有较高的自保持能力，即使空气压缩机停止运行，由于储气罐的储能，气动系统仍可以维持在一个稳定的压力。

(2) 气动技术的主要缺点及解决方法

1）由于空气是可压缩的，因此气动系统的稳定性较差，给位置控制和速度控制精度带来较大的影响。若气缸运动速度小于 0.005m/s，则宜采用气液联合控制。

2）工作压力低（一般小于 0.8MPa），因而气动系统输出力小，在相同输出力的情况下，气动装置比液压装置尺寸大。气缸输出力不宜超过 10kN。

3）噪声大，尤其是在超音速排气时，需要加装消声器。

4）工作介质（空气）本身没有润滑性，如果不是采用无给油气动元件，则需另加油雾器等装置进行给油润滑。

任务实施

调查液压或气动技术的现状

1. 任务组织

以小组为单位，小组规模一般为 3~5 人，每小组选举 1 名小组长协调小组的各项工作，教师提出必要的指导和建议，组织学生进行讨论、交流，并针对共性问题在课堂上组织讨论和专门讲解。

2. 任务内容

通过对液压与气动技术现状的调查，使学生熟悉液压与气动技术在工程技术领域的应用情况。每个小组要阅读五篇以上 2018 年以后发表在专业期刊或专业网站的有关文档，并在此基础上形成调查报告。

调查报告的格式要符合文档编排要求，不少于 2500 字，并按规范格式注明参考文献。文档资料格式：A4 页面，字体是宋体，字号是小四，行间距是 1.5 倍行距，注意段首缩进。

3. 任务目的

通过调查液压与气动技术在工程中的使用情况，使学生了解液压与气动技术的用途，熟悉其工程使用场合，同时培养学生的团队合作意识，学会编写工程调查报告。

知识拓展

调查报告

一、概念与特点

调查报告是对某项工作、某个事件、某个问题，经过深入细致的调查后将调查中收集到的材料加以系统整理、分析研究，以书面形式向组织和领导汇报调查情况的一种文书。

调查报告有以下特点：

（1）写实性　调查报告要根据大量现实和历史资料，用叙述性的语言，实事求是地反映某一客观事物。充分了解实情和全面掌握真实可靠的素材是写好调查报告的基础。

（2）针对性　调查报告一般有比较明确的意向，相关的调查取证都是针对和围绕某一综合性或是专题性问题展开的。所以，调查报告反映的问题集中且有深度。

（3）逻辑性　调查报告离不开确凿的事实，但又不是材料的机械堆砌，而是对核实无误的数据和事实进行严密的逻辑论证，探明事物发展变化的原因，预测事物发展变化的趋势，提示本质性和规律性的东西，得出科学的结论。

二、分类

调查报告的种类主要有以下几种：

（1）情况调查报告　是比较系统地反映本地区、本单位基本情况的一种调查报告。这种调查报告是为了弄清情况，供决策者使用。

（2）典型经验调查报告　是通过分析典型事例，总结工作中出现的新经验，从而指导和推动某方面工作的一种调查报告。

（3）问题调查报告　是针对某一方面的问题，进行专项调查，澄清事实真相，判明问题的原因和性质，确定造成的危害，并提出解决问题的途径和建议，为问题的最后处理提供依据，也为其他有关方面提供参考和借鉴的一种调查报告。

三、写法

调查报告一般由标题和正文两部分组成。

1. 标题

标题可以有两种写法。一种是规范化的标题格式，即"发文主题"加"文种"，基本格式为"××关于××××的调查报告""关于××××的调查报告""××××调查"等。另一种是自由式标题,包括陈述式、提问式和正副题结合式三种。陈述式如《东北师范大学硕士毕业生就业情况调查》;提问式如《为什么大学毕业生择业倾向沿海和京津地区》;正副题结合式,正题陈述调查报告的主要结论或提出中心问题,副题标明调查的对象、范围、问题,这实际上类似于"发文主题"加"文种"的规范格式,如《高校发展重在学科建设——××××大学学科建设实践思考》等。作为公文,最好用规范化的标题格式或自由式中正副题结合式标题。

2. 正文

正文一般分前言、主体和结尾三部分。

(1) 前言　前言有几种写法:第一种是写明调查的起因或目的、时间和地点、对象或范围、经过与方法,以及人员组成等调查本身的情况,从中引出中心问题或基本结论来;第二种是写明调查对象的历史背景、大致发展经过、现实状况、主要成绩、突出问题等基本情况,进而提出中心问题或主要观点来;第三种是开门见山,直接概括出调查的结果,如肯定做法、指出问题、提示影响、说明中心内容等。前言起到画龙点睛的作用,要精练概括,直切主题。

(2) 主体　主体是调查报告最主要的部分,这部分详述调查研究的基本情况、做法、经验,以及分析调查研究所得材料中得出的各种具体认识、观点和基本结论。

(3) 结尾　结尾的写法也比较多,可以提出解决问题的方法、对策或下一步改进工作的建议;或总结全文的主要观点,进一步深化主题;或提出问题,引发人们的进一步思考;或展望前景,发出鼓舞和号召。

任务评价

教师根据同学或小组的调查报告给予表扬或指正,并视完成情况给予每个同学成绩。

液压与气动技术的现状调查报告考核表见表1-1。

表1-1　液压与气动技术的现状调查报告考核表

考核项目	考核内容	分　数	得　分
工作态度	按时完成任务	5分	
	格式符合要求	10分	
任务内容	内容详实	15分	
	报告观点正确	15分	
	对技术现状分析到位	10分	
	阅读大量资料,讨论充分	20分	
团队合作精神	团队有较强的凝聚力	5分	
	团队成员间有良好的协作精神	5分	
	团队成员间有相互的服务意识	5分	
团队成员间互评	认为该团队较好地完成了本任务	10分	
总分		100分	

任务二　理解流体力学基础知识

任务分析

液压传动是以液体为工作介质，通过密闭容积液体内部的压力传递运动和动力的一种传动方式。流体在流动过程中遵循连续性原理，同时基于帕斯卡原理有压力损失。液体在流过小孔、缝隙时有独有的特性。液压系统中的异常现象（液压冲击、气穴等）要注意处理。

任务重点

1. 熟悉流体静力学基础知识。
2. 理解流体力学基础知识。
3. 熟悉压力与流量的工程表示。
4. 熟悉压力损失和流量损失的特点。
5. 理解液体流过小孔、缝隙时的特性。
6. 理解液压冲击与气穴现象。

任务难点

液体流动时的压力损失。

知识链接

一、流体静力学基本知识

液体静力学是研究液体处于相对平衡状态下的力学规律及实际应用的。相对平衡是指液体内部各质点间没有相对运动。

1. 压力

液体在单位面积上所受的法向力称为压力（在物理学中称为压强）。压力通常用 p 表示。若在液体的面积 A 上受均匀分布的作用力 F，则压力 p 可表示为

$$p = \frac{F}{A} \tag{1-1}$$

压力的国标单位制单位为 $Pa(N/m^2)$，工程上常用 MPa，$1MPa = 10^6 Pa$。

2. 静压传递原理

由帕斯卡原理可知，在密闭容器中的静止液体，由外力作用在液面的压力能等值地传到液体内部的所有各点。

如图 1-3 所示，A_1、A_2 分别为液压缸 1 和 2 的活塞面积，两缸用管道 3 连通。液压缸 2 的活塞上作用有重力 W，当给液压缸 1 的活塞上施加力 F_1 时，液体中产生了 $p = F_1/A_1$ 的压力。当压力 $p = W/A_2$ 时，液压缸 2 的活塞开始运动。

3. 静压力传动的特性

静压力传动有以下特性：

1)传动必须在密封容器内进行。

2)系统内压力的大小取决于外负载的大小。也就是说,液体的压力是由于受到各种形式的阻力而形成的,当外负载 $W=0$ 时,则 $p=0$。

3)液压传动可以将力放大,力的放大倍数等于活塞面积之比,即

$$\frac{F_1}{A_1} = \frac{W}{A_2} \tag{1-2}$$

或

$$\frac{W}{F_1} = \frac{A_2}{A_1} \tag{1-3}$$

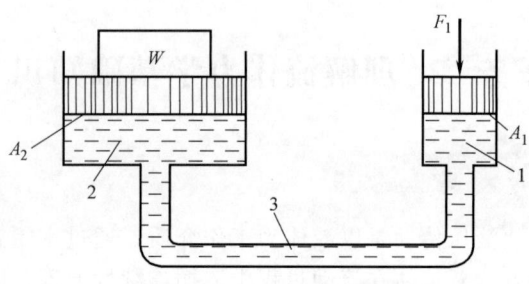

图 1-3 帕斯卡原理的应用
1、2—液压缸 3—管道

式中 F_1——施加于液压缸 1 上的力;
  W——液压缸 2 上作用的重力;
  A_1——液压缸 1 的活塞面积;
  A_2——液压缸 2 的活塞面积。

4. 压力的表示方法

压力表示方法有绝对压力和相对压力两种。

以绝对真空($p=0$)为基准,所测得的压力为绝对压力;以大气压力为基准,测得的压力为相对压力。

若绝对压力大于大气压,则相对压力为正值,由于大多数测压仪表所测得的压力都是相对压力,所以相对压力也称为表压力;若绝对压力小于大气压,则相对压力为负值,比大气压小的那部分称为真空度。图 1-4 所示为绝对压力、表压力和真空度三者之间的关系。

5. 液体作用在固体壁面上的力

液体流经管道和控制元件,并推动执行元件做功,都要和固体壁面接触。因此,需要计算液体对固体壁面的作用力。

当固体壁面为一平面时,流体对平面的作用力 F,等于流体的压力 p 乘以该平面的面积 A,即

$$F = pA \tag{1-4}$$

液体对曲面的作用力如图 1-5 所示,曲面面积为 A,曲面上作用的压力为 p,则液体对固体壁面的作用力按以下方法计算。

1)求液体对固体壁面在某一方向上的分力,先求出曲面面积 A 投射到该方向垂直面上的面积 A_i,如图 1-5 所示的 A_x 和 A_y,然后用压力 p 乘以投影面积 A_i,即

$$F_i = pA_i \tag{1-5}$$

2)求出各方向的分力后,按力的合成求出合力。首先求出 F_x、F_y 和 F_z,然后按式(1-6)计算出合力,即

$$F = \sqrt{F_x^2 + F_y^2 + F_z^2} \tag{1-6}$$

6. 液压传动系统中压力的建立

密闭容器内静止油液受到外力挤压而产生压力(静压力),对于采用液压泵连续供油的

项目一　液压与气动技术的认知

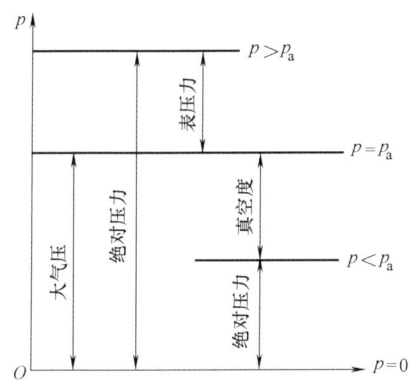

图 1-4　绝对压力、表压力和真空度
三者之间的关系（图中 p_a 为大气压）

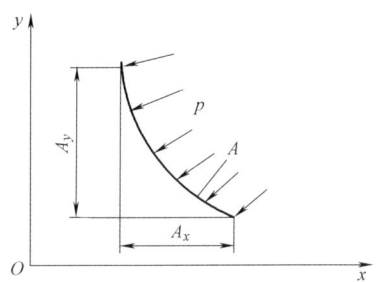

图 1-5　液体对曲面的作用力

液压传动系统，流动油液在某处的压力也是因为受到各种形式负载（如工作阻力、摩擦力、弹簧力等）的挤压而产生的。除静压力外，油液流动还有动压力，但在一般液压传动中，油液的动压力很小，可忽略不计。因此，液压传动系统中流动油液的压力主要考虑静压力。下面就对图 1-6 所示的液压传动系统中压力的形成进行分析。

在图 1-6a 中，假定负载阻力为零（不考虑油液的自重、活塞的自重、摩擦力等因素），由液压泵输入液压缸左腔的油液不受任何阻挡就能推动活塞向右运动，此时，系统中油液的压力为零（$p=0$）。活塞的运动是由于液压缸左腔内油液的体积增大而引起的。

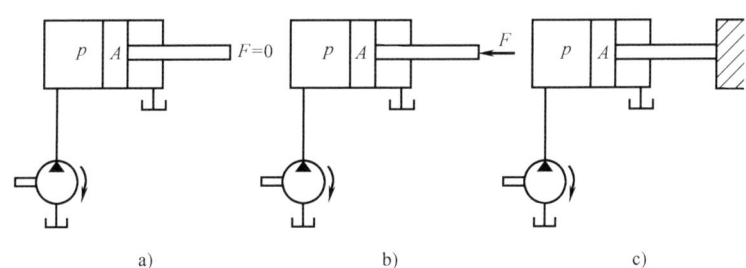

图 1-6　液压传动系统中压力的形成

在图 1-6b 中，输入液压缸左腔的油液由于受到外界负载 F 的阻挡，不能立即推动活塞向右运动，而液压泵总是连续不断地供油，使液压缸左腔中的油液受到挤压，油液的压力从零开始迅速增大，作用在活塞有效作用面积 A 上的液压作用力（pA）也迅速增大，从而推动活塞向右运动。在一般情况下，活塞做匀速运动，作用在活塞上的力相互平衡，即液压作用力等于负载阻力（$pA=F$）。因此，可知油液压力 $p=F/A$。若活塞在运动过程中负载 F 保持不变，则油液不会再受更大的挤压。也就是说，液压传动系统中油液的压力取决于负载的大小，并随负载大小的变化而变化。

图 1-6c 所示的是向右运动的活塞接触固定挡铁后，液压缸左腔的密封容积因活塞运动受阻停止而不能继续增大。此时，若液压泵仍继续供油，油液压力会急剧升高，如果液压传动系统没有保护措施，则系统中薄弱的环节将损坏。

综合上述分析可知，液压传动系统中某处油液的压力是由于受到各种形式负载的挤压而产生的,压力的大小取决于负载,并随负载的变化而变化,当某处有几个负载并联时,压力的大小取决于克服负载的各个压力值中的最小值。应特别注意的是,压力形成的过程是从无到有、从小到大,迅速进行的。

二、流体动力学基础

1. 基本概念

(1) 理想液体与恒定流动

1) 理想液体是一种假想的无黏性、不可压缩的液体,而把实际上既有黏性又有可压缩性的液体称为实际液体。

2) 恒定流动是指液体流动时,液体任意点的压力、流速和密度都不随时间而变化,称为恒定流动;反之,称为非恒定流动。

(2) 流量与平均流速

1) 流量是指单位时间内流过某一通流截面的液体体积,用 q 表示。流量的国际单位制单位为 m^3/s,工程上常用的单位是 L/min,它们的换算关系为 $1m^3/s = 6 \times 10^4 L/min$。

2) 平均流速是指液体通过截面面积为 A 的管路或液压缸时,其平均流速 v 用表示,即

$$v = \frac{q}{A} \tag{1-7}$$

活塞或液压缸的运动速度等于液压缸内油液的平均速度,其大小取决于输入液压缸的流量。

(3) 层流、紊流和雷诺数 液体流动时有层流和紊流两种状态。

1) 层流是指液体流动时,液体的质点没有横向运动,互不混杂,呈线状或层状流动。液体在这种流动状态下其能量损失较小。

2) 紊流是指液体流动时,液体质点既有纵向运动又有横向运动,做紊乱状态流动。液体在这种流动状态下因液流各质点的运动极其紊乱,故其能量损失较大。

雷诺数 Re 是一个与液体在管路中的流速、管径、液体的运动黏度有关的无量纲数,即

$$Re = \frac{vd}{\mu} \tag{1-8}$$

式中 v——液体在管道中的流速(m/s);

   d——管道的内径(m);

   μ——液体的运动黏度(m^2/s)。

雷诺数随管道中液体的流动状态不同而变化,它是判别流动状态的依据。液流层流时流速低,故雷诺数也小;液流紊流时流速高,故雷诺数也大。一般把层流转变为紊流时的雷诺数称为临界雷诺数 Re_L。当 $Re \leq Re_L$ 时为层流;当 $Re \geq Re_L$ 时为紊流。

各种雷诺数由试验求得。常见管道的临界雷诺数见表 1-2。

表 1-2 常见管道的临界雷诺数

管道形状	临界雷诺数 Re_L	管道形状	临界雷诺数 Re_L
光滑金属管	2300	光滑偏心环状缝隙	1000
橡胶软管	1600~200	圆柱形滑阀阀口	260
光滑同心环状缝隙	1100	锥阀阀口	20~100

2. 液流的连续性

液体流动（液流）的连续性是质量守恒定律在流体力学中的应用。在理想状态下，液体在同一时间内流过同一通道两个不同通流截面的体积（质量）相等。

在图 1-7 所示的管路中，流过截面 1 和 2 的流量分别为 q_1 和 q_2，截面面积分别为 A_1、A_2，液体流经截面 1、2 时的平均速度分别为 v_1、v_2。根据液流连续性原理，$q_1 = q_2$，即

$$v_1 A_1 = v_2 A_2 = 常量 \quad (1-9)$$

式（1-9）表明，液体在无分支管路中稳定流动时，流经管路不同截面时的平均流速与其截面面积大小成反比。管路截面面积小的地方平均流速大，管路截面面积大的地方平均流速小。

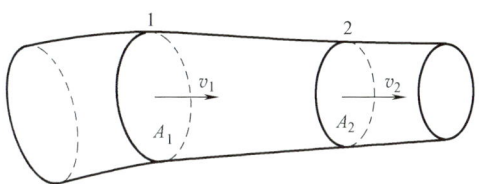

图 1-7 液体流动的连续性原理

【例 1-1】 如图 1-3 所示，假若液压缸 1 活塞的面积 $A_1 = 1.13 \times 10^{-4} \mathrm{m}^2$，液压缸 2 活塞的面积 $A_2 = 9.62 \times 10^{-4} \mathrm{m}^2$，管道 3 的截面面积 $A_3 = 0.13 \times 10^{-4} \mathrm{m}^2$。已知液压缸 1 活塞向下移动速度 $v_1 = 0.2 \mathrm{m/s}$，试求液压缸 2 活塞向上运动速度 v_2 和流体在管道内的流动速度 v_3。

解：液压缸 1 活塞向下移动排出的流量为

$$q_1 = v_1 A_1 = 0.2 \times 1.13 \times 10^{-4} \mathrm{m}^3/\mathrm{s} = 2.26 \times 10^{-5} \mathrm{m}^3/\mathrm{s}$$

进入液压缸 2 内的流量为 q_2，因为 $q_2 = q_1$，所以液压缸 2 活塞向上运动的速度为

$$v_2 = \frac{q_2}{A_2} = \frac{q_1}{A_2} = \frac{2.26 \times 10^{-5}}{9.62 \times 10^{-4}} \mathrm{m/s} = 0.0235 \mathrm{m/s}$$

同理，通过管道的平均流速为

$$v_3 = \frac{q_1}{A_3} = \frac{2.26 \times 10^{-5}}{0.13 \times 10^{-4}} \mathrm{m/s} = 1.738 \mathrm{m/s}$$

3. 伯努利方程

伯努利方程是能量守恒定律在流体力学中的具体应用。

（1）理想液体伯努利方程 对理想液体伯努利方程的推导基于以下假设：流动液体为理想液体，其流动为定常流动，作用在液体上的质量力只有重力。

设理想液体在一管道中做恒定流动，如图 1-8 所示，取一微小流束，在该流束上任意取两个通流截面 $a—a$ 和 $b—b$。设 $a—a$ 和 $b—b$ 的通流面积分别为 A_1 和 A_2，通流截面上的流速分别为 v_1 和 v_2，压力分别为 p_1 和 p_2，截面形心到水平基准面 $0—0$ 的距离分别为 h_1 和 h_2，液体密度为 ρ。若经过时间 Δt 后，截面 $a—a$ 上液体的位移为 $\mathrm{d}S_1 = v_1 \Delta t$，截面 $b—b$ 上液体的位移为 $\mathrm{d}S_2 = v_2 \Delta t$，则液体在两截面处所具有的能量如下：

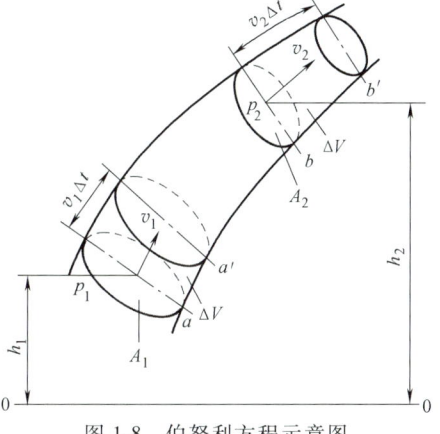

图 1-8 伯努利方程示意图

	a—a 截面	b—b 截面
动能	$\dfrac{1}{2}mv_1^2$	$\dfrac{1}{2}mv_2^2$
位能	mgh_1	mgh_2
压力能	$\rho A_1 v_1 \Delta t = p_1 V = p_1 m/\rho$	$\rho A_2 v_2 \Delta t = p_2 V = p_2 m/\rho$

流动液体具有的能量也遵守能量守恒定律，因此可写为

$$\frac{1}{2}mv_1^2 + mgh_1 + p_1 m/\rho = \frac{1}{2}mv_2^2 + mgh_2 + p_2 m/\rho$$

简化后可得

$$\frac{v_1^2}{2} + gh_1 + \frac{p_1}{\rho} = \frac{v_2^2}{2} + gh_2 + \frac{p_2}{\rho} \tag{1-10}$$

或写成

$$\frac{v_1^2}{2g} + h_1 + \frac{p_1}{\rho g} = \frac{v_2^2}{2g} + h_2 + \frac{p_2}{\rho g} \tag{1-11}$$

式中 $\dfrac{p}{\rho}$——单位质量液体的压力能；

gh——单位质量液体的位能；

$\dfrac{v^2}{2}$——单位质量液体的动能。

式（1-10）称为单位质量理想液体的伯努利方程。其物理意义是，在密闭管道中定常流动的理想液体具有三种形式的能量——压力能、位能和动能，在沿管道流动过程中，三种能量之间可以相互转化，但在任意截面处，三种能量之和为一常数。它反映了运动液体的位置高度、压力和流速之间的相互关系。

（2）实际液体伯努利方程　由于实际液体有一定的黏度，因此它在管道通流截面上的速度分布是不均匀的，在用平均流速代替实际流速计算动能时，必然会产生误差，为了修正这个误差，需要引入动能修正系数。而且，由于液体具有黏性，其在管道中流动时会产生摩擦，产生能量损失，需要对该损失进行补偿。因此，实际液体的伯努利方程为

$$\frac{p_1}{\rho} + gh_1 + \frac{\alpha_1 v_1^2}{2} = \frac{p_2}{\rho} + gh_2 + \frac{\alpha_2 v_2^2}{2} + gh_w$$

或写成

$$\frac{p_1}{\rho g} + h_1 + \frac{\alpha_1 v_1^2}{2g} = \frac{p_2}{\rho g} + h_2 + \frac{\alpha_2 v_2^2}{2g} + h_w \tag{1-12}$$

式中　$g、h_w$——单位质量液体的能量损失；

$\alpha_1、\alpha_2$——动能修正系数，一般在紊流时取 1，层流时取 2。

伯努利方程是流体力学中一个非常重要的基本方程，它揭示了液体流动过程中的能量变化规律，是对液压系统进行分析的理论基础。应用伯努利方程时必须注意以下事项：

1）通流截面 a、b 必须顺流向选取（否则 h_w 为负值），且应选在缓变流动中的截面。

2）通流截面中心在基准面以上时，h 为正值，反之为负值，通常选其中较低的通流截面的中心作为基准水平面。

三、管路中液体的能量损失

1. 压力损失

由于流动油液各质点之间以及油液与管壁之间的摩擦与碰撞会产生阻力,这种阻力称为液阻。油液流动时由于有阻力会引起能量损失,主要表现为压力损失。

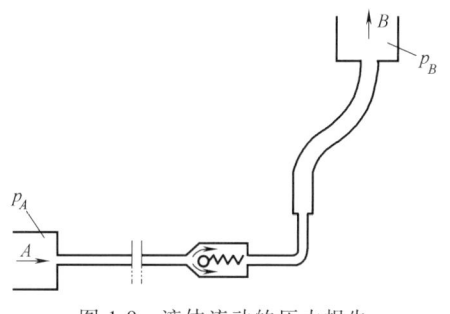

图1-9 液体流动的压力损失

如图1-9所示,油液从 A 处流到 B 处,中间经过较长的直管路、弯曲管路、各种阀孔和管路截面的突变等。由于液阻的影响致使油液在 A 处的压力 p_A 与在 B 处的压力 p_B 不相等,显然,$p_A > p_B$,引起的压力损失为 Δp,即

$$\Delta p = p_A - p_B$$

压力损失包括沿程损失和局部损失。

(1) 沿程损失 液体在等径直管中流动时,因内、外摩擦力而产生的压力损失称为沿程损失,它主要取决于液体的流速、黏性、管路的长度以及油管的内径及粗糙度。管路越长,沿程损失越大。

(2) 局部损失 液体流经管道的弯头、接头、突变截面以及阀口时,由于流速或流向的剧烈变化,形成旋涡,因此使液体质点相互撞击而造成压力损失,称之为局部损失。在液压传动系统中,由于各种液压元件的结构、形状、布局等,致使管路的形式比较复杂,因而局部损失是主要的压力损失。

液体流动产生的压力损失会造成功率浪费,油液发热,黏度下降,使油液易泄漏,同时液压元件受热膨胀也会影响正常工作,甚至"卡死"。因此,必须采取措施尽量减少压力损失。一般情况下,只要油液黏度适当,管路内壁光滑,尽量缩短管路长度和减少管路的截面变化及弯曲,就可以使压力损失控制在很小的范围内。

影响压力损失的因素很多,精确计算较为复杂,通常采用近似估算的方法。一般采取增大液压泵的最高工作压力来考虑压力损失。

液压泵最高工作压力的近似计算式为

$$p_p = K_p p_c \tag{1-13}$$

式中 p_p——液压泵的最高工作压力;

p_c——液压缸的最高工作压力;

K_p——系统的压力损失参数,一般取 $K_p = 1.3 \sim 1.5$,系统复杂或管路较长时取较大的值,反之取较小的值。

2. 流量损失

在液压系统正常工作的情况下,从液压元件的密封间隙漏过少量油液的现象称为泄漏。由于液压元件必然存在着一些间隙,当间隙的两端有压力差时,就会有油液从这些间隙中流过。因此,液压系统中少量泄漏现象不可避免,但泄漏过多就会影响液压系统的正常工作。

液压系统的泄漏包括内泄漏和外泄漏两种。液压元件内部高、低压腔间的液体泄漏称为内泄漏。液压系统内部的油液漏到系统外部的泄漏称为外泄漏。图1-10所示为液压缸在工作时的两种泄漏现象。

液压系统的泄漏必然引起流量损失，此时液压泵输出流量的近似计算式为

$$q_p = K_1 q_c \quad (1\text{-}14)$$

式中　q_p——液压泵的最大输出流量（m³/s）；
　　　q_c——液压缸的最大输出流量（m³/s）；
　　　K_1——系统的泄漏系数，一般取 $K_1 = 1.1 \sim 1.3$，系统复杂或管路较长取较大的值，反之取较小的值。

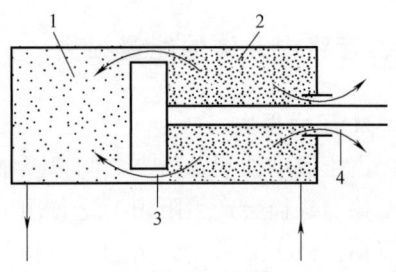

图 1-10　液压缸在工作时的两种泄漏现象
1—低压腔　2—高压腔　3—内泄漏　4—外泄漏

四、液体流经小孔和缝隙的流量

许多液压元件都有小孔，如节流阀的节流口以及压力阀、方向阀的阀口等，对阀的工作性能都有很大的影响。在液压泵、液压缸和液压阀的液压元件中，只要有相对运动的表面就有间隙，间隙大小直接影响泄漏的大小，影响液压元件能否正常工作。因此，了解液体流经小孔和间隙的流量十分必要。

1. 液体流经小孔的流量

液压传动中常利用流经液压阀的小孔（称为节流口）来控制流量，以达到调速的目的。尽管节流口的形状很多，且人们还在不断探索，但根据理论分析和试验，各种孔口的流量压力特性均可用下列的通式表示，即

$$q = AK\Delta p^m \quad (1\text{-}15)$$

式中　q——通过小孔的流量；
　　　A——节流口的通道截面积；
　　　K——由孔口的形状、尺寸和液体性质决定的系数；
　　　m——由孔的长径比（通流长度 l 与孔径 d 之比）决定的指数，如图 1-11 所示，若是薄壁孔，$\frac{l}{d} \leq 0.5$，则 $m = 0.5$；若是细长孔，$\frac{l}{d} > 4$，则 $m = 1$；其他类型的孔，$m = 0.5 \sim 1$；
　　　Δp——小孔前、后的压力差。

液体流经孔径为 d 的薄壁小孔时，由于液体的惯性作用，使通过小孔后的液流形成一个直径为 d_c 的收缩断面，然后再扩散，这一收缩和扩散过程就产生了压力损失（见图 1-11），即

$$\Delta p = p_1 - p_2$$

在实际应用中，油液流经薄壁小孔时，流量受温度变化的影响较小，所以它常用作液压系统的节流元件，细长孔则常作为阻尼孔。

2. 液体流经缝隙的流量

液压元件内各零件间要保证相对运动，就必须有适当的间隙。间隙的大小对液压元件的性能影响极大，间隙太小会使零件卡死；间隙过大，会造成泄漏使系统效率和传动精度降低，同时还污染环境。

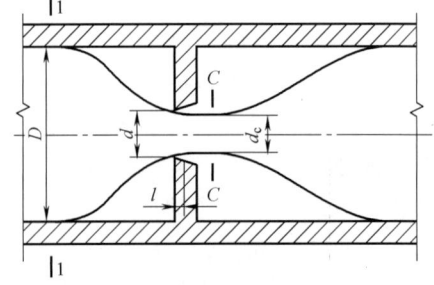

图 1-11　小孔的结构

（1）液体流经平行平板缝隙的流量

1）固定平行平板缝隙。液体在两固定平行平板间的流动是由两端的压差引起的。图 1-12 所示为液体在两固定平行平板间流动的情况。液体流经该平板缝隙的流量（实际上就是泄漏）为

$$q = \frac{\delta^3 b}{12\mu l}\Delta p \tag{1-16}$$

式中　q——通过平板缝隙的流量；
　　　δ——缝隙的高度；
　　　l——缝隙的长度；
　　　b——缝隙的宽度；
　　　Δp——缝隙两端的压力差；
　　　μ——液体的黏度。

2）相对运动平行平板缝隙。如图 1-13 所示，若一个平板以一定速度 v 相对另一平板运动，则在压力差的作用下流经相对运动平行平板缝隙的流量经推导应为

$$q = \frac{\delta^3 b}{12\mu l}\Delta p \pm \frac{v}{2}b\delta \tag{1-17}$$

式中　q——通过平板缝隙的流量；
　　　δ——缝隙的高度；
　　　l——缝隙的长度；
　　　b——缝隙的宽度；
　　　Δp——缝隙两端的压力差；
　　　μ——液体的黏度；
　　　v——平板运动的速度。

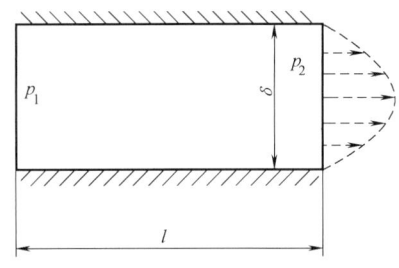
图 1-12　液体在两固定平行平板间流动的情况

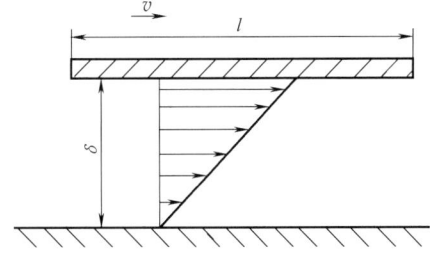
图 1-13　液体在相对运动平行平板缝隙的流动

平板运动速度与压力差作用下液体流动方向相同取"+"号，相反取"-"号。

（2）液体流经环状缝隙的流量　在液压传动系统中，液体流经同心环形缝隙（见图 1-14）和偏心环形缝隙（见图 1-15）的情况比较常见，如液压缸与活塞之间的缝隙、阀芯与阀套之间的缝隙等。

液体流经环形缝隙的流量为

$$q = \frac{\pi D \delta^3}{12\mu l}\Delta p (1+1.5\varepsilon^2) \pm \frac{\pi v}{2}d\delta \left(\text{其中 } \varepsilon = \frac{e}{\delta}\right) \tag{1-18}$$

式中　q——通过环形缝隙的流量；

　　　δ——无偏心时环形缝隙值；

　　　l——缝隙的长度；

　　　Δp——缝隙两端的压力差；

　　　μ——液体的黏度；

　　　D——大圆的直径；

　　　d——小圆的直径；

　　　v——内、外环之间的相对运动速度。

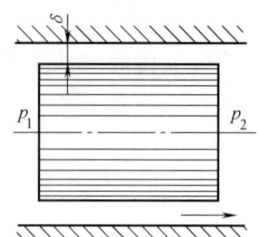 　　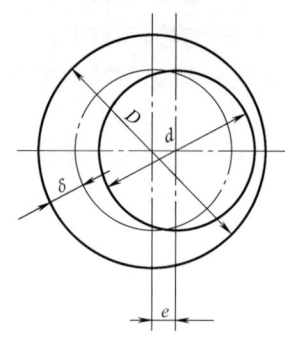

图 1-14　同心环形缝隙中的液流　　　　　　图 1-15　偏心环形缝隙中的液流

若内、外环间没有相对运动，则

$$q=\frac{\pi D\delta^3 \Delta p}{12\mu l}(1+1.5\varepsilon^2) \qquad (1-19)$$

由此可知，偏心越大，泄漏量也越大，完全偏心时是同心时泄漏量的 2.5 倍，因此在液压元件中柱塞式阀芯上都开有平衡槽，使其在工作时靠压力自动对中，以减少泄漏。

五、液压系统的异常现象

在液压系统中，液压冲击和气穴等不正常现象给系统带来诸多不利影响，因此需要了解这些现象产生的原因，并采取措施加以预防。

1. 液压冲击

在液压系统中，由于某种原因使压力突然产生很高的峰值，这种现象称为液压冲击。发生液压冲击时，由于瞬间的压力峰值比正常的工作压力大好几倍，因此对密封元件、管道和液压元件都有损坏作用，还会引起设备振动，产生很大的噪声。液压冲击经常使压力继电器、顺序阀等元件产生误动作。

液压冲击多发生在阀门突然关闭或运动部件快速制动的场合。这时，液体的流动突然受阻，液体的动量发生了变化，从而产生了压力冲击波。这种冲击波迅速往复传播，最后由于液体受到摩擦力作用而衰减。

现将减小液压冲击的措施归纳如下：

1）尽量延长阀门关闭和运动部件制动换向的时间。

2）在冲击区附近安装卸荷阀、储能器等缓冲装置。

3）正确设计阀门参数，限制管道流速及运动部件速度，使运动部件制动时速度变化比较平稳。

4）如果换向精度要求不高，可使液压缸两腔油路在换向阀回到中位时瞬时互通。

2. 气穴现象

流动的液体，如果压力低于其空气分离压，则原先溶解在液体中的空气就会分离出来，从而导致液体中充满大量的气泡，这种现象称为气穴现象。气穴多发生在阀口和液压泵的入口处，因为阀口处液体的流速增大，压力将降低；如果液压泵吸油管太细，也会造成真空度过大而发生气穴现象。

当气泡进入高压部位，在压力作用下气泡溃灭，由于该过程时间极短，气泡周围的液体加速向气泡中心冲击，液体质点高速碰撞，产生局部高温，温度可达1000℃，冲击压力可达数十兆帕甚至几百兆帕。在高温高压下，液体局部氧化、变黑，产生噪声和振动，如果气泡在金属壁面上溃灭，会加速金属氧化、剥落，长时间会形成麻点、小坑，这种现象称为气蚀。

由此可见，气穴现象会引起流量的不连续和压力波动，空气中的游离氧对液压元件有很大的腐蚀（气蚀）作用。

为减少气穴现象带来的危害，通常采取下列措施：

1）减小孔口或缝隙前后的压力降。一般建议相应的压力比小于3.5。

2）降低液压泵的吸油高度，适当加大吸油管直径，对于自吸能力差的液压泵要安装辅助泵供油。

3）管路要有良好的密封，防止空气进入。

4）采用耐蚀性好的金属材料，减小零件表面的表面粗糙度值。

> **任务实施**

如何确定液压千斤顶的输出力

图1-16所示为液压千斤顶的工作原理。例如，若已知手柄长 $L=520$ mm，阻力臂 $L_1=20$ mm，大活塞内径 $D=35$ mm，小活塞内径 $d=12$ mm。若在手柄上施加300N的力，试问此时能使大活塞顶起多重的物体？

1. 任务组织

以小组为单位，小组规模一般为3~5人，每小组选举1名小组长协调小组的各项工作，教师提出必要的指导和建议，组织学生对任务进行讨论、交流，并针对共性问题在课堂上组织讨论和专门讲解。

2. 任务内容

通过对液压千斤顶输出力的计算，使学生熟悉液压传动原理，对千斤顶的杠杆部分和液压传动部分的受力进行分析，并在此基础上形成结果报告。

分组汇报分析、计算结果，各组间进行互评。

3. 任务目的

使学生通过对液压千斤顶的受力情况分析，巩固力学分析的有关知识，了解液体压力传

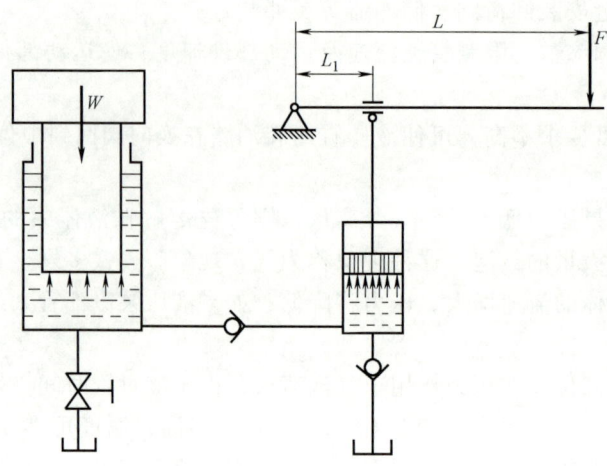

图 1-16 液压千斤顶的工作原理

递的基本知识,熟悉其液压系统的组成,同时培养学生的团队合作意识,学会工程运算的相关知识。

任务评价

教师根据同学或小组的调查报告给予表扬或指正,并视完成情况给予每个同学成绩。液压千斤顶输出力确定考核表见表 1-3。

表 1-3 液压千斤顶输出力确定考核表

考核项目	考核内容	分 数	得 分
工作态度	按时完成任务	5 分	
	格式符合要求	10 分	
任务内容	分析合理	15 分	
	运用公式正确	15 分	
	计算正确	20 分	
	讨论充分,汇报得当	10 分	
团队合作精神	团队有较强的凝聚力	5 分	
	团队成员间有良好的协作精神	5 分	
	团队成员间有相互的服务意识	5 分	
团队成员间互评	该团队较好地完成了本任务	10 分	
总分		100 分	

任务三 工作介质的选用

任务分析

液压传动的工作介质是液压油,液压油具有密度、黏性、压缩性等性质。液压油的牌号

项目一　液压与气动技术的认知

是根据运动黏度来确定的，每种液压油都有不同的用途，应根据液压系统的使用条件不同选择合适的液压油类型和牌号。在使用液压油时要注意防止液压油对环境的污染。

气压传动是以空气为工作介质进行能量传递或信号传递及控制的。其工作介质是压缩空气，且压缩空气必须保持清洁和干燥。因此应了解气体的温度、黏性、压缩性等基础知识。

任务重点

1. 熟悉液压油的黏性。
2. 熟悉液压油的类型。
3. 会选择液压油的类型和牌号。
4. 熟悉气体的基本知识。

液压油的特性

任务难点

选择液压油的类型和牌号。

知识链接

一、液压油的主要性质

常用的液压油如图 1-17 所示。

1. 密度

单位体积的液体质量称为密度。矿物油型液压油在 15℃ 时的密度为 900kg/m³ 左右，在实际使用中可以认为密度不受温度和压力的影响。

2. 可压缩性

液体受压力的作用而使体积发生变化的性质称为液体的可压缩性。

一般矿物油型液压油的可压缩性很小，但在实际使用中，由于在液体内不可避免地会混入空气等原因，使其抗压缩能力显著降低，这会影响液压系统的工作性能。在液压系统中应采取措施使油液中的空气减少到最低限度。

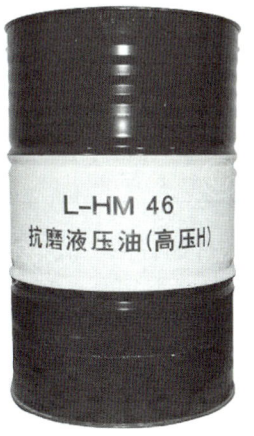

图 1-17　常用的液压油

液压油的可压缩性对液压传动系统的动态性能影响较大，当液压传动系统在静态（稳态）下工作时，一般可以不予考虑，但在压力变化较大的高压系统中，就需要考虑液体可压缩性的影响。

3. 黏性

液体分子之间存在内聚力，液体在外力作用下流动时，液体分子间的相对运动导致内摩擦力的产生，液体流动时具有内摩擦力的性质被称为黏性。

现以图 1-18 为例，说明液体的黏性。若两平行平板间充满液体，下平板固定，而上平

板以速度 v_0 向右运动。由于液体和固体壁面间的附着力及液体的黏性，会使流动液体内部液层的速度大小不等：紧靠着下平板的液层速度为零，紧靠着上平板的液层速度为 v_0，而当两平行平板间距离较小时，中间各层液体的速度从上到下近似呈线性递减规律分布。其中速度快的上液层带动速度慢的下液层；而速度慢的下液层对速度快的上液层起阻滞作用。

度量黏性大小的物理量称为黏度。常用的黏度有三种，即动力黏度、运动黏度和相对黏度。

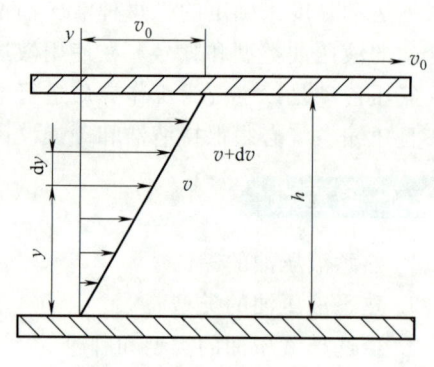

图 1-18　液体的黏性示意图

动力黏度 μ 是表征流动液体内摩擦力大小的黏性系数，其物理意义是，液体在以单位速度流动时，相接触的液层间的单位面积上产生的内摩擦力。

运动黏度 ν 是液体动力黏度与其密度之比。在实际上液压油的黏度用 mm^2/s（cSt，厘斯）表示。运动黏度是液压油（液）划分牌号的依据。按 GB/T 3141—1994 所规定，液压油产品的牌号用黏度的等级表示，即用该液压油在 40℃ 时的运动黏度平均值表示。国际标准（ISO）按运动黏度值对油液的黏度等级（VG）进行划分，见表 1-4。

表 1-4　常用液压油的 ISO 黏度等级和黏度（40℃）

ISO 黏度等级	中间点运动黏度（40℃）/(mm^2/s)	40℃时运动黏度范围/(mm^2/s)	ISO 黏度等级	中间点运动黏度（40℃）/(mm^2/s)	40℃时运动黏度范围/(mm^2/s)
15	15	13.5~16.5	46	46	41.4~50.6
22	22	19.8~24.2	68	68	61.2~74.8
32	32	28.8~35.2	100	100	90~110

相对黏度是根据特定测量条件制订的，故又称条件黏度。测量条件不同，采用的相对黏度单位也不同。如恩氏°E（中国）、通用赛氏秒 SSU（美国）、商用雷氏秒 RS（英国）和巴氏度°B（法国）等。恩氏黏度用恩氏黏度计测定，即将 200mL 温度为 t(℃) 的被测液体装入黏度计的容器内，由容器底部 ϕ2.8mm 的小孔流出，测出 200mL 液体流尽所需时间 t_1，再测出相同体积温度为 20℃ 的蒸馏水在同一容器中流尽所需的时间 t_2；这两个时间之比即为被测液体在 t(℃) 下的恩氏黏度。

温度变化使液体内聚力发生变化，因此液体的黏度对温度的变化十分敏感：温度升高，液体分子间的聚合力减少，故黏度下降。这又被称为黏-温特性。一般情况下，在高压或者高温条件下工作时，为了获得较高的容积效率，应采用高黏度等级液压油；低温时或泵的吸入条件不好时，采用低黏度等级液压油。

液压系统的工作介质除以上性质外，还有润滑性、防锈性、闪点、凝点、抗燃性、抗凝性、抗泡沫性、抗乳化性、热稳定性、氧化稳定性、水解稳定性等。

二、液压工作介质的要求

液压工作介质一般称为液压油（有部分液压介质已不含油的成分），其性能对液压系统的工作状态有很大的影响，液压系统对工作介质的基本要求如下。

1. 适当的黏度和良好的黏-温特性

黏度是选择工作介质的首要因素。黏度过高，液流阻力增加，温升快，泵自吸能力下降，管道压力损失增大；反之，黏度过低会增加系统的泄漏，液压油膜支承能力下降而导致摩擦副间摩擦力增大。因此要求工作介质在温度、压力变化时，其黏度变化要小。

2. 氧化安定性

工作介质在高温、高压下容易氧化、变质。氧化后酸值增加会增强腐蚀性，氧化生成的黏稠状油泥会堵塞过滤器，造成系统故障以及降低系统效率。

3. 抗乳化性、抗泡沫性好

工作介质在工作过程中可能混入水或出现凝结水。混有水分的工作介质在泵和其他元件的长期剧烈搅拌下，易形成乳化液，使工作介质水解变质或生成沉淀物，引起工作系统锈蚀和腐蚀。另外，混有气泡的工作介质会使液压系统产生异常的噪声、振动。

4. 其他要求

1）闪点、燃点要高，能防火、防爆。

2）有良好的润滑性，对金属和密封件有良好的相容性。

3）对人体无害，成本低。

三、液压工作介质的选择

正确合理地选用液压工作介质，对于保证液压系统正常工作、延长使用寿命、提高工作可靠性、防止事故发生都有非常重要的影响。液压工作介质的选用，首先应根据液压传动系统的工作环境和工作条件来选择合适的液压油类型，然后再选择液压油的黏度。

1. 选择液压油的类型

液压油的品种很多，我国各种液压设备所采用的液压油主要有矿物型油和抗燃型油（合成型和乳化型）。液压油的种类见表1-5。矿物型油液压油润滑性能好，但抗燃性较差。在一些高温、易燃、易爆的工作场合，应在系统中使用合成型和乳化型液压油。

表1-5 液压油的种类

矿物型油	机械油		抗燃型油	合成型	水-乙二元醇基液压油
	汽轮机油				磷酸酯基液压油
	通用液压油			乳化型(水乳化液)	
	专用液压油	抗磨液压油		高水基型	可溶性油
		低温液压油			合成溶液
		清静液压油			微型乳化液
		高黏度指数油			

选择液压油的类型时，首先要考虑液压传动系统的工作环境和工作条件，若系统靠近300℃以上高温的表面热源或有明火场所，要选抗燃型液压油。对用量大的油液传导系统建议选用乳化型液压油，用量小的选用合成型液压油。当选用了矿物型液压油后，在客观条件受到限制时或对简单的液压传动系统，也可以选用普通液压油或汽轮机油。

2. 选择液压油的黏度

液压油的类型选定后，再选择液压油的黏度。黏度太大，液流的压力损失和发热大，使系统的效率降低；黏度太小，泄漏增大，也会使液压系统的效率降低。因此，应选择能使液压系统可靠工作的油液黏度。有时若液压系统需要液压油的黏度市场上没有可用牌号，可以使用两种牌号的液压油成比例调和而得到需要的黏度液压油。

在液压系统的所有元件中，液压泵的工作条件最为严峻，不但压力高、转速高和温度高，而且工作介质在被液压泵吸入和由液压泵压出时受剪切力作用，所以一般根据液压泵的要求来确定工作介质的黏度。各种液压泵用液压油的黏度范围及推荐用液压油见表1-6。

表1-6 各种液压泵用液压油的黏度范围及推荐用液压油

名 称	黏度范围/($10^{-6}m^2 \cdot s^{-1}$)		工作压力 /MPa	工作温度 /℃	推荐用液压油
	允许	最佳			
叶片泵(1200r/min)、叶片泵(1800r/min)	16~220	26~54	7	5~40	L-HH32,L-HH46
				40~80	L-HH46,L-HH68
	20~220	25~54	>14	5~40	L-HL32,L-HL46
				40~80	L-HL46,L-HL68
齿轮泵	4~220	25~54	<12.5	5~40	L-HL32,L-HL46
				40~80	L-HL46,L-HL68
			10~20	5~40	L-HL46,L-HL68
				40~80	L-HM46,L-HM68
			16~32	5~40	L-HM32,L-HM68
				40~80	L-HM46,L-HM68
径向柱塞泵、轴向柱塞泵	10~65	16~48	14~35	5~40	L-HM32,L-HM46
				40~80	L-HM46,L-HM68
	4~76	16~47	>35	5~40	L-HM32,L-HM68
				40~80	L-HM68,L-HM100
螺杆泵	19~49	—	>10.5	5~40	L-HL32,L-HL46

四、液压油的污染与控制

实践证明，工作介质被污染是系统发生故障的主要原因，它严重影响液压系统的可靠性及元件的寿命。

1. 液压油污染的原因

1）液压装置组装时残留物（切屑、毛刺、型砂、磨粒、焊渣、铁锈等）的污染。

2）来自周围环境侵入物（空气、尘埃、水滴等）的污染。

3）在工作过程中生成物（金属颗粒、锈斑、涂料、密封件的剥离片、水分、气泡以及工作介质变质后的胶状物等）的污染。

2. 液压油污染的危害

工作介质被污染后，将对系统及元件造成以下危害：

1）固体颗粒会加速相对滑动元件表面的磨损，划伤密封件，使泄漏增加，同时堵塞过滤器缝隙,使液压泵吸油不畅,产生噪声,使阀类元件动作不灵活。

2)水侵入会加速油液的氧化,并与添加剂起作用产生黏性胶质,使滤芯堵塞。

3)空气介入会降低工作介质的体积弹性模量,引起气蚀,使液压传动系统产生振动、爬行等现象。

4)溶剂、微生物、表面活性化合物会使工作介质变质,降低润滑性能,加速元件腐蚀。

3. 液压油污染的控制

液压系统故障的70%~80%是由于油液污染造成的。减少油液中的颗粒可降低磨损,同时还要十分重视水和空气对油液的污染。一般常采取如下措施来控制工作介质的污染。

1)严格清洗元件和系统。遵守和执行元件及系统制造过程清洁度管理规范,采用经济有效的清洗方法,如超高压喷射清洗及超声波清洗等。系统在组装前,先清洗油箱和管道,组装后再进行全面彻底的冲洗。

2)防止污染物从外界侵入。在储存、搬运及加注的各个阶段都应防止工作介质被污染。工作介质必须经过过滤器注入系统。在油箱呼吸孔上装设空气过滤器或采用封闭式密封油箱,防止运行时尘土、磨料和冷却物侵入系统。另外,在液压缸活塞杆端部应装防尘密封,并经常检查定期更换。

3)采用高性能的过滤器。这是控制工作介质污染度的重要手段,它可使系统在工作中不断滤除内、外部各种污染物。必须定期检查、清洗过滤器和更换滤芯。

4)控制工作介质的温度。液压装置必须设立良好的散热条件,使工作介质长期处在低于它开始氧化的温度下工作。一般液压系统的工作温度最好控制在65℃以下,机床液压系统还应更低一些。

5)定期检查和更换工作介质。每隔一定时间,对系统中的工作介质进行抽样分析,也可采用便携式颗粒计数器实现在线测量,用一个微型接头与液压系统连接,在屏幕上可显示测量结果并可打印出相应数据。如发现污染度已超过标准,应及时更换。在更换新工作介质前,整个系统必须先清洗一次。

有效地控制液压系统的污染,以保证液压系统的工作可靠性和元件的使用寿命,需要制定必要的管理规范和实施细则。

五、气压传动基本知识

空气是气动技术使用的主要工作介质,空气的成分、性能、主要参数等因素对气动系统能否正常工作有直接影响。

1. 空气的特性

(1) 空气的状态参数

1)密度。气体与固体不同,它既无一定的体积,也无一定的形状,要说明气体的质量是多少,必须说明质量占有多大容积。单位容积内所含气体的质量叫作密度,用 ρ 表示,单位为 kg/m^3。

2)压力。空气的压力是由于气体分子热运动而相互碰撞,从而在容器的单位面积上产生力的统计平均值,用 p 表示。压力的法定计量单位为 Pa。

空气压力可用绝对压力、表压力和真空度等来度量。

3)温度。温度是指空气的冷热程度,它常用以下三种形式表达。

绝对温度:以气体分子停止运动时的最低极限温度为起点测量的温度,用 T 表示。其单位为开[尔文],单位符号为 K。

摄氏温度:用符号 t 表示,其单位为摄氏度,单位符号为℃。

华氏温度:用符号 t_F 表示,其单位为华氏度,单位符号为°F。

三者之间的关系为

$$T(K) = t(℃) + 273.15$$
$$t_F(°F) = 1.8t(℃) + 32$$

(2)空气的主要性能

1)压缩性。一定质量的静止气体,由于压力改变而导致气体所占容积发生变化的现象,称为气体的压缩性。气体容易压缩,有利于气体的储存,但难以实现气缸的平稳运动和低速运动。

2)黏性。流体的黏性是指流体具有抗拒流动的性质。气体与液体相比,虽然其黏性小得多,但实际上气体都具有黏性。气体比液体的动力黏度要小得多。例如,在20℃时,空气的动力黏度为 $18.1 \times 10^{-6} Pa \cdot s$,而某液压油的动力黏度为 $5.0 \times 10^{-2} Pa \cdot s$。因此,在管道内流动速度相同的条件下,液压油的流动损失比空气的流动损失大得多。

没有黏性的气体称为理想气体,自然界是不存在理想气体的。当气体的黏性较小,运动的相对速度也不大时,所产生的黏性力与其他类型的力相比可以忽略不计,这样的气体就可当作理想气体。

2. 气体的状态变化

(1)标准状态和基准状态

1)标准状态:温度为0℃,压力为0.1013MPa(760mmHg)时的气体状态,记为1atm。1atm = 760mmHg = 0.1013MPa,标准状态的空气密度 $\rho = 1.293 kg/m^3$。

2)基准状态:温度为20℃,相对湿度为65%,压力为0.1MPa 的状态。在单位后标注 ANR。如自由空气的流量为 $30m^3/h$,应记为 $30m^3/h$(ANR),基准状态的空气密度 $\rho = 1.185 kg/m^3$。

(2)理想气体的状态方程 理想气体的状态方程是描述理想气体的状态参数之间关系的方程。对空气而言,其理想气体的状态方程表达式为

$$pv = RT \tag{1-20}$$

或

$$p = \rho RT = \frac{m}{V}RT \tag{1-21}$$

对一定质量的理想气体,状态方程也可写成

$$\frac{p_1 v_1}{T_1} = \frac{p_2 v_2}{T_2} \tag{1-22}$$

式中　p——压力(Pa);

　　　v——质量体积(m^3/kg);

　　　ρ——密度(kg/m^3);

　　　T——温度(K);

R——气体常量,干燥空气的 $R=287\text{N}\cdot\text{m}/(\text{kg}\cdot\text{K})$;

m——质量(kg);

V——容积(m^3)。

说明:在气压传动所遇到的压力和温度范围内,空气可以作为理想气体处理。对密闭容器中的气体和流体中的气体,气体状态方程都适用。

理想气体状态变化过程一般有等温过程、等容过程和等压过程等。

任务实施

选择并购买液压油

1. 任务组织

以小组为单位,小组规模一般为3~5人,每小组选举1名小组长协调小组的各项工作,教师提出必要的指导和建议,组织学生对任务进行讨论、交流,并针对共性问题在课堂上组织讨论和专门讲解。

2. 任务内容

通过对指定工作任务(各组推选一个陈述人:1—数控加工中心导轨用液压油;2—挖掘机用液压油,低温为-30℃;3—起重机伸缩臂用液压油;4—高温下的平面磨床用液压油)的分析,确定液压油的类型和具体牌号,同时使学生熟悉当地液压油的品牌,并了解各品牌液压油的价格。

分组汇报本组的结果,各组间进行互评。

3. 任务目的

使学生通过调查、分析液压油的使用情况,熟悉各类型液压油的用途,熟悉液压油的品牌和价格,同时培养学生的团队合作意识,学会工程材料的询价。

4. 操作过程

步骤一:分组根据液压油选择原则以及指定工作状况,确定液压油的类型和牌号。

步骤二:到当地工程材料市场询问所需类型和牌号液压油的价格(询问的商店应在三家以上)。

步骤三:提交本任务报告单,列明液压油的类型、牌号、品牌、价格等情况。

知识拓展

一、液压千斤顶

1. 如何选择液压千斤顶油液

一般千斤顶可选用黏度等级为15的机械油。过高的黏度会增加液压系统的压力损失,降低效率,使系统发热,并恶化泵的吸入条件;反之,黏度过低,会增大油液泄漏,也影响效率。

2. 液压千斤顶使用时的注意事项

1)应严格遵守主要参数中的规定,严禁超高超载。

2）若泵体中油量不够时，需先加入过滤后的液压油才能工作。

3）合理选择千斤顶的着力点，底面要垫平；若地面软，则要衬垫坚硬的木板。

4）千斤顶将重物顶起后，要及时用支撑物支撑牢固，禁止将千斤顶作为支撑物使用。

5）如需几台千斤顶同时顶起重物时，每台千斤顶的负荷要均匀；注意保持各千斤顶起升速度同步，防止被举重物产生倾斜而发生危险。

6）液压缸卸荷，活塞杆要缓慢下降，防止下降速度过快产生危险。

7）使用过程中应避免千斤顶剧烈振动。

8）不适宜在有酸碱、腐蚀性气体环境中使用。

二、常用液压与气动仿真软件介绍

液压与气动仿真技术及其仿真软件的蓬勃发展使现代液压仿真软件在工程实际中得到越来越广泛的应用，随着仿真和液压与气动技术的发展，未来的液压与气动仿真技术会在系统的建模和算法、人工智能和专家系统、系统优化设计能力、仿真和测试的无缝集成及多媒体技术与面向对象等方面进一步发展和完善。

目前，液压与气动技术仿真软件主要有 FluidSIM、Hopsan、MATLAB/Simulink、ADAMS/Hydraulics、AMESim 等，下面就对这些软件进行介绍。

1. FluidSIM 软件介绍

FluidSIM 软件是由帕德博恩（Paderborn）大学、Festo Didactic GmbH & Co 和 Art Systems Software GmbH 联合开发研制的一种用于液压与气动技术的教学软件，其运行于 Microsoft Windows 操作系统中，既可与 Festo Didactic GmbH & Co 教学设备一起使用，也可以单独使用。

FluidSIM 软件的主要特征就是其可与 CAD 功能和仿真功能紧密联系在一起。FluidSIM 软件符合 DIN 电气-液压回路图绘制标准，且可对基于元件物理模型的回路图进行实际仿真，这样就使回路图绘制和相应液压系统仿真相一致。FluidSIM 软件 CAD 功能是专门针对流体而特殊设计的，例如在绘图过程中，FluidSIM 软件将检查各元件之间连接是否可行。

FluidSIM 软件的另一个特征就是其系统学习概念：FluidSIM 软件可用来自学、教学和多媒体教学液压与气动技术知识。液压元件可以通过文本说明、图形以及介绍其工作原理的动画来描述；各种练习和教学影片讲授了重要回路和液压元件的使用方法。

FluidSIM 软件用户界面直观，易于学习。用户可以很快地学会绘制电气-液压回路图，并对其进行仿真。

2. Hopsan

瑞典从 1977 年开始研制，历时 8 年推出了 Hopsan 液压系统仿真软件。Hopsan 软件的建模方法是元传输线法，源于特征法和传输线建模。这种方法特别适合并行计算，从而提高计算速度和实现分布计算功能。在传输线方法上增加了可变时间步长法，解决系统的刚性和断点问题，与键合图法（BOND GRAPH）相比，键合图法只能描述元件间的连接关系，不能反映元件间的因果关系，而传输线法能够描述出元件间的因果关系。该软件还拥有图形建模功能，元件图采用 WMF 图元文件格式，新版本的软件增加了 WMF 图元文件编辑器。它的图形建模功能较好，界面友好，编辑方便，效率很高，速度快；有系统连接时可做合理性的判断，对错误的连接方式可以在一定程度上避免；可以方便地更改元件的图形文件，实现元件图的转换。该软件有图形元件库，元件库元素可以动态添加，用户可以编辑软件，设定元件图形，连接阀的油口，以及用于仿真计算的变量等。其参数的赋值通过对话框来设定。

Hopsan 还可以对系统的一些行为进行优化，也可以用来进行离线参数评估，通过计算比较仿真结果和测量结果的差别，并且通过优化使之最小，在一定程度上实现了仿真与试验的连接。为了进行有效的仿真试验，该软件拥有强大的命令接口，这可以对参数变化研究进行系列的仿真，还有诸如频率分析等强大的后处理工具。同时，Hopsan 拥有 MATLAB 软件的接口。

Hopsan 软件最重要的三个特点可归纳为：①动态的图形元件库和图形建模功能；②优化方法用于对系统行为的优化和参数的离线评估；③具有实时仿真和分布式计算功能。

3. MATLAB/Simulink

MATLAB 是 MathWorks 公司于 1982 年推出的一套高性能的数值计算可视化软件，它除了传统的交互式编程之外，还集数值分析、矩阵运算、信号处理和图形显示于一体，其强大的扩展功能为各个领域的应用提供了基础，出现了各种以 MATLAB 为基础的工具箱，广泛应用于自动控制、图像信号处理、信号分析、振动理论、时序分析与建模、优化设计等领域，并表现出一般高级语言难以比拟的优势。

Simulink 可以对动态系统进行建模、仿真和分析，从而可以在设计系统的时候先对系统进行仿真和分析，然后及时进行必要的修正，以实现高效的系统开发。Simulink 支持线性和非线性系统、连续和离散时阻力系统以及多进程系统。Simulink 包含有 Continuous（连续量）、Discrete（离散量）、Functions&Table（功能）、Math（计算）、Nonlinear（非线性环节）、Signals systems（信号系统）、Sinks（输出方式）、Source（信号输入源）、Subsystems（子系统）子模型库。在每个子模型库中包含有相应的功能模块，用户也可以制订和创建适合需要的模块。

由于 MATLAB 和 Simulink 是集成化软件，用户可以在这两种环境下交替地对仿真模型进行仿真、分析和修改，同时可以仿真较大、较复杂的系统，而且系统可以是多进程的。Simulink 在模型的建构、求解及结果分析中还有提供图形用户界面（Graphical User Interface，GUI）、定制系统模块、系统分层功能、仿真与结果分析等优点。

4. ADAMS/Hydraulics

ADAMS（Automatic Dynamic Analysis of Mechanical System）软件是由美国 Mechanical Dynamics Inc 公司开发研制的一套机械系统动力学仿真分析软件。ADAMS/Hydraulics 模块是 ADAMS 的一个对液压系统进行仿真的扩充模块，利用 ADAMS/Hydraulics 模块可以在同一界面下建立机械系统与液压回路之间相互作用的模型并在计算机中设置系统的运动特性，进行各种静态、模态和瞬态分析，如液压系统峰值压力和运行压力、液压系统滞后特性、液压系统控制、功率消耗、液压元件和管路尺寸等。

Festo 仿真软件的使用

由于 ADAMS/Hydraulics 采用了与 ADAMS/View 相同的参数化功能和函数库，因此用户在液压元件设计中同样可以运用设计研究（DS）、试验设计（DOE）及优化设计（OPTI-MIZE）等技术。

5. AMESim

AMESim 软件最初于 1995 年由法国 IMAGINE 公司推出，至今已经历了近 30 年的丰富和完善。AMESim 代表"Advanced Modeling Environment Foperforming Simulations of Engineering Systems",即"执行工程系统仿真的高级建模环境"。它具有完全图形界面,在整个仿真过程中系统都是以图形的形式显示的,在表示元件方面,对于液压元件采用基于工程领域的标准 ISO 符号;对于控制系统,则采用图表符号;对于没有标准符号的,则采用能代表系统的容易识别的图画符号。

AMESim 根据仿真步骤自然地分为四个工作模式:草图模式、子模型模式、参数模式和运行模式。在草图模式下,根据实际工程系统的工作原理,利用元件库中的元件图标搭建系统模型,系统模型搭建完成后便可进入子模型模式,这时需要为每个元件选择合适的子模型(即数学模型),对于不同的元件,子模型可能不止一个,需要根据实际情况选择最合适的。接着在参数模式下为每个元件设定必要的参数,如活塞直径、滑阀开度和所加控制信号等。最后在运行模式下,设置好仿真时间、采样间隔等初始条件后进行仿真。仿真结束后可以对需要的参数进行绘图,以进行分析研究,也可以对系统进行线性化,并进行时域和频域的相关分析。

任务评价

教师根据同学或小组的调查报告给予表扬或指正,并视完成情况给予每个同学成绩。选择并购买液压油考核表见表 1-7。

表 1-7 选择并购买液压油考核表

考核项目	考核内容	分 数	得 分
工作态度	按时完成任务	5 分	
	格式符合要求	10 分	
任务内容	选择液压油类型正确	15 分	
	选用液压油牌号合理	15 分	
	品牌和价格合理	20 分	
	调查充分,汇报得当	10 分	
团队合作精神	团队有较强的凝聚力	5 分	
	团队成员间有良好的协作精神	5 分	
	团队成员间有相互服务意识	5 分	
团队成员间互评	认为该团队较好地完成了本任务	10 分	
总分		100 分	

课后练习

一、填空题

1. 液压系统的组成有_____、_____、_____和_____四大部分。
2. 气动系统的组成有_____、_____、_____和_____四大部分。
3. 液压传动是利用密闭容器中的_____来传递_____或动力的。液压系统中的压力取决于_____。

4. 液体流动中的压力损失可分为_____压力损失和_____压力损失两种。

5. 我国的液压油牌号是以_____℃时的油液的平均_____黏度的_____数来表示的。

6. 流经环形缝隙的流量，在最大偏心时是其同心时流量的_____倍。

二、思考题

1. 与机械传动相比，液压传动有何优缺点？
2. 液压油的牌号和黏度有何关系？如何选择液压油的黏度？
3. 液压油的污染有何危害？如何控制液压油的污染？
4. 当液压系统中液压缸的有效面积一定时，其内的工作压力大小由什么参数决定？活塞的运动速度由什么参数决定？
5. 为什么要限制管道内液体的流速？

项目二　动力源的选用

项目分析

动力源是液压系统或气动系统的能量输入端,其作用是为液压或气动系统提供具有一定压力和流量的工作介质(液体或气体),是整个系统的重要组成部分。在实际应用中需要根据具体的工作条件来选择合适的动力源,以满足液压或气动系统不同的使用要求。

项目目标

知识与技能目标:

1. 熟悉液压泵、空气压缩机的工作原理和性能参数。
2. 熟悉齿轮泵、叶片泵和柱塞泵的工作原理、结构特点及应用。
3. 了解气源装置的组成、工作原理及使用。
4. 学会根据实际要求正确选用液压泵和空气压缩机。
5. 学会正确使用工具拆装液压泵和气源装置,会分析、排除液压泵和空气压缩机的常见故障。

素质目标:

1. 培养严谨规范、遵章守规的工匠精神。
2. 训练团队协作及语言表达能力。
3. 培养安全意识及环境保护意识。

任务一　液压泵的选用

任务分析

本任务从单柱塞液压泵出发,首先学习液压泵的工作原理和主要性能参数,然后具体学习齿轮泵、叶片泵和柱塞泵的工作原理、结构特点及应用,要求会根据实际要求正确选用液压泵,在此基础上会正确使用工具拆装液压泵,会分析、排除液压泵的常见故障。

任务重点

1. 熟悉液压泵的工作原理及特点。
2. 了解液压泵的主要性能参数及分类。
3. 掌握齿轮泵、叶片泵和柱塞泵的工作原理及结构特点。

4. 了解齿轮泵、叶片泵和柱塞泵的应用。
5. 掌握正确选用液压泵的方法。
6. 了解液压泵的常见故障及排除方法。

任务难点

1. 液压泵主要性能参数间的关系。
2. 外啮合齿轮泵工作时的压力分布、困油现象及解决措施。
3. 单作用叶片泵的工作原理和流量特性。
4. 液压泵的正确选用以及常见故障的排除。

知识链接

液压机是目前应用范围很广的压力加工设备，适合可塑性材料的压制工艺，如冲压、弯曲、翻边等。图2-1所示为立柱式液压机。

液压机一般由本机（主机）、动力系统两部分组成。主机部分包括机身、液压缸及充液装置等。动力系统由油箱、液压泵、电动机及各种液压阀等组成。动力系统在电气装置的控制下，通过液压泵和液压缸及各种液压阀实现能量的转换、调节和输送，完成各种工艺动作的循环。

液压机工作时压头的升降运动由液压泵驱动液压缸活塞实现，液压泵的作用就是把原动机输入的机械能转换成液压能，为液压系统提供所需压力和流量的液压油，相当于液压系统的心脏，是整个系统的动力源。

不同类型的液压机的工作压力有高有低，对液压系统的要求各不相同，因此正确选用合适的液压泵是保证整个系统可靠、有效工作的关键。

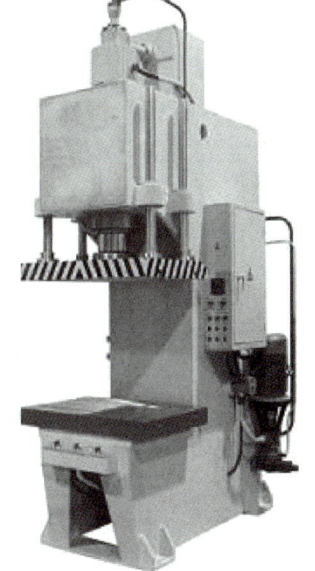

图2-1 立柱式液压机

一、概述

液压泵是液压系统的动力元件，它是一种能量转换装置。它将原动机的机械能转换成液体的压力能，为液压系统提供动力，是液压系统的重要组成部分。液压传动中使用的液压泵都是容积式液压泵，它是依靠周期性变化的密封容积和配流装置来工作的，其主要类型有齿轮泵、叶片泵和柱塞泵。

1. 液压泵的工作原理和类型

图2-2所示为单柱塞液压泵的工作原理，柱塞2安装在缸体3内，靠间隙密封，柱塞、缸体和单向阀5、6形成密封的工作容积a。柱塞在弹簧4的作用下和偏心轮1保持接触。当偏心轮旋转时，柱塞在偏心轮和弹簧的作用下在缸体中移动，使密封腔a的容积发生变化。柱塞右移时，密封腔a的容积增大，产生局部真空，油箱中的油液在大气压力作用下顶开单向阀6中的钢球流入泵体内，实现吸油。此时，单向阀5封闭出油口，防止系统压力油液回流。柱塞左移时，密封腔a的容积减小，已吸入的油液受到挤压，产生一定的压力，便将单向阀5中的钢球压入系统，实现排油。此时，单向阀6中的钢球在弹簧和油压的作用下，封

闭吸油口，避免油液流回油箱。若偏心轮不停地转动，泵就不停地吸油和排油。

由此可知，液压泵是靠密封腔容积的变化来实现吸油和排油的，其输出油量的多少取决于柱塞往复运动的次数和密封容积变化的大小，故液压泵又称为容积式泵。

通过以上分析可以得出液压泵正常工作的基本条件：

1）在结构上具有若干个容积大小能周期性变化的密封腔。

2）有配油机构（由单向阀组成），密封腔由小变大时与吸油腔相通，由大变小时与排油腔相通。

3）油箱内油液的绝对压力必须大于或等于大气压力。

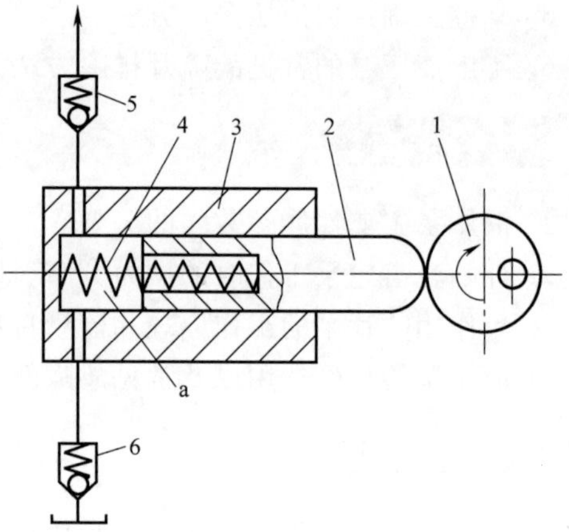

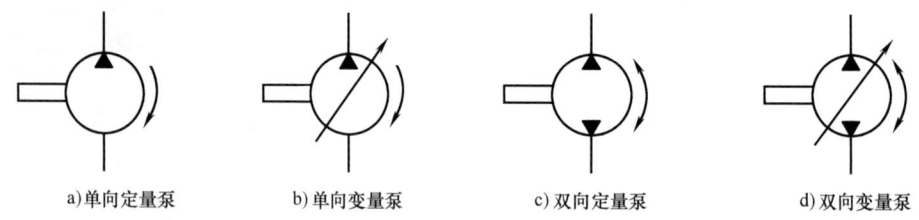

图 2-2　单柱塞液压泵的工作原理
1—偏心轮　2—柱塞　3—缸体
4—弹簧　5、6—单向阀

液压泵按结构形式的不同可分为柱塞泵、叶片泵、齿轮泵、螺杆泵等类型；按其排出油液体积是否可以调节可分成定量泵和变量泵；按额定压力的高低可分为低压泵、中压泵和高压泵。

液压泵的图形符号如图 2-3 所示。

a) 单向定量泵　　b) 单向变量泵　　c) 双向定量泵　　d) 双向变量泵

图 2-3　液压泵的图形符号

2. 液压泵的基本性能参数

（1）压力

1）工作压力 p。液压泵的工作压力指泵实际工作时输出的压力。工作压力由系统负载决定，负载增加，泵的工作压力升高；负载减小，泵的工作压力降低。而工作压力与液压泵的流量无关。

2）额定压力 p_n。液压泵的额定压力是指根据试验标准规定的连续运转允许的最高压力。超过此值，将使泵过载。额定压力受泵本身的结构强度和泄漏的制约。

由于液压传动的用途不同，系统所需压力也不相同。为了便于液压元件的设计、生产和使用，将压力分为若干等级，见表 2-1。

表 2-1　压力等级

压力等级	低压	中压	中高压	高压	超高压
压力/MPa	≤2.5	>2.5~8	>8~16	>16~31.5	>31.5

(2) 排量和流量

1) 排量 V。在不考虑泄漏的情况下液压泵轴旋转一周所排出的液体体积,称为液压泵的排量。排量可以调节的液压泵称为变量泵;排量不可以调节的液压泵称为定量泵。排量的数值由泵的密封容积几何尺寸的变化计算而得,又称几何排量,其常用单位为 mL/r。

2) 理论流量 q_t。在不考虑泄漏的情况下,液压泵在单位时间内所排出的液体体积称为理论流量。显然,如果液压泵主轴转速为 n,泵的理论流量等于泵的排量 V 与输入转速 n 的乘积,即

$$q_t = Vn \tag{2-1}$$

3) 实际流量 q。在具体工况下,单位时间内液压泵所排出的液体体积,称为实际流量,即

$$q = q_t - \Delta q \tag{2-2}$$

式中,Δq 为泄漏流量,与工作压力有关,工作压力越大,泄漏流量越大。显然,$q < q_t$。液压泵的流量与压力之间的关系如图 2-4 所示。

(3) 容积效率和机械效率 液压泵在能量转换过程中是有损失的,其输出功率总小于输入功率。两者之间的差值为功率损失,它分为容积损失和机械损失两部分。

1) 容积效率。容积损失是因内泄漏、气穴和油液在高压下被压缩而造成的流量上的损失。流量损失主要指内泄漏,它与工作压力有关,随工作压力的增高而加大,所以泵的实际流量随工作压力的增高而减少,总是小于理论流量。衡量容积损失的指标是容积效率 η_V,它是泵的实际输出流量与理论流量的比值,即

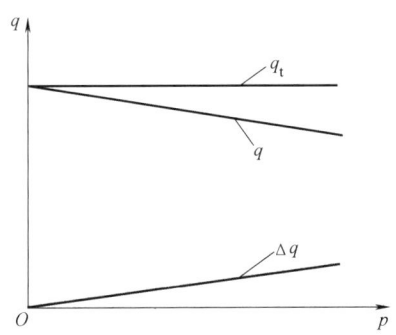

图 2-4 液压泵的流量与压力之间的关系

$$\eta_V = q/q_t = q/(Vn) \tag{2-3}$$

因此,液压泵的输出流量

$$q = Vn\eta_V$$

液压泵的容积效率随着工作压力的增大而减小,且随液压泵的结构类型不同而异。

2) 机械效率。机械损失是因摩擦而造成的转矩上的损失。驱动液压泵的转矩总是大于其理论上所需的转矩,衡量机械损失的指标是机械效率 η_m,它是泵的理论转矩 T_t 与实际输入转矩 T_i 的比值,即

$$\eta_m = T_t/T_i \tag{2-4}$$

(4) 功率

1) 输入功率 P_i。液压泵的输入功率 P_i 是指作用在液压泵主轴上的机械功率,当输入转矩为 T_i、角速度为 ω 时,有 $P_i = T_i\omega = 2\pi n T_i$。

2) 输出功率 P_o。液压泵的输出功率 P_o 是指在液压泵工作过程中的实际输出油液的压力 p 和实际输出流量 q 的乘积,即

$$P_o = pq \tag{2-5}$$

(5) 总效率 如果不考虑液压泵在能量转换过程中的损失,根据能量守恒原理,则输

出功率等于输入功率，即

$$pq_t = 2\pi n T_i$$

液压泵的总效率 η 为其输出功率与输入功率之比，即

$$\eta = \frac{P_o}{P_i} = \frac{pq}{2\pi n T_i} \frac{q_t}{q_t} = \eta_V \eta_m \qquad (2\text{-}6)$$

则液压泵的输入功率

$$P_i = P_o / \eta \qquad (2\text{-}7)$$

式（2-6）说明：液压泵的总效率等于容积效率和机械效率的乘积。液压泵的容积效率、机械效率和总效率的关系曲线如图 2-5 所示。可利用该曲线来评定液压泵的性能质量，并确定其合理的使用范围。

二、齿轮泵

齿轮泵是液压系统中常用的液压泵。它具有结构简单、体积小、重量轻、工作可靠、成本低、对油的污染不敏感、便于维修等优点；但其缺点是流量脉动大、噪声大、排量不可调节。按结构形式的不同，齿轮泵可分为外啮合齿轮泵和内啮合齿轮泵两种。

1. 外啮合齿轮泵

1）外啮合齿轮泵的工作原理：图 2-6 所示为外啮合齿轮泵的工作原理，在泵体内有一对模数一样、齿数相同的外啮合齿轮，齿轮的两端由端盖罩住（图中未画出）。泵体、两个齿轮和前后端盖组成一密封容腔，并由齿轮的齿面接触线将其分成左右互不相通的两部分，即吸油腔和压油腔。当齿轮按图示方向转动时，泵右侧吸油腔内的轮齿相继脱开啮合，轮齿退出齿间，使密封容积增大，形成局部真空，油箱中的油液在大气压力的作用下，进入吸油口，填满吸油腔齿间容积，并被转动的齿轮带入左侧压油腔；而压油腔的轮齿则相继进入啮合，使密封容积减小，齿间中的油液被挤出，通过压油口排出。齿轮不断转动，吸油腔就不断吸油，而压油腔则不断排油。

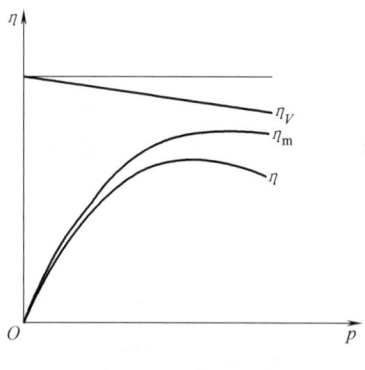

图 2-5 液压泵的容积效率、机械效率和总效率的关系曲线

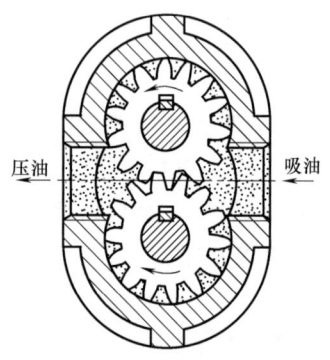

图 2-6 外啮合齿轮泵的工作原理

2）外啮合齿轮泵的排量和流量：齿轮泵的排量可视为两个齿轮的齿间槽的容积之和。假设齿槽的容积与轮齿的体积相等，则其排量就等于一个齿轮的齿槽和轮齿的体积的总和，即相当于一个由有效齿高和齿宽构成的平面所扫过的环形体积。于是泵的排量 V 为

$$V = \pi dhb = 2\pi zm^2 b \qquad (2\text{-}8)$$

式中　d——节圆直径，$d = mz$；

　　　h——有效齿高，$h = 2m$；

　　　b——齿宽；

　　　z——齿数；

　　　m——齿轮模数。

考虑实际齿槽容积比轮齿体积稍大，故常用 3.33 代替式（2-8）中的 π，即

$$V = 6.66zm^2 b \qquad (2\text{-}9)$$

则泵的流量为

$$q = 6.66zm^2 bn\eta_V \qquad (2\text{-}10)$$

式中　n——泵的转速；

　　　η_V——泵的容积效率。

式（2-10）所表示的是泵的平均流量。实际上由于齿轮啮合过程中压油腔的容积变化率是不均匀的，因此齿轮泵的瞬时流量是脉动的。

2. 内啮合齿轮泵

内啮合齿轮泵具有结构紧凑、尺寸小、重量轻、运转平稳、噪声小、流量脉动小等优点；其缺点是齿形复杂、加工困难、价格较贵。内啮合齿轮泵有渐开线内啮合齿轮泵和摆线形内啮合齿轮泵两种，如图 2-7 所示。其工作原理和主要特点与外啮合齿轮泵相同，只是小齿轮为外齿轮，大齿轮是内齿轮，属内啮合传动。小齿轮是主动轮，小齿轮带动内齿轮以各自的中心同方向旋转。

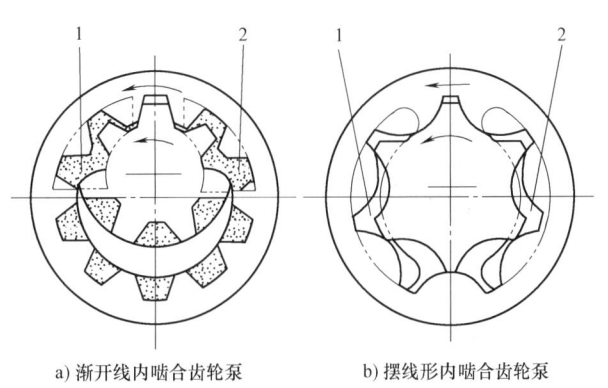

a) 渐开线内啮合齿轮泵　　b) 摆线形内啮合齿轮泵

图 2-7　内啮合齿轮泵
1—吸油腔　2—压油腔

如图 2-7a 所示，在渐开线内啮合齿轮泵中，小齿轮和内齿轮之间要装一块月牙板，以便把吸油腔和压油腔隔开。当小齿轮带动内齿轮转动时，左半部轮齿退出啮合，形成真空，进行吸油。进入齿槽的油液被带到压油腔，右半部轮齿进入啮合将油挤出，从压油口排油。

如图 2-7b 所示，在摆线形内啮合齿轮泵（又称摆线转子泵）中，小齿轮（内转子）与内齿轮（外转子）相差一个齿，当内转子带动外转子转动时，所有内转子的轮齿都进入啮合，形成几个独立的密封腔，不需设置月牙板。随着内、外转子的啮合旋转，各密封腔的容积发生变化，从而进行吸油和压油。

三、叶片泵

叶片泵和其他液压泵相比，具有体积小、重量轻、运转平稳、输出流量均匀、噪声小等优点，但它也存在结构较复杂、对油液污染较敏感、吸入特性不太好等缺点。叶片泵在中高压系统中得到了广泛使用，在机床液压系统中用得较多。

叶片泵按每转吸、压油液的次数可分为单作用叶片泵和双作用叶片泵；按排量是否可变分为定量叶片泵和变量叶片泵。

1. 双作用叶片泵

1) 双作用叶片泵的工作原理：图 2-8 所示为双作用叶片泵的工作原理。双作用叶片泵的定子内表面由四段同心圆弧（两大半径 R 圆弧、两小半径 r 圆弧）和四段过渡曲线组成，且定子和转子同心。配流盘上开两个吸油窗口和两个压油窗口。当转子按图 2-8 所示方向转动，叶片由小半径 r 处向大半径 R 处移动时，两叶片间容积增大，通过吸油窗口 a 吸油；叶片由大半径 R 处向小半径 r 处移动时，两叶片间容积减小，通过压油窗口 b 压油。转子每转一周，每一叶片往复运动两次，吸油、压油各两次。故这

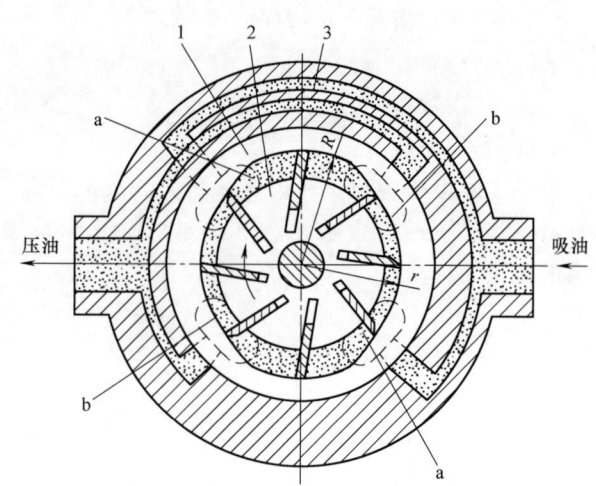

图 2-8 双作用叶片泵的工作原理
1—定子 2—转子 3—叶片

种泵称为双作用叶片泵。双作用叶片泵的排量不可调，是定量泵。

2) 双作用叶片泵的排量和流量：由图 2-8 可知，叶片泵每转一周，两叶片组成的工作腔由最小到最大变化两次。因此，叶片泵每转一周，两叶片间的油液排出量为大圆弧段 R 处的容积与小圆弧段 r 处的容积的差值的两倍。若叶片数为 z，当不计叶片本身的体积时，通过计算可得双作用叶片泵的排量为

$$V = 2\pi(R^2 - r^2)b \tag{2-11}$$

则泵的流量为

$$q = 2\pi(R^2 - r^2)bn\eta_V \tag{2-12}$$

式中　R——定子的长半径；
　　　r——定子的短半径；
　　　b——叶片宽度；
　　　n——泵的转速；
　　　η_V——泵的容积效率。

只要合理选择定子的过渡曲线及与其相适应的叶片数，理论上可以做到瞬时流量无脉动。常用的定子过渡曲线是等加速等减速曲线，其叶片数为 12（叶片顺着转子回转方向前倾一个角度，可使压力角减小，使叶片在槽中移动灵活，并减少磨损）。

图 2-9 所示为双作用叶片泵的典型结构。它由左右泵体、轴、转子、定子、叶片、左右配流盘、泵盖等零件组成。泵的左右配流盘、定子、转子和叶片可先组装成一个部件后整体装入左泵体。为了减小端面泄漏，采取的间隙自动补偿措施，是将右配流盘的右侧与压油腔相通，使配流盘在液压推力作用下压向定子。泵的工作压力越高，配流盘就会越贴紧定子，因此一定程度上提高了容积效率。

3) 双联叶片泵：双联叶片泵相当于两个双作用叶片泵的组合。双联叶片泵有两套转

子、定子和配流盘，它们都装在一个泵体内，泵体有一个公共的吸油口和两个各自独立的压油口，两个转子由同一传动轴带动，如图2-10所示。

双联叶片泵的流量可以组合。双联叶片泵的流量可以分开使用，也可以合并使用。例如，在轻载快速时，两泵同时供给低压油；重载慢速时，高压小流量泵单独供油，大流量泵卸荷。系统采用双联叶片泵可以节省功率损耗，减少油液发热。双联叶片泵也常用于需要有两个互不干扰独立油路的液压系统中。

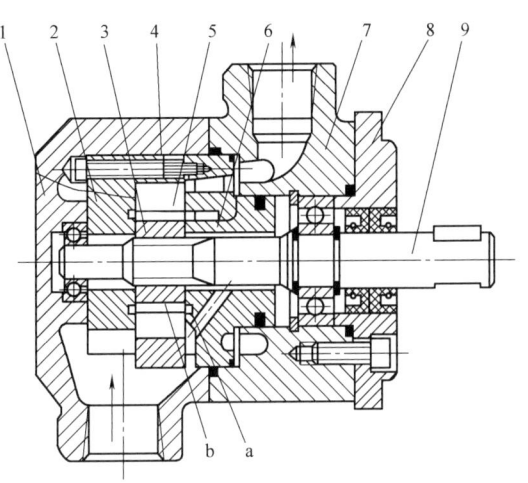

图2-9 双作用叶片泵的典型结构
1—左泵体 2—左配流盘 3—转子 4—定子
5—叶片 6—右配流盘 7—右泵体 8—泵盖 9—轴

2. 单作用叶片泵

1）单作用叶片泵的工作原理：图2-11所示为单作用叶片泵的工作原理。它由定子、转子、叶片、配油盘和端盖等零件所组成。定子的内表面是一个圆形孔，转子和定子相互偏置，偏心距为e。在配流盘上开有两个腰形的配流窗口，其中一个与吸油口相通，为吸油窗口；另一个与压油口相通，为压油窗口。叶片在转子的槽内可灵活滑动。当转子由轴带动旋转时，叶片在离心力的作用下，在随转子转动的同时向外伸出，叶片顶部紧贴在定子内表面上，于是两相邻叶片、配油盘、定子和转子便形成了一个个密封腔。若按图示方向旋转时，图右边的叶片向外伸出，密封腔容积逐渐增大，产生真空，通过吸油窗口吸油；而左边的叶片在定子内表面的作用下，被迫向内缩进，密封腔容积逐渐减小，通过压油窗口压油。转子旋转一周，每一叶片在转子槽内往复滑动一次，密封腔发生一次增大和缩小的变化，吸油、压油各一次，故称单作用叶片泵。因这种泵的转子受单向的径向不平衡力，故又称非平衡式叶片泵。如改变定子和转子之间的偏心距，便可改变泵的排量而成为变量泵。

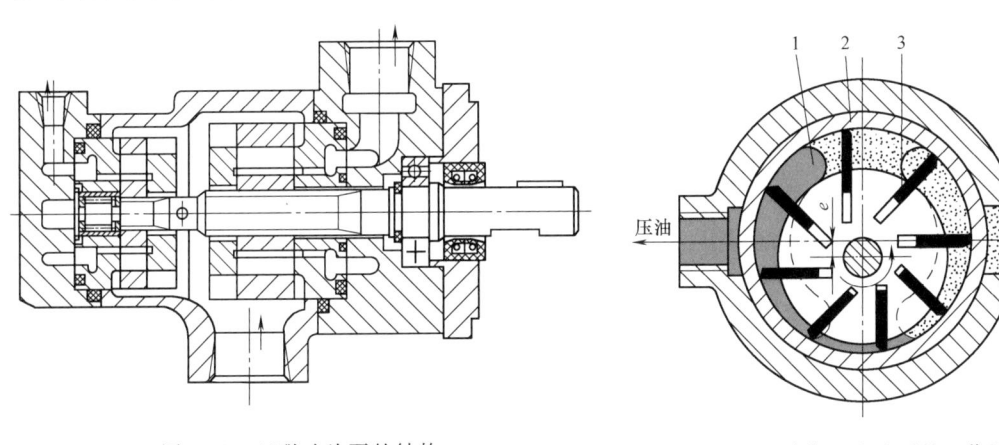

图2-10 双联叶片泵的结构

图2-11 单作用叶片泵的工作原理
1—转子 2—定子 3—叶片

2）单作用叶片泵的排量和流量：如图2-11所示，当单作用叶片泵的转子每转一周时，

实际流量为

$$q = 2\pi beDn\eta_V \tag{2-13}$$

式中　b——叶片宽度；
　　　e——定子与转子的偏心距；
　　　D——定子内径；
　　　n——泵的转速；
　　　η_V——泵的容积效率。

由于定子和转子偏心安置，单作用叶片泵的容积变化是不均匀的，因此有流量脉动。理论计算证明，叶片数为奇数时流量脉动较小，故单作用叶片泵的叶片数总取奇数，一般为13片或15片（叶片后倾一个角度有利于叶片在惯性力的作用下向外甩出。通常，后倾角为24°）。

3）限压式变量叶片泵：单作用叶片泵的特点之一就是通过改变偏心距，可以改变泵的输出流量。按改变偏心距方式的不同，可分为手动调节和自动调节，自动调节根据其工作特点的不同，又可分为恒流式、恒压式和限压式等变量形式。下面介绍常用的限压式变量叶片泵。

限压式变量叶片泵是利用排油压力的反馈作用来实现流量自动调节的。图2-12a 所示为外反馈限压式变量叶片泵的工作原理。转子的中心是固定的，定子中心可以左右移动，在限压弹簧的作用下，定子被推向右侧，使定子中心和转子中心之间有一初始偏心距 e_o（e_o 的大小可由螺钉调节），它决定了泵的最大流量；定子右侧有一反馈液压缸，它的油腔与泵的压油腔相通。设活塞的有效面积为 A，泵的压力为 p，则活塞对定子施向左侧的反馈力为 pA，当 $pA<F_o$（弹簧预压缩力）时，定子不动，仍保持最大的偏心距 e_o，泵的流量也保持最大值；当泵的压力升高到某一值 p_B 时，使得 $p_BA=F_o$，p_B 称为泵的限定压力（p_B 可通过调节螺钉设定），这也是泵保持最大流量的最高压力；当泵的压力升高到 $pA>F_o$ 时，反馈力克服弹簧力把定子推向左侧，偏心距减小，泵的流量也随之减小。压力越高，偏心距越小，泵的流量也越小。当泵的压力达到某一值时，反馈力把弹簧压缩到最短，定子移动到最右端位置，偏心距减到最小，泵的实际输出流量为零，泵的压力便不再升高。

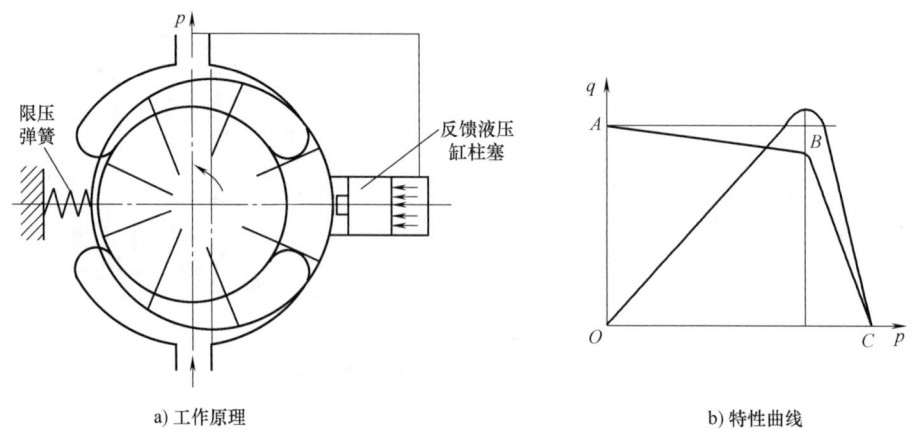

a) 工作原理　　　　　　　b) 特性曲线

图 2-12　外反馈限压式变量叶片泵的工作原理及特性曲线

图 2-12b 所示为外反馈限压式变量叶片泵的特性曲线，调节压力调节螺钉，可以改变弹簧的预压缩量，即改变特性曲线中拐点 B 的压力 p_B 的大小，曲线 BC 沿水平方向平移。调节定子右边的最大流量调节螺钉，可以改变最大偏心距，即改变泵的最大流量，曲线 AB 上下移动。由于泵的出口压力升至 C 点的压力 p_C 时，泵的流量为零，压力不会再增加，因此泵的最高压力为 p_C。

四、柱塞泵

柱塞泵是依靠柱塞在缸体内往复运动，使密封容积发生变化来实现吸油和压油的，如图 2-2 所示。只是实际的柱塞泵的柱塞不是一个而是多个，大多数也不是用阀配流的。由于柱塞和缸体都是圆柱表面，因此加工方便，配合精度高，密封性能好，故柱塞泵的优点是效率高、工作压力高、结构紧凑，且在结构上易于实现流量调节等；其缺点是结构复杂、价格高、加工精度和日常维护要求高，对油液的污染较敏感。柱塞泵常用于需要高压大流量和流量需要调节的液压系统，如龙门刨床、拉床、液压压力机、起重机械等设备的液压系统。

柱塞泵按柱塞排列的方向不同，可分为轴向柱塞泵和径向柱塞泵，轴向柱塞泵的柱塞都平行于缸体中心线；径向柱塞泵的柱塞与缸体中心线垂直。按配流方式的不同，可分为阀配流（缸体不动）柱塞泵、端面配流柱塞泵和轴配流（缸体转动）柱塞泵。

1. 轴向柱塞泵

轴向柱塞泵可分为斜盘式轴向柱塞泵和斜轴式轴向柱塞泵两类。下面以斜盘式轴向柱塞泵为例来分析。

1）斜盘式轴向柱塞泵的工作原理：斜盘式轴向柱塞泵的工作原理如图 2-13 所示。它由斜盘 1、柱塞 2、缸体 3 和配流盘 4 等主要零件组成，斜盘与缸体间有一倾斜角 δ。斜盘和配流盘固定不动，柱塞在底部弹簧和油压力的作用下，其头部始终保持与斜盘紧密接触。当缸体由传动轴带动旋转时，在斜盘、弹簧和油压力的共同作用下，迫使柱塞在缸体内做往复运动，这样各柱塞与缸体间的密封容积便发生增大或减小的变化。密封容积增大时，通过配流窗口 a 吸油；减小时，通过配流窗口 b 压油。缸体每转一转，每个柱塞各完成一次吸油和压油，缸体连续旋转，柱塞则不断地吸油和压油。

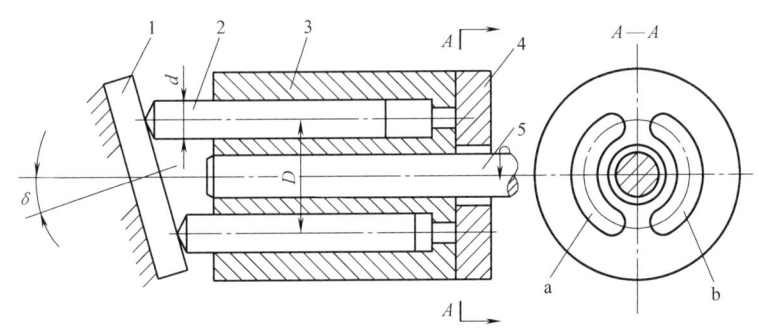

图 2-13 斜盘式轴向柱塞泵的工作原理
1—斜盘 2—柱塞 3—缸体 4—配流盘 5—传动轴

如果改变斜盘倾角 δ 的大小，就改变了柱塞的行程，也就改变了泵的排量；如果改变斜盘倾角的方向，就能改变吸油、压油的方向，这就成为双向变量泵。

2)斜盘式轴向柱塞泵的排量和流量:当柱塞泵旋转一周时,柱塞移动的距离为 $L = D\tan\delta$,故柱塞泵每转的排量为

$$V = \frac{\pi}{4}d^2 Lz = \frac{\pi}{4}d^2 D(\tan\delta)z \qquad (2\text{-}14)$$

则泵的流量为

$$q = \frac{\pi}{4}d^2 D(\tan\delta)zn\eta_V \qquad (2\text{-}15)$$

式中 d——柱塞直径;

L——柱塞行程;

D——缸体上柱塞分布圆直径;

δ——斜盘倾角;

z——柱塞数;

n——泵的转速;

η_V——泵的容积效率。

实际上,轴向柱塞泵的瞬时流量是脉动的。通过理论计算分析可以知道,当柱塞数为奇数时,脉动较小,故轴向柱塞数一般为7个或9个。

3)斜盘式轴向柱塞泵的结构特点:图2-14所示为常用的一种斜盘式轴向柱塞泵的结构,它由两部分组成:右边的主体部分和左边的变量机构。同一规格、不同变量形式的变量泵,其主体部分是相同的,仅是变量机构不同而已。

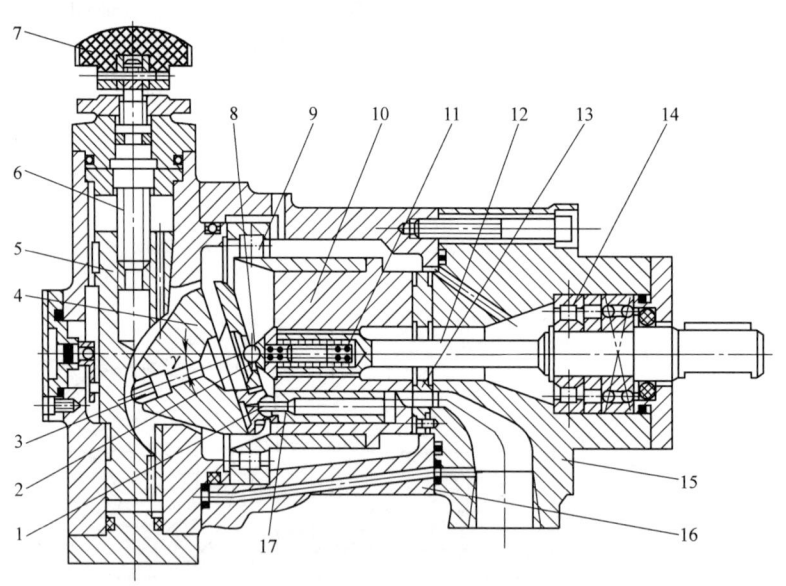

图2-14 常用的一种斜盘式轴向柱塞泵的结构

1—滑履 2—回程盘 3—销轴 4—斜盘 5—变量活塞 6—螺杆 7—手轮 8—钢球 9—大轴承 10—缸体 11—中心弹簧 12—传动轴 13—配流盘 14—传动轴轴承 15—右泵盖 16—中间泵体 17—柱塞

① 主体部分。主体部分是由装在中间泵体16内的缸体10和配流盘13等组成,缸体10与传动轴12通过花键连接,由传动轴带动旋转。在缸体的轴向柱塞孔内各装有一个柱塞

17。为了避免柱塞头部与斜盘直接接触而产生易磨损现象,在柱塞的头部装有滑履1,用滑履的底平面与斜盘4接触,而柱塞头部与滑履则用球面配合,外面加以铆合,使柱塞和滑履既不会脱落,又使配合球面间能相对运动;柱塞中心和滑履中心均加工有小孔,液压油经小孔引到滑履底部油室,起到液体静压支承作用,极大地减小了滑履与斜盘的接触应力,并实现可靠的润滑,这样大大降低了相对运动零件表面的磨损,有利于泵在高压下工作。中心弹簧11的作用:一方面通过钢球8和回程盘2将各个滑履压向斜盘并带动柱塞回程,使柱塞在吸油区正常外伸实现吸油;另一方面,它将缸体压紧在配流盘上,以保证泵起动时的密封性。

正常工作时,处于压油区柱塞孔底部的液压油和中心弹簧将缸体压紧在配流盘上,同时配流盘和缸体之间的油液压力又对缸体产生一个轴向反推力,合理设计配流盘的尺寸,使反推力略小于压紧力,既保证其密封性,又降低了缸体与配流盘间的接触应力,并实现端面间隙的自动补偿,减少了泄漏,提高了容积效率。

缸体通过大轴承9支承在中间泵体上,这样斜盘通过柱塞作用在缸体上的径向分力由大轴承承受,使轴不受弯矩,并改善了缸体的受力状态,从而保证缸体端面与配流盘能更好地接触。

② 变量机构。在变量轴向柱塞泵中都设置有专门的变量机构,用来改变斜盘倾角δ的大小,以调节泵的流量。轴向柱塞泵的变量形式有多种,其变量的结构形式也多种多样。图2-14所示为手动变量机构,其工作原理如下:转动手轮7,使螺杆6转动,因导向键的作用,变量活塞5不能转动,只能上下移动,通过销轴3使支承在变量壳体上的斜盘4绕其中心转动,从而改变斜盘倾角,也就改变了泵的排量。除了手动变量机构外,还有手动伺服变量机构、液控变量机构、恒压变量机构和恒功率变量机构等。

2. 径向柱塞泵

1) 径向柱塞泵的工作原理:径向柱塞泵的工作原理如图2-15所示。它主要由柱塞1、转子(缸体2)、衬套3、定子4和配流轴5等组成,柱塞径向均匀布置在转子中,转子和定子之间有一偏心距e。配流轴5固定不动,在轴的上部和下部各有一缺口,此两缺口又分别通过所在部位的两个轴向孔与泵的吸、压油口连通。当转子按图2-15所示方向旋转时,上半部的柱塞在离心力的作用下向外伸出,径向孔内的密封工作

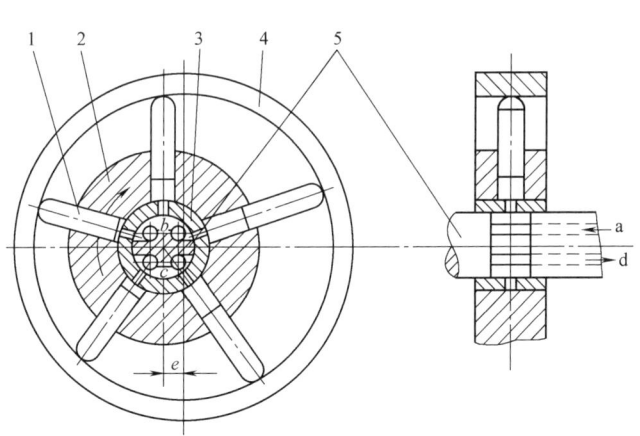

图 2-15 径向柱塞泵的工作原理
1—柱塞 2—缸体 3—衬套 4—定子 5—配流轴

腔容积逐渐增大,通过配流轴吸油腔吸油;下半部的柱塞因受定子内表面的推压作用而缩回,密封工作腔容积逐渐减小,通过配流轴压油腔压油。移动定子改变偏心距的大小,就可改变柱塞的行程,从而改变排量。如果改变偏心距的方向,则可改变吸、压油的方向,故径向柱塞泵可以做成单向或双向变量泵。

2）径向柱塞泵的排量和流量：柱塞的行程为两倍偏心距 e，泵的排量为

$$V = \frac{\pi}{4}d^2 2ez = \frac{\pi}{2}d^2 ez \tag{2-16}$$

则泵的实际输出流量为

$$q = \frac{\pi}{2}d^2 ezn\eta_V \tag{2-17}$$

式中 d——柱塞直径；
　　　e——定子与转子的偏心距；
　　　z——柱塞数；
　　　n——泵的转速；
　　　η_V——泵的容积效率。

径向柱塞泵的瞬时流量也是脉动的，与轴向柱塞泵相同，为了减少脉动，柱塞数通常也取奇数。

径向柱塞泵的优点是制造工艺性好（主要配合面为圆柱面），变量容易，工作压力较高，轴高尺寸小，便于做成多排柱塞的形式。其缺点是径向尺寸大，配流轴受径向不平衡液压力的作用，易磨损，泄漏间隙不能补偿。配流轴中的吸、排油流道的尺寸受到配流轴尺寸的限制不能做大，从而影响泵的吸入性能。

五、液压泵的选用

液压泵是液压系统的心脏，是向液压系统提供压力油的动力元件，合理地选择液压泵对于降低液压系统的能耗、提高系统的效率、降低噪声、改善工作性能等都十分重要。

选择液压泵的原则：根据主机工况、功率大小和系统对工作性能的要求，首先确定液压泵的类型，然后按系统所要求的压力、流量大小确定其规格型号。表 2-2 列出了各类液压泵的主要性能和应用范围，可根据所要求的工作情况合理地选用液压泵。

表 2-2　各类液压泵的主要性能和应用范围

项　目	齿轮泵	双作用叶片泵	单作用叶片泵	轴向柱塞泵	径向柱塞泵
工作压力	低压	中压	中压	高压	高压
流量调节	不能	不能	能	能	能
容积效率	0.75~0.95	0.80~0.95	0.80~0.90	0.90~0.98	0.85~0.95
总效率	0.60~0.85	0.75~0.85	0.70~0.85	0.85~0.95	0.75~0.92
流量脉动率	大	小	中等	中等	中等
对油的污染敏感性	不敏感	敏感	敏感	敏感	敏感
自吸特性	好	较差	较差	较差	差
噪声	大	小	较大	大	较大
应用范围	机床、工程机械、农机、航空机械、船舶、一般机械	机床、注塑机、起重运输机械、工程机械、航空机械	机床、注塑机	工程机械、锻压机械、起重运输机械、矿山机械、冶金机械、船舶、航空	机床、液压机、船舶机械

一般来说，在负载小、功率小的机械设备中，可选用齿轮泵、双作用叶片泵；对于精度较高的机械设备可选用双作用叶片泵、螺杆泵；负载较大并有快速和慢速工作行程要求的机械设备（如组合机床）可选用限压式变量叶片泵、双联叶片泵；对于负载大、功率大的机械设备（如龙门刨床、拉床）可选用柱塞泵；而机械设备的辅助装置（如送料、夹紧等场合）可选用价廉的齿轮泵。

任务实施

一、齿轮泵的拆装

1. 任务组织

以小组为单位，小组规模一般为 2 人或 3 人，每小组选举 1 名小组长协调小组的各项工作，教师提出必要的指导和建议，任务完成后以小组为单位组织学生进行汇报、讨论和交流，并针对共性问题在课堂上组织讨论和专门讲解。

2. 任务内容

齿轮泵的拆装。

3. 任务目的

掌握齿轮泵的拆装方法及步骤，了解齿轮泵具体的组成结构。

4. 操作过程

步骤一：分析外啮合齿轮泵的结构

CB-B 型齿轮泵的结构如图 2-16 所示。

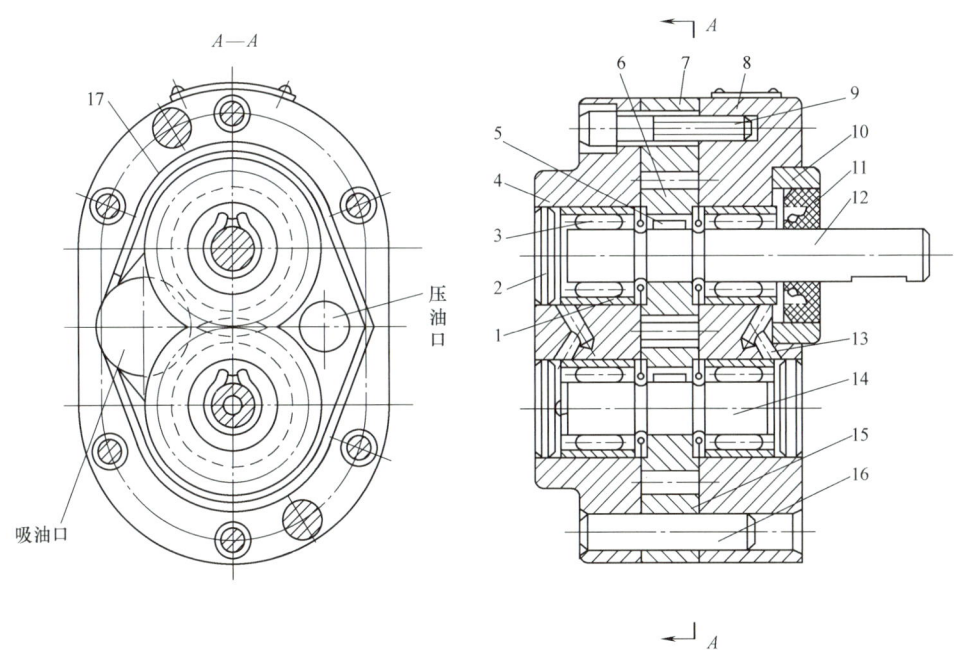

图 2-16 CB-B 型齿轮泵的结构

1—轴承外环 2—堵头 3—滚子 4—后泵盖 5—键 6—主动齿轮 7—泵体 8—前泵盖 9—螺钉 10—压环
11—密封环 12—主动轴 13—泄油孔 14—从动轴 15—从动齿轮 16—定位销 17—封油槽

步骤二：准备拆装工具

手钳、卡簧钳、螺钉旋具（一字槽和十字槽）、内六角扳手一套、锤子、铜棒、瓷盆一个、煤油1L。

步骤三：拆装过程

1) 选用合适的内六角扳手松开6个紧固螺钉9。

2) 分开后泵盖4和前泵盖8。

3) 从泵体7中取出主动齿轮6及主动轴12、从动齿轮15及从动轴14。

4) 分解端盖与轴承、齿轮与轴、端盖与油封。

5) 用煤油清洗所有拆卸件，更换损坏件和易损件（密封环）后按逆向顺序完成装配。

步骤四：分析主要零件的结构和功用

1) 泵体7：泵体7的两端面开有封油槽17，此槽与吸油口相通，用来防止泵内油液从泵体与泵盖的接合处外泄，泵体与齿顶圆的径向间隙为 0.13~0.16mm。

2) 后泵盖4和前泵盖8：前后泵盖内侧开有卸荷槽，用来消除困油。后泵盖4上吸油口大，压油口小，用来减小作用在轴和轴承上的径向不平衡力。

3) 主动齿轮6和从动齿轮15：两个齿轮的齿数和模数都相等，齿轮与泵盖间轴向间隙不能调节，一般为 0.03~0.04mm。

5. 技术要点

拆装注意事项如下：

1) 拆卸工具要预先按一定顺序准备好。

2) 紧固螺钉要对称松卸。

3) 拆卸时应注意避免碰伤或损坏零件间配合表面。

4) 拆卸紧固件时应先分析连接形式，使用专用工具拆卸，不得任意敲打强拆。

5) 在需要敲打某一零件时，应用铜棒，切忌用铁棒或钢棒。

6) 拆卸时应按顺序拆装，注意零件的安装位置和方向，并做好记号。

二、叶片泵的拆装

1. 任务组织

以小组为单位，小组规模一般为2人或3人，每小组选举1名小组长协调小组的各项工作，教师提出必要的指导和建议，任务完成后以小组为单位组织学生进行汇报、讨论和交流，并针对共性问题在课堂上组织讨论和专门讲解。

2. 任务内容

叶片泵的拆装。

3. 任务目的

掌握叶片泵的拆装方法及步骤，了解叶片泵具体的组成结构。

4. 操作过程

步骤一：分析双作用叶片泵的结构

双作用叶片泵的典型结构如图2-17所示。

步骤二：准备拆装工具

手钳、卡簧钳、螺钉旋具（一字槽和十字槽）、内六角扳手一套、锤子、铜棒、瓷盆一个、煤油1L。

步骤三：拆装过程

1）选用合适的内六角扳手松开四个紧固螺钉，分开左泵体1。

2）用合适的内六角扳手松开左配流盘上的两个紧固螺钉，取下左配流盘2。

3）分解定子4、转子3和叶片5。

4）取出右配流盘6。

5）松开泵盖8上的紧固螺钉，取出传动轴9（轴上的两个轴承可不拆）。

6）用煤油清洗所有拆卸件，更换损坏件和易损件（密封环）后按逆向顺序完成装配。

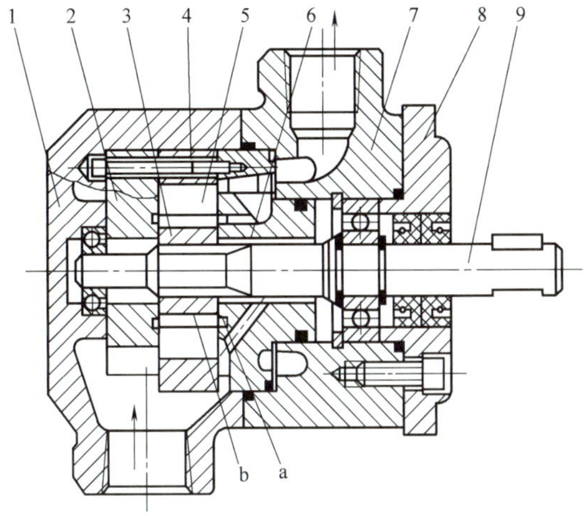

图 2-17 双作用叶片泵的典型结构
1—左泵体　2—左配流盘　3—转子　4—定子
5—叶片　6—右配流盘　7—右泵体　8—泵盖　9—传动轴

步骤四：分析主要零件的结构和功用

1）定子4：定子4的内表面由四段同心圆弧和四段过渡曲线组成，过渡曲线采用等加速-等减速曲线，作用是减小叶片在转子槽中滑动时对定子内表面的冲击和噪声。

2）转子3：转子3的外表面是圆柱面。转子中心和定子中心同心安装，径向开有叶片槽，用来安置叶片，顺着转子回转方向前倾一个角度（13°左右），目的是使压力角减小，使叶片在槽中移动灵活，并减少磨损。

3）配流盘：双作用叶片泵的配流盘上有两个吸油窗口和两个压油窗口。在配流盘的压油窗口靠叶片从封油区进入压油区的一边开有一个截面形状为三角形的槽，俗称眉毛槽，其作用是使叶片之间的密封油液在未进入压油区前就通过该三角槽与压力油相通，减小流量和压力脉动，并降低噪声。

5．技术要点

拆装注意事项如下：

1）拆卸工具要预先按一定顺序准备好。

2）紧固螺钉要对称松卸。

3）拆卸紧固件时应先分析连接形式，使用专用工具拆卸，不得任意敲打强拆。

4）拆卸时应注意避免碰伤或损坏零件间的配合表面。

5）拆装叶片时要特别注意叶片的正反方向，要使每个叶片的圆弧倒角方向保持一致并与传动轴的转向吻合。

6）拆卸时应注意按顺序拆装，注意零件的安装位置和方向，并做好记号。

知识拓展

问题　齿轮泵、叶片泵和柱塞泵的常见故障有哪些？产生原因是什么？如何排除？

解答　齿轮泵、叶片泵和柱塞泵的常见故障、产生原因及排除方法见表2-3。

表 2-3　齿轮泵、叶片泵和柱塞泵的常见故障、产生原因及排除方法

液压泵类型	故障现象	产生原因	排除方法
齿轮泵	不吸油,输油不足,压力提不高	1. 电动机转向错误 2. 吸入管道或过滤器堵塞 3. 轴向间隙或径向间隙过大 4. 各连接处泄漏,有空气混入 5. 油液黏度太大或油液温升太大	1. 纠正电动机的旋转方向 2. 疏通管道,清洗过滤器,换新油 3. 修复或更换有关零件 4. 紧固各连接处螺钉,避免泄漏,严防空气混入 5. 油液应根据温升变化选用
	噪声严重,压力波动大	1. 油管及过滤器部分堵塞或吸油管吸入口处过滤器容量小 2. 从吸入管或轴密封处吸入空气或者油中有气泡 3. 泵轴与联轴器同轴度超差或擦伤 4. 齿轮本身的精度不高 5. 油液黏度太大或温升太大	1. 除去脏物,使吸油管畅通,或改用容量合适的过滤器 2. 连接部位或密封处加点油,如果噪声减小,可拧紧管接头或更换密封圈,回油管管口应在油面以下,与吸油管要有一定距离 3. 调整同轴度,修复擦伤 4. 更换齿轮或对研修整 5. 应根据温升变化选用油液
	泵旋转不灵活或咬死	1. 轴向间隙及径向间隙过小 2. 泵装配不良,泵和电动机的联轴器同轴度超差 3. 油液中杂质被吸入泵体内 4. 前泵盖螺孔位置与泵体后盖通孔位置不对,致使螺钉无法拧紧,转不动	1. 检测泵体、齿轮,修配有关零件 2. 根据泵技术要求重新装配,调整同轴度,误差严格控制在 0.2mm 以内 3. 严防周围灰尘、铁屑及冷却水等进入油池,保持油液洁净 4. 用钻头或圆锉将后泵盖孔适当修大再装配
叶片泵	泵吸不上油或无压力	1. 泵的旋转方向不对,泵吸不上油 2. 液压泵传动键脱落 3. 进、出油口接反 4. 油箱内油面过低,吸入管口露出液面 5. 转速太低,吸力不足 6. 油液黏度过高,使叶片运动不灵活 7. 油温过低,使油黏度过高 8. 系统油液过滤精度低导致叶片在槽内卡住 9. 吸入管道或过滤装置堵塞或过滤过滤精度过高,造成吸油不畅 10. 吸入管道漏气	1. 可改变电动机转向,一般泵上有箭头标记,无标记时,可对着泵轴方向观察,泵轴应是顺时针方向旋转 2. 重新安装传动键 3. 按说明书选用正确接法 4. 补充油液至最低油标线以上 5. 转速低,离心力无法使叶片从转子槽内移出,形成不可变化的密封空间。一般叶片泵转速低于 500r/min 时,吸不上油;高于 1500r/min 时,吸油速度太快也吸不上油 6. 选用推荐黏度的液压油 7. 加温至推荐的工作温度 8. 拆洗、修磨液压泵内组件,仔细重装,并更换油液 9. 清洗管道或过滤装置,除去堵塞物,更换或过滤油箱内油液,按说明书正确选用过滤器 10. 检查管道各连接处,并予以密封,紧固
	流量不足,达不到额定值	1. 转速未达到额定转速 2. 系统中有泄漏 3. 由于泵长时间工作和振动,使泵盖螺钉松动 4. 吸入管道漏气 5. 吸油不充分 　1) 油箱内油面过低 　2) 入口过滤器堵塞或通流量过小 　3) 吸入管道堵塞或通径小 　4) 油液黏度过高或过低 6. 变量泵流量调节不当	1. 按说明书指定的额定转速选用电动机 2. 检查系统,修补泄漏点 3. 拧紧螺钉 4. 检查各连接处,并密封紧固 5. 充分吸油 　1) 补充油液至最低油标线以上 　2) 清洗过滤器或选用通流量为泵流量两倍以上的过滤器 　3) 清洗管道,选用不小于泵入口通径的吸入管 　4) 选用设备推荐黏度的液压油 6. 重新调节至所需流量

项目二　动力源的选用

（续）

液压泵类型	故障现象	产生原因	排除方法
叶片泵	压力升不上去	1. 泵吸不上油或流量不足 2. 溢流阀调整压力太低或出现故障 3. 系统中有泄漏 4. 由于泵长时间工作和振动，使泵盖螺钉松动 5. 吸入管道漏气 6. 吸油不充分 7. 变量泵压力调节不当	1. 同前述排除方法 2. 重新调试溢流阀压力或修复溢流阀 3. 检查系统，修补泄漏点 4. 拧紧螺钉 5. 检查各连接处，并予以密封紧固 6. 同前述排除方法 7. 重新调至所需压力
柱塞泵	流量不足	1. 油箱液面过低，油管及过滤器堵塞或阻力太大以及漏气等 2. 泵壳内预先没有充好油，留有空气 3. 液压泵中心弹簧折断，使柱塞回程不够或不能回程，引起缸体和配流盘之间失去密封性能 4. 配流盘及缸体或柱塞与缸体之间磨损 5. 对于变量泵有两种可能，如为低压可能是泵内部摩擦等原因，使变量机构不能达到极限位置造成偏角过小所致；如为高压，可能是调整误差所致 6. 油温太高或太低	1. 检查贮油量，把油加至油标规定线，排除油管堵塞，清洗过滤器，紧固各连接处螺钉，排除漏气 2. 排除泵内空气 3. 更换中心弹簧 4. 清洗去污，研磨配流盘与缸体的接触面，单缸配研，更换柱塞 5. 低压时，可调整或重新装配变量活塞及变量头，使之活动自如；高压时，纠正调整误差 6. 根据温升选用合适的油液或采取降温措施
	发热	1. 内部泄漏过大 2. 运动件磨损	1. 修研各密封配合面 2. 修复或更换磨损件
	漏损	1. 轴承回转密封圈损坏 2. 各接合处O形密封圈损坏 3. 配流盘与缸体或柱塞与缸体之间磨损（会引起回油管外漏增加，也会引起高、低压腔之间内漏） 4. 变量活塞或伺服活塞磨损	1. 检查密封圈及各密封环节，排除内漏 2. 更换O形密封圈 3. 磨平接触面，配研缸体，单配柱塞 4. 严重时更换
	变量机构失灵	1. 控制管路上的单向阀弹簧折断 2. 变量头与变量壳体磨损 3. 伺服活塞、变量活塞以及弹簧心轴卡死 4. 个别管路道堵死	1. 更换弹簧 2. 配研两者的圆弧配合面 3. 机械卡死时，用研磨的方法使各运动件灵活；油脏时，更换新油 4. 疏通管路，更换油液
	泵不能转动（卡死）	1. 柱塞与液压缸卡死（可能是油脏或油温变化引起的） 2. 滑履因柱塞卡死或因在负载大时起动而引起脱落 3. 柱塞球头折断（原因同上）	1. 油脏时，更换新油；油温太低时，更换黏度较小的油液 2. 更换或重新装配滑履 3. 更换柱塞

任务评价

教师根据同学或小组任务实施情况给予表扬或指正，并视完成情况给予每个同学成绩。

液压泵的拆装考核表见表 2-4。

表 2-4　液压泵的拆装考核表

考核项目	考核内容	分　数	得　分
工作态度	按时完成任务	5 分	
	遵守纪律,服从管理	10 分	
任务内容	拆装顺序正确,操作规范	30 分	
	会正确使用拆装工具	10 分	
	主要零件的结构及功用分析到位	20 分	
团队合作精神	团队有较强的凝聚力	5 分	
	团队成员间有良好的协作精神	5 分	
	团队成员间有相互的服务意识	5 分	
团队成员间互评	认为该团队较好地完成了本任务	10 分	
总分		100 分	

任务二　气源装置的选用

任务分析

本任务从气动剪切机的工作原理出发,首先学习气压传动系统的组成、工作原理和特点,然后具体学习气源装置的工作原理和组成,并在此基础上掌握气源装置的选用方法,会分析、排除气源装置的常见故障。

任务重点

1. 了解气压传动系统的应用。
2. 熟悉气压传动系统的工作原理及特点。
3. 掌握气源装置的工作原理及组成。
4. 了解气源装置的常见故障及排除方法。

任务难点

气源装置的常见故障及排除方法。

知识链接

气动剪切机是目前应用范围很广的压力加工设备,适合于将板材、型材剪断或剪切成所需尺寸。图 2-18 所示为气动剪切机。

气动剪切机一般由本机(主机)、气源装置两部分组成。其中气源装置由空气压缩机及其附件(冷却器、油水分离器以及储气罐等)组成,其功用就是把原动机输入的机械能转换成气体的压力能,作为传动与控制的动力源,同时清除压缩空气中的水分、灰尘和油污,以输出干燥洁净的空气供后续元件使用。

项目二　动力源的选用

图 2-18　气动剪切机

不同类型的气动剪切机的工作压力有高有低，对气压传动系统的要求各不相同，因此正确选用合适的气源装置是保证整个系统可靠、有效工作的关键。

一、气源装置的组成

气源装置是气压传动系统的动力源，它为气动系统提供满足一定质量要求的压缩空气，是气压传动系统的重要组成部分。由空气压缩机产生的压缩空气，必须经过降温、净化、减压、稳压等一系列处理后，才能供给控制元件和执行元件使用。

如图 2-19 所示，气源装置一般由三部分组成：①产生压缩空气的气压发生装置（空气压缩机）；②净化压缩空气的装置和设备（空气过滤器、后冷却器、油水分离器、干燥器等）；③输送压缩空气的管道。

图 2-19 中，1 为空气压缩机，用来产生压缩空气，一般由电动机带动。其吸气口装有空气过滤器，以减少进入空气压缩机内气体的杂质。2 为后冷却器，用以降温冷却压缩空气，使汽化的水、油凝结起来。3 为油水分离器，用以分离并排出降温冷却凝结的水滴、油滴、杂质等。4 为储气罐，用以储存压缩空气，稳定压缩空气的压力，并除去部分油分和水分。5 为干燥器，用以进一步吸收或排除压缩空气中的水分及油分，使之变成干燥空气。6 为过滤器，用以进一步过滤压缩空气中的灰尘、杂质颗粒。7 为储气罐，储气罐 4 输出的压缩空

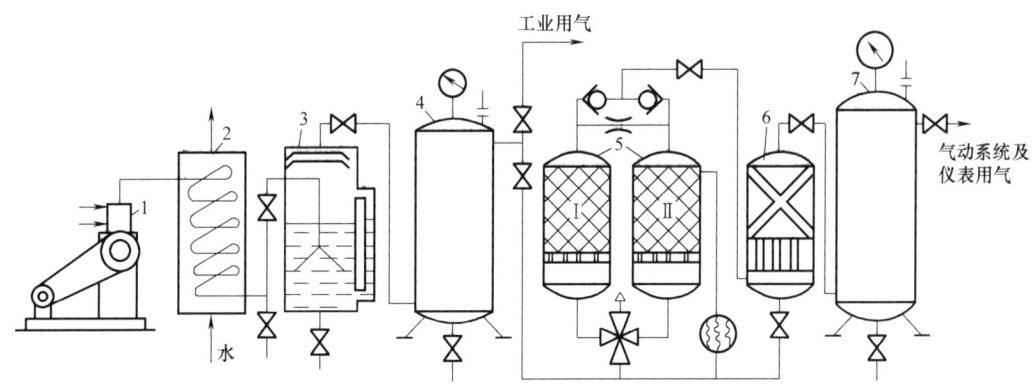

图 2-19　典型气源装置的组成及布置示意图

1—空气压缩机　2—后冷却器　3—油水分离器　4、7—储气罐　5—干燥器　6—过滤器

气可用于一般要求的气压传动系统，储气罐 7 输出的压缩空气可用于要求较高的气动系统（如气动仪表及射流元件组成的控制回路等）。

二、空气压缩机

空气压缩机是一种气压发生装置，它是将机械能转化成气体压力能的能量转换装置。其种类很多，分类形式也有数种。按工作原理不同可分为容积式空气压缩机和速度式空气压缩机。容积式空气压缩机的工作原理是使密封容积产生周期性的变化，从而改变气体的体积，以提高压缩空气的压力。速度式空气压缩机的工作原理是通过加快气体的运动速度来提高气体的动能，然后使动能转化为压力能，以提高压缩空气的压力。

容积式空气压缩机分为往复式和回转式两类，包括活塞式、膜片式、螺杆式和叶片式等。速度式空气压缩机分为离心式、轴流式和混流式三类。

气压传动中一般多采用容积式空气压缩机，其中活塞式空气压缩机使用最广泛。活塞式空气压缩机的工作原理如图 2-20 所示。当活塞 2 向右运动时，缸体 1 内活塞左腔的压力低于大气压力，吸气阀 6 被打开，空气在大气压力的作用下进入缸体 1 内，这个过程称为"吸气过程"。当活塞向左移动时，吸气阀 6 在缸内压缩气体的作用下而关闭，缸内气体被压缩，当气缸内空气压力增加到略高于输气管内压力后，排气阀 7 被打开，压缩空气进入输气管道，这个过程称为"排气过程"。活塞 2 的往复运动是由电动机带动曲柄转动，通过连杆、滑块、活塞杆转化为直线往复运动而产生的。图 2-20 中只表示了一个活塞和一个缸的空气压缩机，大多数空气压缩机是多缸多活塞的组合。

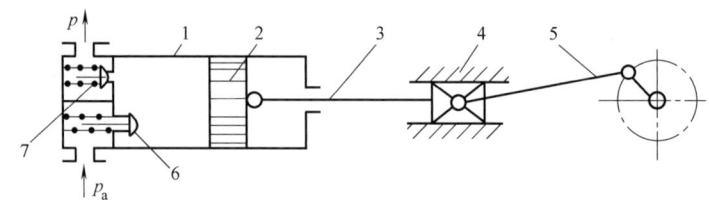

图 2-20 活塞式空气压缩机的工作原理

1—缸体　2—活塞　3—活塞杆　4—滑块　5—曲柄连杆机构　6—吸气阀　7—排气阀

选用空气压缩机主要根据气动系统所需的工作压力和流量两个参数来决定。空气压缩机的额定压力应略高于气动系统所需的工作压力，考虑到沿程压力损失，一般应比气动系统中工作装置所需的最高压力再增大 20% 左右。一般空气压缩机为中压空气压缩机，额定排气压力为 1MPa。另外还有低压空气压缩机，排气压力为 0.2MPa；高压空气压缩机，排气压力为 10MPa 以上；超高压空气压缩机，排气压力为 100MPa 以上。

输出流量的选择，要以整个气动系统的最大耗气量（考虑管路、阀门等泄漏）再加一定的备用余量作为选择空气压缩机的流量依据。空气压缩机铭牌上的流量是自由空气流量。

三、气源净化装置

常见的压缩空气净化装置有后冷却器、油水分离器、储气罐、干燥器和空气过滤器。

1. 后冷却器

后冷却器安装在空气压缩机出口处的管道上，它的作用是将空气压缩机排出的压缩空气温度由 140~170℃ 降至 40~50℃。这样就可使压缩空气中的油雾和水汽迅速达到饱和，使其大部分析出并凝结成油滴和水滴分离出来。按冷却方式不同，后冷却器有水冷和风冷两种，结构形式有蛇形管式、列管式、散热片式、管套式和板式等，以蛇形管式后冷却器最为常用。图 2-21 所示为蛇形管式后冷却器。压缩空气在蛇形管内流动，冷却水在蛇形管外水套中流动，在管道壁面进行热交换。水冷式后冷却器散热面积比风冷式的大很多倍，热交换均匀，分水效率高。

2. 油水分离器

油水分离器安装在后冷却器出口管道上。油水分离器的作用是分离并排出压缩空气中凝聚的油分、水分和灰尘杂质等，使压缩空气得到初步净化。油水分离器的结构形式有环形回转式、撞击折回式、离心旋转式、水浴式以及以上形式的组合等。图 2-22 所示是撞击折回并回转式油水分离器的结构。其工作原理：当压缩空气由入口进入分离器壳体后，气流先受到隔板阻挡而被撞击折回向下（见图中箭头所示流向）；之后又上升产生环形回转，这样凝聚在压缩空气中的油滴、水滴等杂质受惯性力作用而分离析出，沉降于壳体底部，由放水阀定期排出。

为提高油水分离效果，一般应控制气流在回转后上升的速度不超过 0.3~0.5m/s。

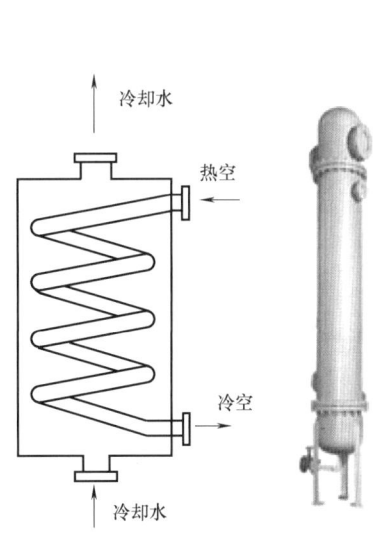

图 2-21 蛇形管式后冷却器

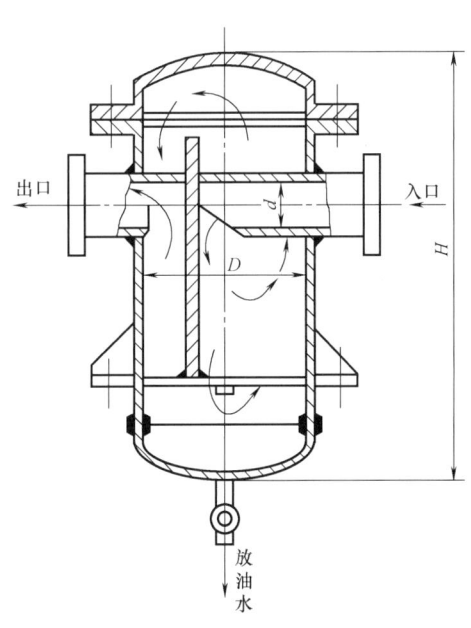

图 2-22 撞击折回并回转式油水分离器的结构

3. 储气罐

储气罐的作用主要有三个：①储存一定数量的压缩空气，减少气源输出气流的压力脉动及其引起的管道振动；②调节空气压缩机的输出气量与耗气量之间的不平衡状况，并在空气压缩机出现故障或停电时，作为应急气源维持短时间供气；③进一步降低压缩空气的温度，沉淀分离压缩空气中的水分、油分和其他杂质颗粒。储气罐一般采用焊接结构，其形式有立式和卧式两种，立式储气罐应用较普遍，其结构如图 2-23 所示。立式储气罐的高度 H 为其直径 D 的 2~3 倍，同时应使进气管在下、出气管在上，并尽可能加大两管之间的距离，以利于进一步分离空气中的油分和水分。

4. 干燥器

干燥器的作用是对初步净化的压缩空气进一步净化,除去压缩空气中残留的水分、油分和颗粒杂质等,使压缩空气干燥,以满足对气源质量要求较高的气动装置、气动仪表等的用气要求。干燥压缩空气主要采用吸附、离心、机械降水及冷冻等方法,吸附法和冷却法应用较为普遍。

吸附法是利用具有吸附性能的吸附剂(如硅胶、铝胶等)来吸附压缩空气中含有的水分,而使其干燥;冷却法是利用制冷设备使空气冷却到一定的露点温度,析出空气中超过饱和水蒸气部分的多余水分,从而达到所需的干燥度。吸附式干燥器的结构如图 2-24 所示。它的外壳呈筒形,其中分层设置栅板、吸附剂、滤网等。湿空气从湿空气进气管 1 进入干燥

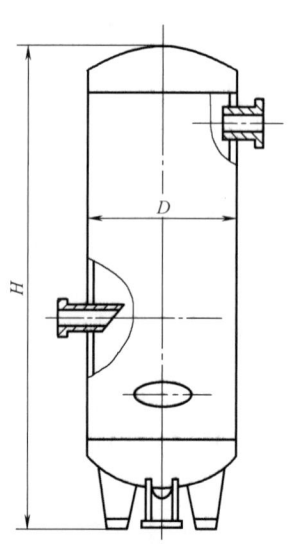

图 2-23 立式储气罐的结构

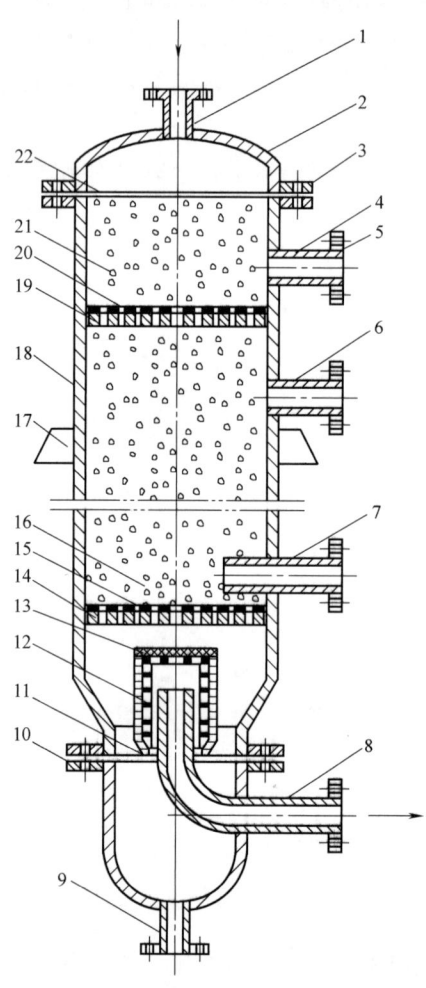

图 2-24 吸附式干燥器的结构

1—湿空气进气管 2—顶盖 3、5、10—法兰 4、6—再生空气排气管 7—再生空气进气管 8—干燥空气输出管 9—排水管
11、22—密封座 12、15、20—钢丝过滤网 13—毛毡 14—下栅板
16、21—吸附剂层 17—支承板 18—筒体 19—上栅板

器,通过吸附剂层 21、钢丝过滤网 20、上栅板 19 和下部吸附剂层 16 后,因其中的水分被吸附剂吸收而变得很干燥。然后,再经过钢丝过滤网 15、下栅板 14 和钢丝过滤网 12,干燥、洁净的压缩空气便从干燥空气输出管 8 排出。

中空膜式干燥器是国内外最新发展的一种干燥器,其结构原理如图 2-25 所示。中空高分子膜为干燥元件,它具有水蒸气容易透过,而空气很难透过的特性。水分子是在中空膜内外水蒸气的分压差的作用下在膜内移动的。当湿空气从中空膜内侧通过时,水蒸气透过膜到达膜的外侧进入大气中。干燥的空气被引出一小部分,经降压后吹向中空膜外侧,起清洗作用。

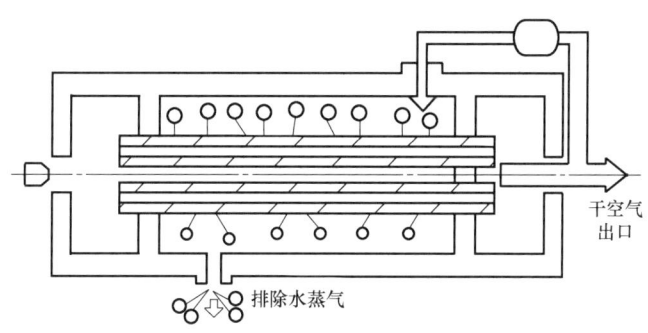

图 2-25 中空膜式干燥器的结构原理

这种干燥器无运动部件,安装使用方便,维修简单,寿命长,无需电源,工作中无冷凝水,露点温度达 -40℃。

5. 空气过滤器

空气的过滤是气压传动系统中的重要环节。不同的场合,对压缩空气的要求也不同。空气过滤器也称分水滤气器,它的主要作用是除去压缩空气中的固态杂质、水滴和油污等污染物。常用的过滤器有一次性过滤器(也称简易过滤器,滤灰效率为 50%~70%)和二次过滤器(滤灰效率为 70%~99%)。在要求高的特殊场合,还可以使用高效率的过滤器(滤灰效率大于 99%)。

空气过滤器的结构如图 2-26 所示。空气过滤器的滤灰能力较强,属于二次过滤器。它和减压阀、油雾器一起被称为气源处理装置,气动系统不可缺少的辅助元件。空气过滤器的工作原理:压缩空气从输入口进入后,被引入旋风叶子 1,旋风叶子上有很多小缺口,使空气沿切线反向产生强烈的旋转,这样夹杂在气体中的较大水滴、油滴和灰尘便获得较大的离心力,并与存水杯 3 内壁发生高速碰撞,而从气体中分离出来,沉淀于存水杯 3 中,然后气体通过中间的滤芯 2,部分灰尘、雾状水被滤芯 2 拦截而滤去,洁净的空气便从输出口输出。挡水板 4 是防止气体漩涡将杯中积存的污水卷起而破坏过滤作用。为保证空气过滤器正常工作,必须及时将存水杯中的污水通过手动排水阀 5 放掉。在某些人工排水不方便的场合,可采用自动

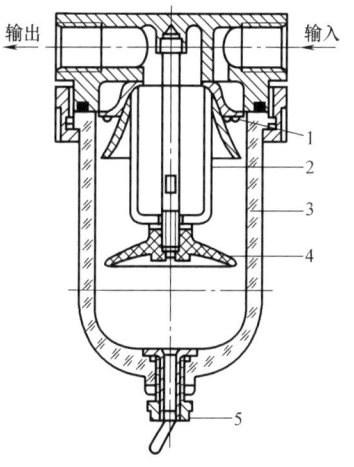

图 2-26 空气过滤器的结构
1—旋风叶子 2—滤芯 3—存水杯
4—挡水板 5—手动排水阀

排水式空气过滤器。

四、油雾器

压缩空气产生油雾主要由油雾器来完成。油雾器是以压缩空气为动力,将润滑油喷射成雾状,并混合于压缩空气中,使该压缩空气具有润滑气动元件的能力。目前,气动控制系统中的控制阀、气缸和气马达主要是靠带有油雾的压缩空气来实现润滑的,其优点是方便、干净、润滑质量高。普通型油雾器也称为全量式油雾器,把雾化后的油雾全部随压缩空气输出,油雾粒径约为 20μm。普通型油雾器又分为固定节流式和自动节流式两种,前者输出的油雾浓度随空气的流量变化而变化;后者输出的油雾浓度基本保持恒定,不随空气流量的变化而变化。

图 2-27 所示为固定节流式普通型油雾器。其工作原理:压缩空气从输入口进入油雾器后,绝大部分经主管道输出,一小部分气流进入立杆 1 上正对气流方向的小孔 a,经截止阀进入储油杯 5 的上腔 c 中,使油面受压。而立杆 1 上背对气流方向的孔 b 由于其周围气流的高速流动,其压力低于气流压力。这样,油面气压与孔 b 压力间存在压差,润滑油在此压差的作用下,经吸油管 6、单向阀 7 和节流阀 8 滴落到透明的视油器 9 内,并顺着油路被主管道中的高速气流从孔 b 引射出来,雾化后随空气一同输出。视油器 9 上部的节流阀 8 用以调节滴油量,可在 0~200 滴/min 范围内调节。普通型油雾器能在进气状态下加油,这时只要拧松油塞 10 后,储油杯上腔 c 便通大气,同时,输入进来的压缩空气将截止阀阀芯 2 压在截止阀阀座 4 上,切断压缩空气进入 c 腔的通道。又由于吸油管 6 中单向阀 7 的作用,压缩空气也不会从吸油管倒灌到储油杯中,因此就可以在不停气的状态下向油塞口加油,加油完毕,拧上油塞。

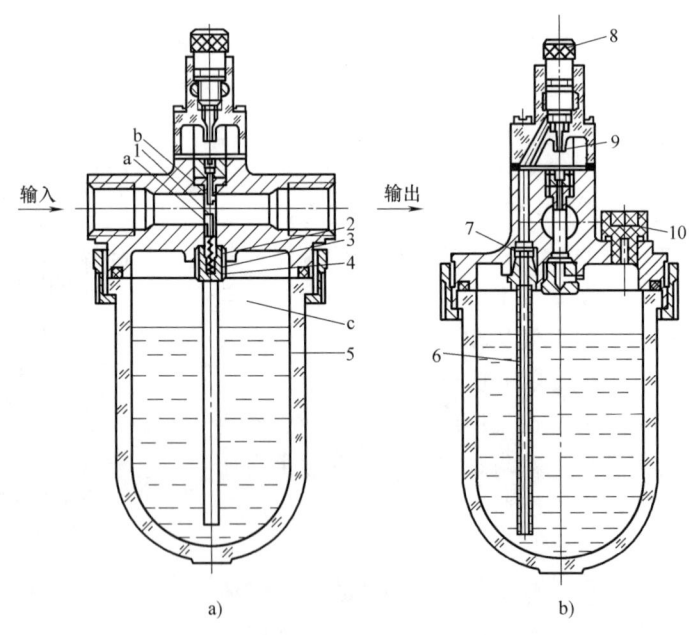

图 2-27 固定节流式普通型油雾器

1—立杆 2—截止阀阀芯 3—弹簧 4—截止阀阀座 5—储油杯
6—吸油管 7—单向阀 8—节流阀 9—视油器 10—油塞

油雾器在使用中一定要垂直安装，它可以单独使用，也可以和空气过滤器、减压阀三件联合使用，组成气源处理装置（通常称之为气动三联件），使之具有过滤、减压和油雾润滑的功能。联合使用时，其连接顺序应为空气过滤器→减压阀→油雾器，不能颠倒。安装时，气源处理装置应尽量靠近气动设备附近，距离不应大于 5m。气源处理装置（三联件）的外观及图形符号如图 2-28 所示。

对于一些对油污控制严格的场合，如纺织、制药和食品等行业，气动元件选用时要求无油润滑。在这种系统中，气源处理装置必须用两联件，连接方式为过滤器→减压阀，去掉油雾器。气源处理装置（两联件）的外观及图形符号如图 2-29 所示。

a) 外观　b) 详细图形符号　c) 简略图形符号

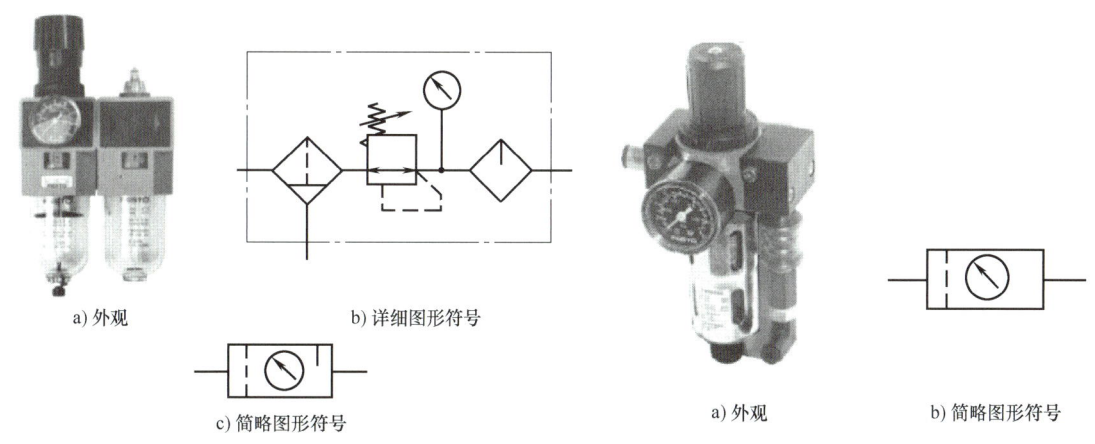

图 2-28　气源处理装置（三联件）的外观及图形符号

a) 外观　b) 简略图形符号

图 2-29　气源处理装置（两联件）的外观及图形符号

任务实施

微型空气压缩机组的拆装

1. 任务组织

以小组为单位，小组规模一般为 2 人或 3 人，每小组选举 1 名小组长协调小组的各项工作，教师提出必要的指导和建议，任务完成后以小组为单位组织学生进行汇报、讨论和交流，并针对共性问题在课堂上组织讨论和专门讲解。

2. 任务内容

微型空气压缩机组的拆装。

3. 任务目的

掌握活塞式空气压缩机和空气过滤器的拆装方法及步骤，了解空气压缩机和空气过滤器具体的组成结构。

4. 操作过程

步骤一：分析空气压缩机和空气过滤器的结构

步骤二：准备拆装工具

内六角扳手一套、耐油橡胶板一块、油盘一个、钳工工具一套、煤油1L。

步骤三：拆装过程

（1）活塞式空气压缩机的拆装

1）按先外后内的顺序拆下压缩机各零件，并将零件标号按顺序摆好。

2）观察主要零件的作用和结构。

3）按拆卸的逆向顺序装配压缩机。装配前清洗各零部件，将活塞与气缸筒内壁之间、气阀与气阀导向套之间等配合表面涂润滑液，并注意各处密封的装配。

4）将压缩机外表面擦拭干净，整理工作台。

（2）空气过滤器的拆装（见图2-26）

1）卸下手动排水阀5。

2）卸下存水杯3。

3）卸下挡水板4。

4）卸下滤芯2。

5）观察主要零件的作用和结构。

6）按拆卸的逆向顺序装配空气过滤器。装配前清洗各零部件，并注意各处密封的装配。

7）将空气过滤器外表面擦拭干净，整理工作台。

5. 拆装注意事项

1）拆卸工具要预先按一定顺序准备好。

2）紧固螺钉要对称松卸。

3）拆卸时应注意避免碰伤或损坏零件间配合表面。

4）拆卸时应注意按顺序拆装，注意零件的安装位置和方向，并做好记号。

知识拓展

问题 空气压缩机的常见故障有哪些？产生原因是什么？如何排除？

解答 空气压缩机的常见故障、产生原因及排除方法见表2-5。

表2-5 空气压缩机的常见故障、产生原因及排除方法

故障现象	产生原因	排除方法
空气压缩机空气压力不足	1. 压力表失灵	1. 观察压力表，如果指示压力不足，可让发动机中速运转数分钟，压力仍不见上升或上升缓慢，当踏下制动踏板时，放气声很强烈，说明压力表损坏，这时应修复压力表
	2. 空气压缩机与发动机之间的传动带过松打滑或空气压缩机到储气罐之间的管路破裂或接头漏气	2. 如果上述试验无放气声或放气声很小，就检查空气压缩机传动带是否过松，从空气压缩机到储气罐、到控制阀进气管、接头是否有松动、破裂或漏气处
	3. 油水分离器、管路或空气过滤器沉积物过多而堵塞	3. 如果空气压缩机不向储气罐充气，检查油水分离器和空气过滤器及管路内是否污物过多而堵塞，如果是堵塞，应清除污物
	4. 空气压缩机排气阀片密封不严，弹簧过软或折断，空气压缩机因盖螺栓松动、有砂眼或气缸盖衬垫冲坏而漏气	4. 经过上述检查，如果还找不到故障原因，则应进一步检查空气压缩机的排气阀是否漏气，弹簧是否过软或折断，气缸盖有无砂眼、衬垫是否损坏，根据所查找的故障更换或修复损坏零件
	5. 空气压缩机缸套与活塞及活塞环因磨损过度而漏气	5. 检查空气压缩机缸套、活塞环是否过度磨损，检查并调整卸荷阀的安装方向与标注（箭头）方向是否一致

项目二　动力源的选用

（续）

故障现象	产生原因	排除方法
空气压缩机过热	1. 减压阀或卸荷阀不工作导致空气压缩机无休息 2. 气制动系统泄漏严重导致空气压缩机无休息 3. 运转部位供油不足及拉缸	1. 进气卸荷时检查减压阀组件，有卡滞的清洗排除或更换失效件。排气卸荷时检查卸荷阀，有堵塞或卡滞的要清洗修复或更换失效件 2. 检查制动系统件和管路，更换故障件 3. 活塞与缸套之间润滑不良、间隙过小或拉缸均可导致过热，遇该情况应检查、修复或更换失效件
空气压缩机有异响	1. 连杆瓦磨损严重，连杆螺栓松动，连杆衬套磨损严重，主轴因磨损严重或损坏产生撞击声 2. 传动带过松，主、从动带轮槽型不符造成打滑产生啸叫 3. 空气压缩机运行后没有立即供油，金属干摩擦产生啸叫 4. 固定螺栓松动 5. 紧固齿轮螺母松动，造成齿隙过大产生敲击声 6. 活塞顶有异物	1. 检查连杆瓦、连杆衬套、主轴瓦是否磨损、拉伤或烧损，连杆螺栓是否松动，检查空气压缩机主油道是否畅通；建议更换磨损严重或拉伤的轴瓦、衬套、主轴瓦，拧紧连杆螺栓（扭力标准为 35.40N·m），用压缩空气对准空气压缩机进油孔，疏通主油道。重新装配时，应注意主轴轴承 2. 检查主、从动带轮槽型是否一致，不一致应更换，并调整传动带松紧度（用拇指压下传动带，压下传动带距离以 10mm 为宜） 3. 检查润滑油进油压力、机油管路是否破损、堵塞，压力不足应立即调整、清理、更换失效管路；检查润滑油的油质及杂质含量，与使用标准比较，超标时立即更换；检查空气压缩机是否供油，若无供油应立即进行全面检查 4. 检查空气压缩机固定螺栓是否松动并予以紧固 5. 齿轮传动的空气压缩机还应检查齿轮是否松动或齿轮配合情况，螺母松动的拧紧螺母，配合有问题的应予更换 6. 清除异物
空气压缩机烧瓦	1. 润滑油变质或杂质过多 2. 供油不足或无供油 3. 轴瓦移位使空气压缩机内部油路阻断 4. 轴瓦与连杆瓦拉伤或配合间隙过小	1. 检查润滑油的油质及杂质含量，与使用标准比较，超标时立即更换 2. 检查空气压缩机润滑油进油压力、机油管路是否破损、堵塞，压力不足应立即调整、清理或更换失效管路 3. 检查轴瓦安装位置，轴瓦油孔与箱体油孔必须对齐 4. 检查轴瓦或连杆瓦是否烧损或拉伤，清理更换瓦片时检查曲轴颈是否损伤或磨损，超标时应更换，检查并调整轴瓦间隙
空气压缩机漏油	1. 油封脱落或油封缺陷漏油 2. 主轴松动导致油封漏油 3. 接合面渗漏，进、回油管接头松动 4. 传动带安装过紧导致主轴瓦磨损 5. 铸造或加工缺陷	1. 油封部位，检查油封是否有龟裂、内唇口有无开裂或翻边，有上述情况之一的应更换。检查油封与主轴接合面有无划伤与缺陷，存在划伤与缺陷的应予更换。检查回油是否畅通，回油不畅会使曲轴箱压力过高导致油封漏油或脱落，因此必须保证回油管最小管径，并且不扭曲、不折弯，回油顺畅。检查油封、箱体配合尺寸，不符合标准的予以更换 2. 用力扳动主轴检查径向间隙是否过大，间隙过大应同时更换轴瓦及油封 3. 检查各接合部密封垫密封情况，修复或更换密封垫；检查进、回油接头螺栓与箱体螺纹并拧紧 4. 检查并重新调整传动带松紧程度，以拇指能按下 10mm 为宜 5. 检查箱体铸造或加工存在的缺陷（如箱体安装处回油孔是否畅通），修复或更换缺陷件

（续）

故障现象	产 生 原 因	排 除 方 法
空气压缩机不打气	1. 空气压缩机减压阀卡滞，阀片变形或断裂 2. 进、排气口积炭过多	1. 检查减压阀组件，清洗、更换失效件，拆检缸盖，检查阀片，更换变形、断裂的阀片 2. 拆检缸盖，清理阀座板、阀片

任务评价

教师根据同学或小组任务实施情况给予表扬或指正，并视完成情况给予每个同学成绩。微型空气压缩机组的拆装考核表见表2-6。

表 2-6 微型空气压缩机组的拆装考核表

考核项目	考 核 内 容	分 数	得 分
工作态度	按时完成任务	5分	
	遵守纪律，服从管理	10分	
任务内容	拆装顺序正确，操作规范	30分	
	会正确使用拆装工具	10分	
	主要零件的结构及功用分析到位	20分	
团队合作精神	团队有较强的凝聚力	5分	
	团队成员间有良好的协作精神	5分	
	团队成员间有相互的服务意识	5分	
团队成员间互评	认为该团队较好地完成了本任务	10分	
总分		100分	

课后练习

一、填空题

1. 液压泵是一种能量转换装置，它将机械能转换为_____，是液压传动系统中的_____。

2. 液压传动中所用的液压泵都是靠密封的工作容积发生变化而进行工作的，所以都属于_____。

3. 在不考虑泄漏的情况下，泵在单位时间内排出的液体体积称为泵的_____。

4. 外啮合齿轮泵的_____、_____和径向液压力不平衡是影响齿轮泵性能指标和寿命的三大问题。

5. 一般情况下，低压系统或辅助系统装置选用低压_____，中压系统多采用_____，高压系统多选用_____。

6. 外啮合齿轮泵中，最为严重的泄漏途径是_____。

7. 气压传动是以_____为工作介质进行能量传递的一种传动形式。气源装置将电动机的_____转换为气体的_____，然后通过气缸将气体的_____再转换为_____以推动负载运动。

8. 气源装置一般由_____、_____和_____三部分组成。

9. 气源处理装置（三联件）是指_____、_____和_____，它们的连接顺序依次是_____、_____、_____。

10. 控制调节元件是对气压系统中气体的_____、_____和_____进行控制和调节的元件。

二、思考题

1. 液压泵完成吸油和压油，需具备哪些条件？
2. 什么是齿轮泵的困油现象？有何危害？如何解决？
3. 说明叶片泵的工作原理。单作用叶片泵和双作用叶片泵各有什么特点？
4. 限压式变量叶片泵的限定压力和最大流量如何调节？
5. 为什么轴向柱塞泵适用于高压？轴向柱塞泵中心弹簧有什么作用？
6. 气压传动系统由哪几部分组成？请说明各部分的作用。
7. 气压传动与液压传动相比较，有何优缺点？

三、计算题

1. 某液压泵的工作压力为 10.0MPa，转速为 1450.0 r/min，排量为 46.2mL/r，容积效率为 0.95，总效率为 0.9。求泵的输出功率和驱动该泵所需的电动机功率。

2. 一轴向柱塞泵的斜盘倾角 $\gamma = 22°30'$，柱塞直径 $d = 22$mm，柱塞分布圆直径 $D = 68$mm，柱塞数 $z = 7$。设其容积效率 $\eta_V = 0.95$，机械效率 $\eta_m = 0.9$，转速 $n = 960$r/min，输出压力 $p = 10$MPa，求该泵的理论流量、实际流量和输入功率。

四、实训题

分组练习拆装柱塞式液压泵。

项目三　执行元件和辅助元件的选用

📌 项目分析

　　液压传动、气压传动是以液压油或压缩空气为传动介质,通过动力源将机械能转换为液压油或压缩空气的压力能,在密闭的系统中将此压力能传递到执行元件(液压缸、气缸、液压马达、气马达等),通过执行元件将传动介质的压力能转换为机械能。执行元件的性能参数由流量、压力和结构参数等因素决定。为了保证系统的正常工作,还需要一些辅助装置。

　　本项目通过学习液压缸、液压马达、气缸和气马达的分类、结构特点、适用场合,掌握液压与气压传动系统中各执行元件的工作原理及选用方法。通过学习油管、管接头、过滤器、蓄能器、油箱、压力表、密封装置、热交换器、油雾器、空气过滤器等液压与气压传动系统中辅助元件的工作原理、结构特点、使用方法,掌握它们的用途及选用原则。

📌 项目目标

知识与技能目标:
1. 熟悉液压缸的工作原理与气缸的工作原理。
2. 理解液压缸与气缸的结构组成。
3. 了解液压缸与气缸的工作特点。
4. 熟悉液压缸与气缸的技术参数。
5. 学会选用液压缸与气缸。
6. 学会维护液压缸与气缸。

素质目标:
1. 培养严谨求实、精益求精的职业精神。
2. 训练系统思维。
3. 增强团队协作意识。

任务一　液压缸的选用

📌 任务分析

　　液压缸结构简单、传动平稳、反应快、工作可靠,在工程实际中有着广泛的应用。不同的应用场合对液压缸的结构、类型和工作性能有着不同的要求,因此液压缸种类繁多。通过学习液压缸的分类，各类型液压缸的结构组成、工作性能及应用场合，学会结合工程实际选取合适的液压缸。

知识链接

液压缸是每个液压系统必不可少的液压元件，广泛应用于机床、行走机械、工程机械、机动车辆等设备的液压系统上。图示 3-1 所示为液压压力机外形，压力机主轴工作时产生上下运动，液压系统中液压油的压力能传递到执行元件（液压缸），并转换为机械能带动主轴完成上下运动，从而将金属材料或非金属材料冲压成规定的形状。

液压缸按运动形式不同可分为直线往复运动液压缸和摆动液压缸；按结构特点不同可分为活塞式液压缸、柱塞式液压缸和摆动式液压缸。其中，活塞式液压缸和柱塞式液压缸用来实现往复直线运动，对外输出推力和速度；摆动式液压缸用来实现一定角度的往复摆动，对外输出转矩和角速度。液压缸按其工作方式不同，可分为单作用式液压缸和双作用式液压缸。单作用式液压缸中的液压力只能使活塞（或柱塞）单方向运动，

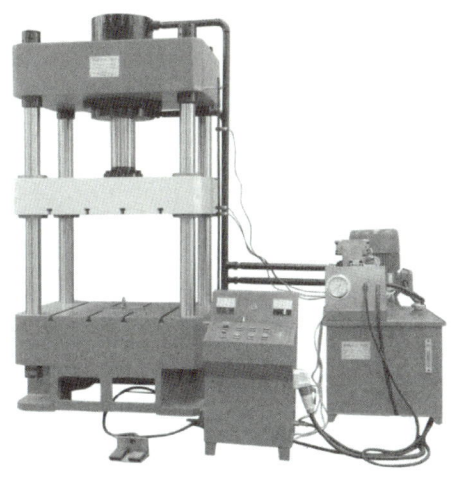

图 3-1　液压压力机外形

反方向运动必须靠外力（如弹簧力或自重等）实现；双作用式液压缸中的液压力可以实现两个方向的运动。液压缸按使用压力不同，可分为低压、中低压、中高压和高压液压缸。低压额定压力≤2.5MPa，中低压额定压力一般为 2.5~8MPa，中高压额定压力一般为 8~16MPa，高压额定压力一般为 16~31.5MPa。

一、活塞式液压缸

在缸体内做往复运动的组件为活塞的液压缸称为活塞式液压缸，这种缸应用非常广泛。活塞式液压缸按结构可分为双杆式和单杆式两种，按其固定方式可分为缸体固定和活塞杆固定两种。

1. 单杆活塞式液压缸

图 3-2 所示为单杆活塞式液压缸的工作原理，其活塞的一侧有伸出杆，另一侧没有伸出

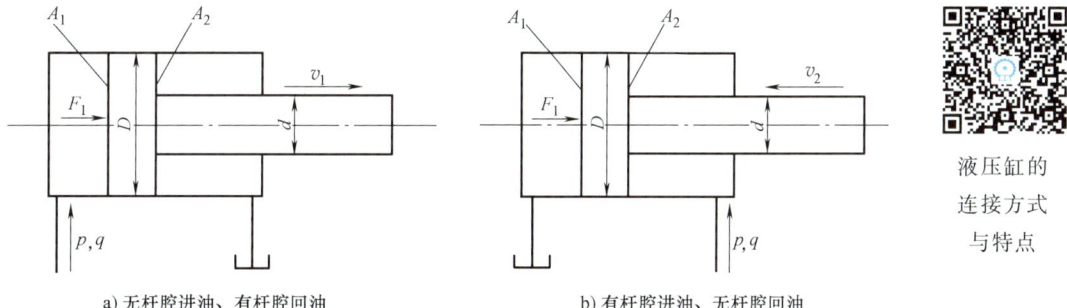

a) 无杆腔进油、有杆腔回油　　　　b) 有杆腔进油、无杆腔回油

图 3-2　单杆活塞式液压缸的工作原理

杆，液压缸两腔的有效工作面积不同。当向液压缸两腔分别供油，且供油压力和流量相同时，活塞（或缸体）在两个方向上的输出推力和速度是不相等的。

当无杆腔进油、有杆腔回油时（见图3-2a），活塞推力 F_1 和运动速度 v_1 分别为

$$F_1 = A_1 p = \frac{\pi}{4} D^2 p \tag{3-1}$$

$$v_1 = \frac{q}{A_1} = \frac{4q}{\pi D^2} \tag{3-2}$$

当有杆腔进油、无杆腔回油时（见图3-2b），活塞推力 F_2 和运动速度 v_2 分别为

$$F_2 = A_2 p = \frac{\pi}{4}(D^2 - d^2) p \tag{3-3}$$

$$v_2 = \frac{q}{A_2} = \frac{4q}{\pi(D^2 - d^2)} \tag{3-4}$$

比较上述公式可知，当无杆腔进油工作时，推力大，速度低；当有杆腔进油工作时，推力小，速度高。因此，单作用活塞式液压缸常用于一个方向有较大负载但运动速度较低，另一个方向为空载快速退回运动的设备。当单杆活塞式液压缸左、右两腔同时通过高压油时称为"差动连接"，做差动连接时的单杆活塞式液压缸称为差动缸，如图3-3所示。差动连接时活塞（或缸筒）只能向一个方向运动，要使它反向起动时，油路的接法必须和非差动式连接相同，如图3-2所示。差动连接时输出的推力 F_3 和速度 v_3 分别为

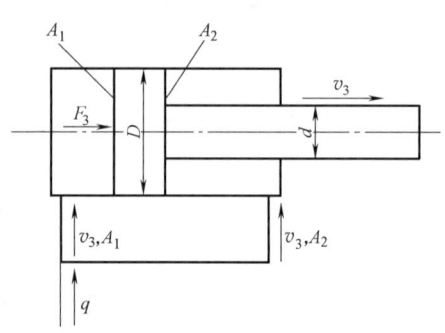

图3-3 单杆活塞式液压缸差动连接

$$F_3 = A_1 p - A_2 p = A_3 p = \frac{\pi d^2}{4} p \tag{3-5}$$

$$v_3 = \frac{q}{A_1 - A_2} = \frac{q}{A_3} = \frac{4q}{\pi d^2} \tag{3-6}$$

由此可见，差动连接时液压缸输出的推力比非差动连接时小，速度比非差动连接时大。因此，单作用活塞式液压缸常用于需要实现"快进（差动连接）→工进（无杆腔进油）→快退（有杆腔进油）"工作循环的组合机床等设备的液压系统中。单杆活塞式液压缸的进、出油口的布置视其安装方式而定，可以缸筒固定，也可以活塞杆固定。工作台的移动范围都是活塞（或缸筒）有效行程的两倍。

2. 双杆活塞式液压缸

图3-4a所示为缸筒固定的双杆活塞式液压缸，其进、出油口不止在缸筒两端，两活塞杆的直径是相等的，因此，工作压力和输入流量不变时，两个方向上输出的推力和速度是相等的，其值分别为

$$F = Ap = \frac{\pi}{4}(D^2 - d^2) p \tag{3-7}$$

$$v = \frac{q}{A} = \frac{4q}{\pi(D^2 - d^2)} \tag{3-8}$$

这种安装形式使工作台的移动范围约为活塞有效行程的三倍,占地面积大,宜用于小型设备中。

图 3-4b 所示为活塞杆固定的双杆活塞式液压缸。它的进、出油口可不止在活塞杆两端,液压油可经活塞杆内径的通道输入液压缸。使用软管连接时,进、出油口也可不止在缸筒两端。这种缸输出的推力和速度大小都和缸筒固定式的相同。但这种安装形式使工作台的移动范围为缸筒有效行程的两倍,故可用于较大型的设备中。

双杆活塞式液压缸在工作时,设计成一个活塞杆受拉,另一个活塞杆不受力,因此这种液压缸的活塞杆可以做得细些。

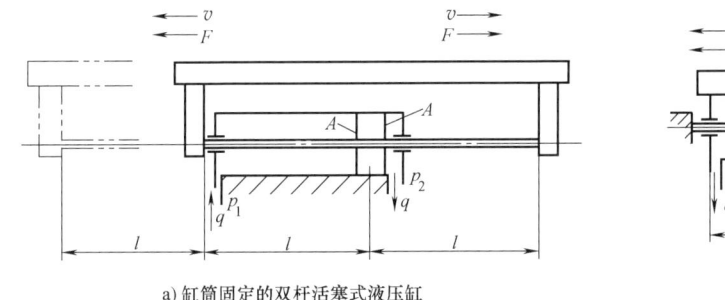

a) 缸筒固定的双杆活塞式液压缸　　　　b) 活塞杆固定的双杆活塞式液压缸

图 3-4　双杆活塞式液压缸

二、柱塞式液压缸

在活塞式液压缸中,缸体内孔与活塞有较高的配合要求,所以要有较高的精度,当缸体较长时,加工就变得困难。为了解决这个矛盾,可采取用柱塞式液压缸,如图 3-5 所示。

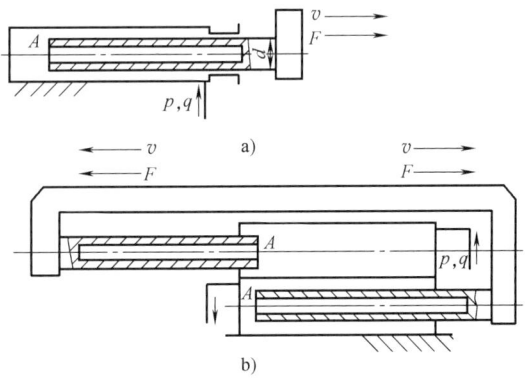

图 3-5　柱塞式液压缸

从图 3-5 中可以看出,柱塞式液压缸缸筒的内壁与柱塞并不接触,没有配合要求,故缸筒内壁不需要精加工,甚至可以不加工。柱塞的导向靠柱塞和缸盖处的导向套的配合来实现,仅柱塞外圆表面和导向套的内孔需要精加工,这就大大简化了缸体加工和装配的工艺性。基于此,柱塞式液压缸广泛用于行程很长的场合。为了减小柱塞的质量,减少柱塞的弯曲变形,柱塞可做成空心的。对于行程特别长的柱塞缸,可以在缸体内设置辅助支承,以增强刚性。

图 3-5a 所示为单柱塞式液压缸,柱塞和工作台一起,缸体固定不动。当液压油进入缸内时,柱塞在液压力的作用下带动工作台向右移动,柱塞的返回要靠外力(如弹簧力或立式部件的重力等)来实现。图 3-5b 所示为双柱塞式液压缸,它是由两个单柱塞式液压缸组合而成的,因而可以实现两个方向的液压驱动。

柱塞式液压缸输出的推力和速度分别为

$$F = pA = p\pi d^2/4 \tag{3-9}$$

$$v = q/A = 4q/(\pi d^2) \tag{3-10}$$

三、摆动式液压缸

摆动式液压缸主要用来驱动做间歇回转运动的工作机构，例如回转夹具、分度机械、送料、夹紧等机床辅助装置，也可用在需要周期性进给的系统中。

图 3-6a 所示为单叶片摆动式液压缸，它由隔板 1、缸体 2、叶片轴 3、回转叶片 4 等组成。回转叶片 4 固定在叶片轴 3 上，隔板 1 固定在缸体 2 上，隔板 1 的槽中嵌有密封块，密封块在弹簧片的作用下夹紧在轴的表面上，起密封作用。当压力油进入摆动式液压缸时，在油压的作用下，回转叶片带动轴回转，摆动角度小于 300°。单叶片摆动式液压缸结构较简单，摆动角度大。但它有两个缺点：一是输出的转矩小，二是径向力不平衡。图 3-6b 所示为双叶片摆动式液压缸，叶片轴上固定着两个叶片，因此在同样大小的结构尺寸下，所产生的转矩比单叶片摆动式液压缸增大一倍，而且径向力得到平衡，但双叶片摆动式液压缸的转角较小（小于 150°），且在相同流量下，转速也减小了。

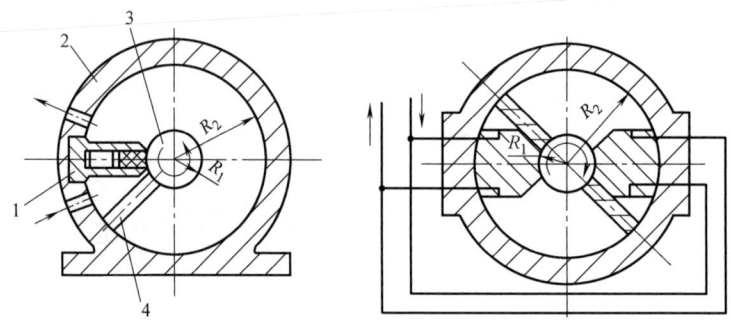

a) 单叶片摆动式液压缸　　b) 双叶片摆动式液压缸

图 3-6　摆动式液压缸

1—隔板　2—缸体　3—叶片轴　4—回转叶片

叶片摆动式液压缸的实际转矩 T 和角速度 ω 的计算公式分别为

$$T = \frac{zpb(D^2 - d^2)}{8} \tag{3-11}$$

$$\omega = \frac{pq}{T} = \frac{8q}{zb(D^2 - d^2)} \tag{3-12}$$

式中　b——叶片宽度；

　　　z——叶片数；

　　　p——工作腔、回油腔的液压油压力；

　　　q——进入摆动式液压缸的流量；

　　　d——叶片底部的回转直径；

　　　D——叶片顶部的回转直径。

四、其他液压缸

1. 增压器

增压器又称增压缸，它利用活塞和柱塞有效面积的不同使液压系统中的局部区域获得高压。它有单作用增压器和双作用增压器两种。单作用增压器的工作原理如图 3-7a 所示。当输入活塞缸的液体压力为 p_1、活塞直径为 D、柱塞直径为 d 时，柱塞缸中输出的液体压力为高压 p_2，其值为

$$p_2 = p_1(D/d)^2 = Kp_1 \tag{3-13}$$

式中 K——增压比，$K = D^2/d^2$，代表增压程度。

显然增压能力是在降低有效能量的基础上得到的，也就是说增压器仅仅是增大输出的压力，并不能增大输出的能量。单作用增压器在柱塞运动到终点时，不能再输出高压液体，需要将活塞退回到左端位置，再向右行时才又输出高压液体。为了克服这一缺点，可采用双作用增压器，如图 3-7b 所示，由两个高压端连续向系统供油。

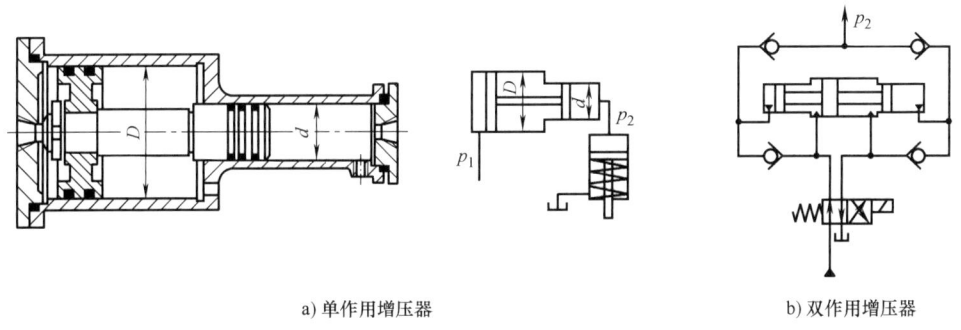

a) 单作用增压器 b) 双作用增压器

图 3-7 增压器

2. 伸缩缸

伸缩缸的结构如图 3-8 所示，它主要由一级缸筒 1、一级活塞 2、二级缸筒 3、二级活塞 4 等组成，其外伸缩动作是逐级进行的。首先是最大直径的缸筒以最低的液压力开始外伸，当到达终点后，稍小直径的缸筒开始外伸，直径最小的末级最后伸出。随着工作级数变大，外伸缸筒直径越来越小，工作液压力随之升高，工作速度变快，其值分别为

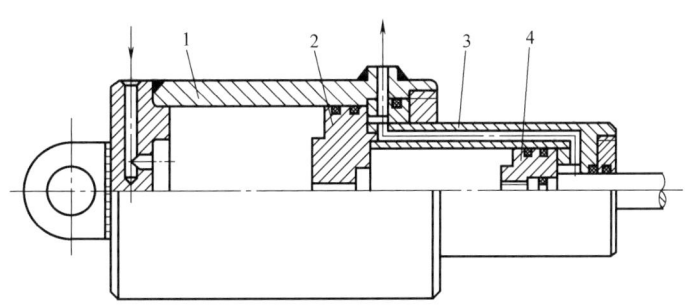

图 3-8 伸缩缸的结构

1——级缸筒 2——级活塞 3—二级缸筒 4—二级活塞

$$F_i = p_i \frac{\pi}{4} D_i^2 \qquad (3\text{-}14)$$

$$v_i = 4q/(\pi D_i^2) \qquad (3\text{-}15)$$

式中 i——活塞缸的级数。

3. 齿轮缸

齿轮缸由两个柱塞缸和一套齿条传动装置组成，如图 3-9 所示，柱塞的移动经齿轮齿条传动装置变成齿轮的传动，用于实现工作部件的往复摆动或间歇进给运动。

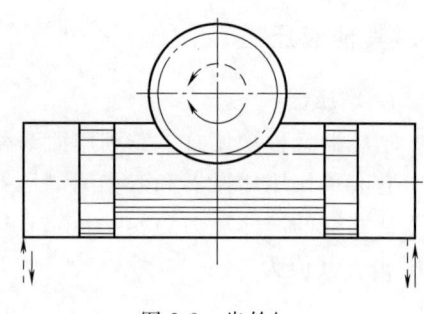

图 3-9 齿轮缸

五、液压缸的典型结构和组成

1. 液压缸的典型结构举例

1）双作用单活塞杆液压缸：图 3-10 所示为一个较为常用的双作用单活塞杆液压缸。它是由缸盖兼导向套 9、缸筒 10、缸底 20、活塞杆 18 和活塞 11 等组成的。缸底与缸筒的一端焊接，缸盖与缸筒用卡环 6、套 5 和弹簧挡圈 4 固定，以便拆装检修，缸筒两端设置油口 A 和油口 B，活塞 11 与活塞杆 18 通过卡环 15、弹簧挡圈 17 和卡环帽 16 连在一起。活塞与缸筒内壁的密封采用的是一对 Y 形密封圈 12，并采用尼龙 1010 做成的耐磨环 13 定心导向。活塞杆 18 和活塞 11 的内孔由 O 形密封圈 14 密封。缸盖兼导向套 9 则可保证活塞杆不偏离中心，导向套外径由 O 形密封圈 7 密封，而其内孔则分别放置 Y 形密封圈 8 和防尘圈 3 以防止油液外漏和灰尘侵入缸体内部。缸底 20 杆端销孔与外界连接，销孔内置有尼龙衬套 19 用来抗磨。

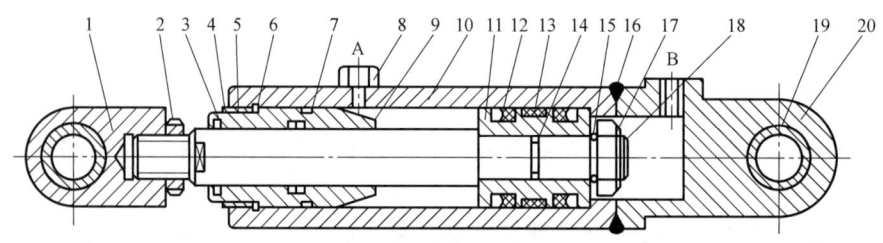

图 3-10 双作用单活塞杆液压缸

1—耳环 2—螺母 3—防尘圈 4、17—弹簧挡圈 5—套 6、15—卡环
7、14—O 形密封圈 8、12—Y 形密封圈 9—缸盖兼导向套 10—缸筒
11—活塞 13—耐磨环 16—卡环帽 18—活塞杆 19—衬套 20—缸底

2）双活塞杆式液压缸：图 3-11 所示为空心双活塞杆式液压缸的结构。液压缸的左、右两腔是通过油口 b 和 d 经活塞杆 1 和 15 的中心孔与左径向孔 a 和右径向孔 c 相通。活塞杆固定在床身上，缸筒 10 固定在工作台上。工作台在右径向孔 c 接通进压力油、左径向孔 a 接通回油时向右移动；反之，则向左移动。右缸盖 18 和左缸盖 24 是通过螺钉与压板 11 和 20 相连，并经钢丝环 12 相连。左缸盖 24 空套在托架 3 的孔内，可以自由伸缩。空心活塞杆的一端用堵头 2 堵死，并通过锥销 9 和 22 与活塞 8 相连。缸筒相对于活塞运动由左导向套 6 和右导向套 19 导向。活塞与缸筒之间、缸盖与活塞杆之间以及缸盖与缸筒之间分别用

O 形密封圈 7、V 形密封圈 4 和 17 以及纸垫 13 和 23 进行密封,以防止液压油的内、外泄漏。缸筒在接近行程的左右终端时,径向孔 a 和 c 的开口逐渐减小,对移动部件起制动缓冲作用。为了排除液压缸中残留的空气,缸盖上设置有排气孔 5 和 14,经左、右导向套环槽的侧面孔道引出与排气阀相连。

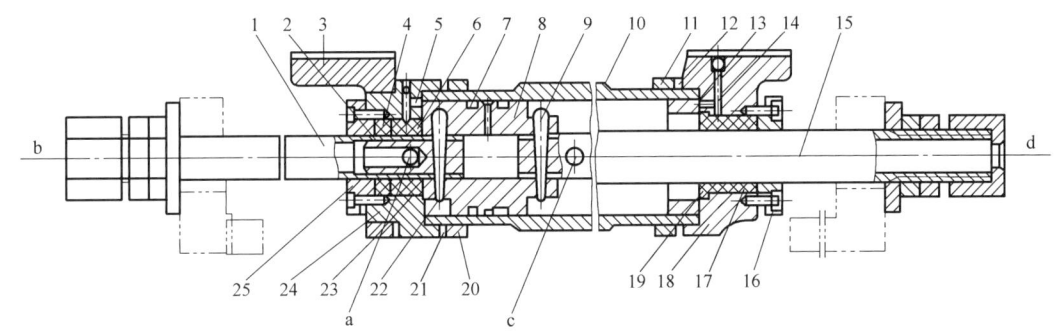

图 3-11 空心双活塞杆式液压缸的结构

1、15—活塞杆　2—堵头　3—托架　4、17—V 形密封圈　5、14—排气孔　6—左导向套
7—O 形密封圈　8—活塞　9、22—锥销　10—缸筒　11、20—压板　12、21—钢丝环
13、23—纸垫　16、25—压盖　18—右缸盖　19—右导向套　24—左缸盖

2. 液压缸的组成

从上面所述的液压缸典型结构中可以看到,液压缸是由缸筒组件、活塞组件、密封装置、缓冲装置和排气装置等所组成的。它们的结构和性能直接影响液压缸的工作质量和制造成本。

1)缸筒组件:一般来说,缸筒组件包括缸筒、前后端盖和导向套等。缸筒和缸盖的结构形式与其使用的材料和承受的压力有关。

图 3-12 所示为缸筒和缸盖的常见结构形式。图 3-12a 所示为法兰连接式,结构简单,容易加工,也容易装拆,但外形尺寸和质量都较大,常用于铸铁缸筒上。图 3-12b 所示为半环连接式,它的缸筒壁因开了环形槽而削弱了强度,为此有时要加厚缸壁。它容易加工和装拆,质量较小,常用于无缝钢管缸筒或锻钢缸筒上。图 3-12c 所示为螺纹连接式,它的缸筒端部结构复杂,外径加工时要求保证内、外径同心,装拆要使用专用工具,它的外形尺寸和质量都较小,常用于无缝钢管缸筒或铸钢缸筒上。图 3-12d 所示为拉杆连接式,该结构的通用性大,容易加工和装拆,但外形尺寸较大且较重。图 3-12e 所示为焊接连接式,该结构简单,尺寸小,但缸底处内径不易加工且可能引起变形。

2)活塞组件:活塞组件由活塞、活塞杆和连接件等组成。随工作压力、安装方式和工作条件的不同,活塞与活塞杆的连接形式也有很多种。如图 3-13 所示,整体式连接和焊接式连接的结构简单,轴向尺寸小,连接可靠,但此种结构不便于维修,损坏后需要整体更换,通常用于小直径液压缸。锥销式连接易于加工,装配简单,但承载能力小,且需有防止锥销脱落的措施,通常适用于轻载液压缸。螺纹式连接的结构简单,拆装方便,需要有螺纹防松装置,但由于加工螺纹削弱了活塞杆的强度,因此不适用于高压系统。卡环式连接的强度高,拆卸方便,但是其结构复杂,常用于高压和振动较大的液压缸中。

3)密封装置:液压缸的密封装置用以防止液压油的泄漏。液压缸的密封主要指活塞与

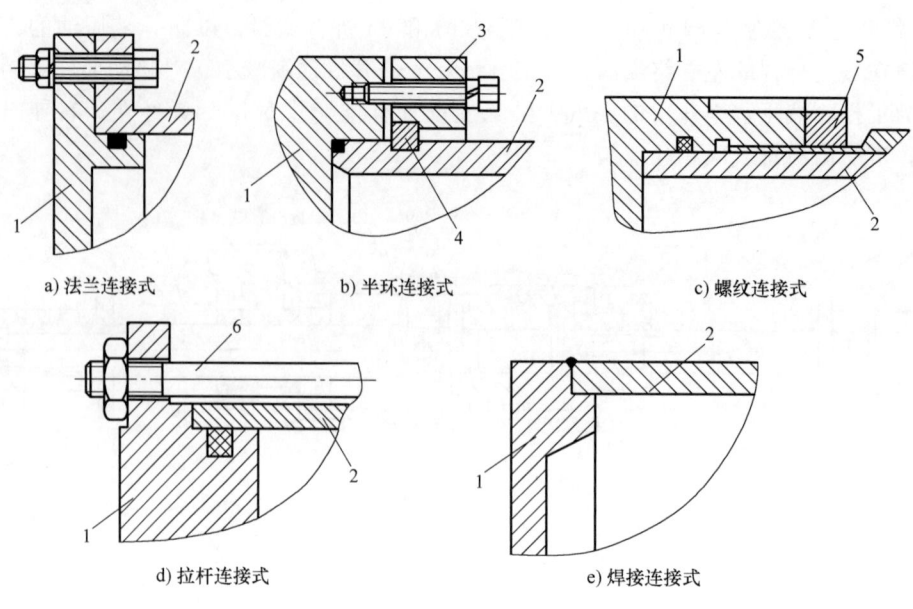

图 3-12 缸筒和缸盖的常见结构形式
1—缸盖 2—缸筒 3—压板 4—半环 5—防松螺母 6—拉杆

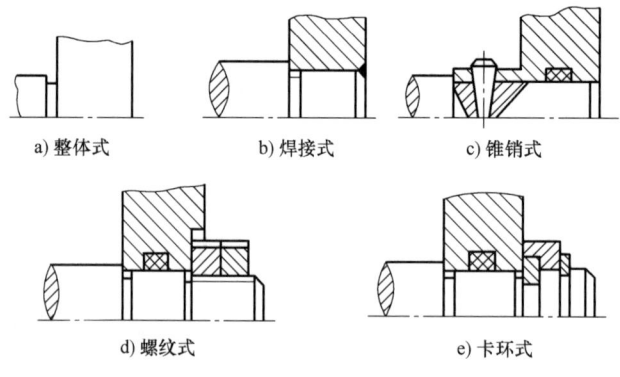

图 3-13 活塞与活塞杆的常见连接形式

缸筒、活塞杆与导向套之间的动密封以及缸底与缸筒、缸盖与缸筒处的静密封。一般要求密封装置具有良好的密封性，尽可能长的寿命，制造简单，拆装方便，成本低。密封装置设计的好坏直接影响液压缸的动、静态性能。

4）缓冲装置：当液压缸所驱动的工作部件质量较大、移动速度较快时，具有的动量较大，致使在行程终了时，活塞会与端盖发生撞击，造成液压冲击和噪声，甚至严重影响工作精度和发生破坏性事故，因此在大型、高速或要求较高的液压缸中往往需设置缓冲装置。尽管液压缸中的缓冲装置结构形式很多，但其工作原理都是相同的，即当活塞接近端盖时，增大液压缸回油阻力，使缓冲油腔内产生足够的缓冲压力，使活塞减速，从而防止活塞撞击端盖。

如图 3-14a 所示，当缓冲柱塞进入与其相配的缸盖上的内孔时，孔中的液压油只能通过间隙 δ 排出，使活塞速度降低。由于配合间隙不变，故随着活塞运动速度的降低，起缓冲作用。当缓冲柱塞进入配合孔之后，油腔中的油只能经节流阀排出，如图3-14b所示。由于节流阀是可调的，因此缓冲作用也可调节，但仍不能克服速度降低后缓冲作用减弱的缺点。如图3-14c所示，在缓冲柱塞上开有三角槽，随着柱塞逐渐进入配合孔中，其节流面积越来越小，解决了在行程最后阶段缓冲作用过弱的问题。

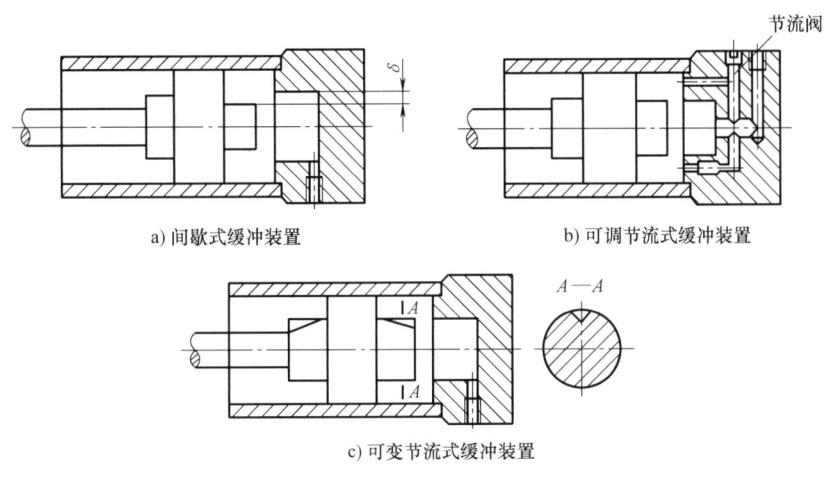

图3-14 常见的液压缸缓冲装置

5）排气装置：当液压系统长时间停止工作，系统中的液压油由于受重力作用和其他原因而流出时，易使空气被吸入系统。如果液压缸中有空气或油中混入空气，都会使液压缸运动不平稳，因此一般在机床工作前应使系统中的空气排出，为此可在液压缸的最高部位（那里往往是空气聚积的地方）设置排气装置。排气装置通常有两种。一种是在液压缸的最高部位处开排气孔，如图3-15a所示，并用管道连接排气阀进行排气，当系统工作时该阀应关闭。另一种是在液压缸的最高部位处装排气塞，如图3-15b、c所示。

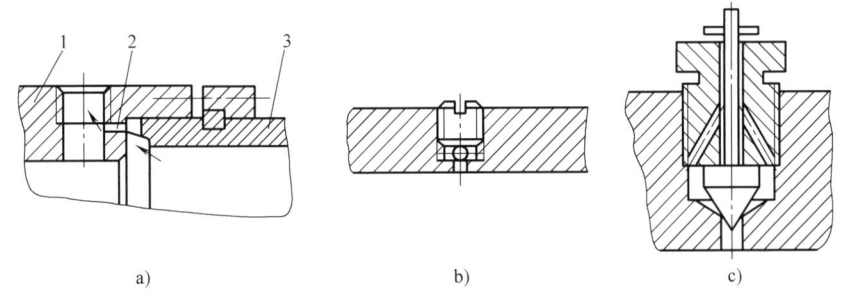

图3-15 排气装置
1—缸盖 2—排气小孔 3—缸体

六、液压缸的结构设计

1. 工作负载与液压缸推力

液压缸的工作负载 F_R 是指工作机构在满负载情况下，以一定速度起动时对液压缸产生的总阻力，即

$$F_R = F_1 + F_f + F_g \tag{3-16}$$

式中 F_1——工作机构的负载、自重等对液压缸产生的作用力；

　　　F_f——工作机构在满负载下起动时的静摩擦力；

　　　F_g——工作机构满负载起动时的惯性力。

液压缸的推力 F 应等于或略大于其工作时的总阻力 F_R。

2. 运动速度

液压缸的运动速度与其输入流量和活塞、活塞杆的截面面积有关。如果工作机构对液压缸的运动速度有一定要求，应根据所需的运动速度和缸径来选择液压泵；在速度没有要求时，可根据已选定的泵流量和缸径来确定速度。

3. 缸筒内径

缸筒内径即活塞外径，为液压缸的主要参数，可根据以下原则确定。

（1）按液压缸推力 F 计算缸筒内径 D　在给定液压系统的工作压力 p 后（设回油背压为零），应满足以下关系式

$$F = F_R = pA\eta_m \tag{3-17}$$

式中 A——液压缸的有效工作面积，对于无杆腔 $A = \pi D^2/4$，对于有杆腔 $A = \pi(D^2-d^2)/4$，d 为活塞杆直径；

　　　η_m——液压缸的机械效率。

对无杆腔，当要求推力为 F_1 时

$$D_1 = \sqrt{\frac{4F_1}{\pi p \eta_m}} \tag{3-18}$$

对有杆腔，当要求推力为 F_2 时

$$D_2 = \sqrt{\frac{4F_2\varphi}{\pi p \eta_m}} \tag{3-19}$$

式中 p——液压缸的工作压力，由液压系统设计时给定（设回油背压为零）；

　　　φ——往返速比，$\varphi = D^2/(D^2-d^2)$，液压系统设计时给定；

　　　η_m——液压缸的机械效率，一般取 $\eta_m = 0.95$。

缸筒内径 D 应取式（3-18）和式（3-19）计算值中较大的一个，然后按 GB/T 2348—2018 中所列的液压缸内径系列数值圆整为标准值。圆整后，液压缸的工作压力应做相应的调整。

（2）按运动速度 v 计算缸筒内径 D　当液压缸运动速度 v 有要求时，可根据液压缸的流量 q 计算。对于无杆腔，当运动速度为 v_1，进入液压缸的流量为 q_1 时

$$D_1 = \sqrt{\frac{4q_1}{\pi v_1}\eta_V} \tag{3-20}$$

对于有杆腔，当运动速度为 v_2，进入液压缸的流量为 q_2 时

$$D_2 = \sqrt{\frac{4q_2}{\pi v_2}\varphi\eta_V} \tag{3-21}$$

当液压缸有密封件密封时，泄漏很小，可取容积效率 $\eta_V = 1$。

同理，缸筒内径 D 应按 D_1、D_2 中较小的一个圆整为标准值。

（3）推力 F 与速度 v 同时给定时，缸筒内径 D 的计算 如果系统中液压泵的类型和规格已定，则液压缸的工作压力和流量已知，此时可先根据推力计算内径，然后校核其工作速度。当计算速度与要求相差较大时，建议重新选择不同规格的液压泵。可供选择的液压泵种类很多，不同的泵有不同的额定值，液压缸的工作压力 p 应不超过液压泵的额定压力与系统总压力损失之差。

当然，在设计液压缸时还有一个系统的综合效益问题，这一点对多缸工作系统尤为重要，应予以充分考虑。

4. 活塞杆直径

确定活塞杆直径 d 时，通常应先满足液压缸速度或往返速比的要求，然后再校核其结构强度和稳定性。若往返速比为 φ，则

$$d = D\sqrt{\frac{\varphi - 1}{\varphi}} \tag{3-22}$$

5. 缸筒壁厚

缸筒内径确定后，由强度条件计算壁厚，然后求出缸筒外径 D_1。

当缸筒壁厚 δ 与缸筒内径 D 的比值小于或等于 0.1 时，称为薄壁缸筒，壁厚按材料力学薄壁圆筒公式计算，即

$$\delta \geq \frac{pD}{2[\sigma]} = \frac{npD}{2\sigma_b} \tag{3-23}$$

式中　p——液压缸的试验压力，比最大工作压力大 20%～30%；

σ_b——缸筒材料的抗拉强度极限；

n——安全系数，一般取 $n = 5$；

$[\sigma]$——活塞杆材料的许用应力，$[\sigma] = \dfrac{\sigma_b}{n}$。

当缸筒壁厚 δ 与缸筒内径 D 的比值大于 0.1 时，称为厚壁缸筒，壁厚按材料力学第二强度理论计算，即

$$\delta \geq \frac{D}{2}\left(\sqrt{\frac{[\sigma] + 0.4p}{[\sigma] - 1.3p}} - 1\right) \tag{3-24}$$

缸筒壁厚确定之后，即可求出缸筒外径 D_1，即

$$D_1 = D + 2\delta \tag{3-25}$$

D_1 值应按有关标准圆整为标准值。

6. 最小导向长度

当活塞杆全部外伸时，从活塞支承面中点到导向套滑动面中点的距离称为最小导向长度 H，如图 3-16 所示。如果导向长度过小，将使液压缸的初始挠度（间隙引起的挠度）增大，影响液压缸的稳定性，因此设计时必须保证有一定的最小导向长度。

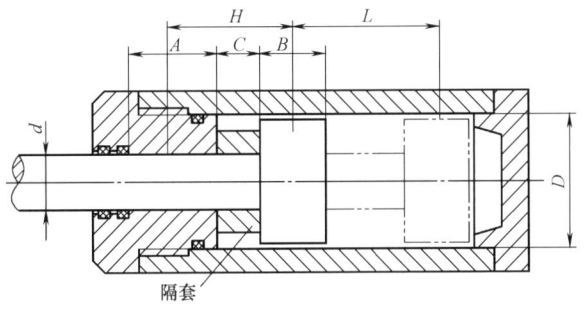

图 3-16　导向长度

对一般的液压缸，最小导向长度 H 应满足以下要求

$$H \geqslant \frac{L}{20} + \frac{D}{2} \quad (3-26)$$

式中　　L——液压缸的最大行程；
　　　　D——缸筒内径。

活塞的宽度 B，一般取 $B=(0.6\sim1.0)D$；导向套滑动面的长度 A，在 $D\leqslant80$mm 时取 $A=(0.6\sim1.0)D$，在 $D>80$mm 时取 $A=(0.6\sim1.0)d$。为保证最小导向长度，过分增大 A 和 B 都是不适宜的。必要时可在导向套与活塞之间装一隔套，隔套的长度 C 由需要的最小导向长度 H 决定，即

$$C = H - \frac{1}{2}(A+B) \quad (3-27)$$

七、液压缸的选用

液压缸的类型不同，工作特性也不同，双作用单出杆液压缸带动工作部件的往返运动速度不同，常用在需要液压缸产生较大推力的场合，在机床上用得较多，且还可以通过进行差动连接获得较快的运动速度。双作用双出杆液压缸带动工作部件的往返速度一样，常用在需要工作部件做等速往返直线运动的场合，如磨床的工作台。液压缸是自行设计件，选用液压缸要考虑的因素如下：

1）根据机构运动和结构要求，选择液压缸的类型。
2）根据机构对推力和拉力的要求，确定液压缸的输出力。
3）根据液压系统的压力和往返速比，确定液压缸的缸筒内径、活塞杆直径等主要尺寸。
4）根据机构运动的行程和速度，确定液压缸的长度和流量，并由此确定液压缸的通油口尺寸。
5）根据系统工作压力和液压缸材料，确定液压缸的壁厚尺寸、活塞杆尺寸、螺栓尺寸及缸盖尺寸等。
6）根据系统工作压力，选择适当的密封结构。
7）对高速液压缸必须设置适当的缓冲装置。
8）在保证所需要的往复运动行程和驱动力条件下，尽可能减小液压缸的轮廓尺寸。
9）对运动平稳性要求较高的液压缸，需要设置排气装置。

常用液压缸的外形如图 3-17 所示。

a) 活塞杆式液压缸

b) 齿轮齿条摆动液压缸

图 3-17　常用液压缸的外形

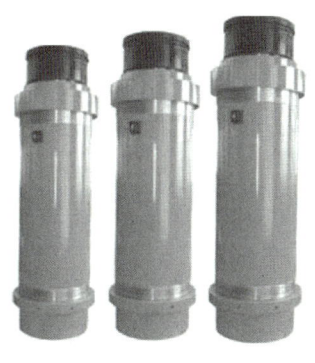

c）柱塞式液压缸

图 3-17　常用液压缸的外形（续）

任务实施

液压缸的拆装

1. 任务组织

以小组为单位，小组规模一般为 3～5 人，每小组选举 1 名小组长协调小组的各项工作，教师提出必要的指导和建议，任务完成后以小组为单位组织学生进行汇报、讨论和交流，并针对共性问题在课堂上组织讨论和专门讲解。

2. 任务内容

各种液压缸的拆装。

3. 任务目的

使学生通过对各种液压缸的拆装，掌握液压缸的拆装方法及步骤，熟悉液压缸的组成结构，同时培养学生的团队合作意识。

4. 操作过程

步骤一：实训前准备液压缸、300mm 活扳手两把、150mm 活扳手六把、卡簧钳、抹布、钳工台。按照每组一套进行准备。

步骤二：领取液压缸，小组合作分析液压缸的结构、类型，讨论并制订液压缸的拆装方案。

步骤三：拆卸液压缸（注意缸内是否有液压油，做好防泄漏措施）并按照拆卸顺序整齐摆放零部件，做好标记，记录好零件的安装位置，注意密封件的形状和材质。

液压缸拆卸以后，对液压缸的零件进行外观检查，查看缸筒内壁、活塞表面和导向套内壁有无明显划痕、活塞杆表面有无损伤、密封圈有无老化或破损、各个零件有无裂纹。

液压缸零件拆卸情况登记表见表 3-1。

表 3-1　液压缸零件拆卸情况登记表

序号	零件名称	拆卸工具及检测方法		零件数量	零件是否完好	
		工具	检测		完好	受损
1						
2						

（续）

序号	零件名称	拆卸工具及检测方法		零件数量	零件是否完好	
		工具	检测		完好	受损
3						
4						
5						
6						
⋮						

步骤四：清洗拆下的零部件，并去除毛刺；按照拆卸的逆向顺序装配液压缸，保证液压缸动作正常。

步骤五：检查现场有无漏装元件，确认无误后打扫卫生。

任务评价

教师在巡视中观察学生的表现，根据学生在小组内承担的任务及小组整体的完成情况给每个同学评定成绩。

液压缸的拆装考核表见表 3-2。

表 3-2　液压缸的拆装考核表

考核项目	考核内容	分　数	得　分
工作态度	按时完成任务	5 分	
	学习主动性强	10 分	
任务内容	工具选取恰当、使用正确	15 分	
	拆装方案合理、零件摆放整齐	15 分	
	零件检测方法合理、准确	15 分	
	讨论题回答正确	20 分	
团队合作精神	团队分工科学、凝聚力强	5 分	
	团队成员间有良好的协作精神	5 分	
团队成员间互评	认为该同学完成了本职任务，对团队帮助很大	10 分	
总分		100 分	

任务二　气缸的选用

任务分析

气缸的作用是将空气的压力能转换为机械能，气缸或气马达的性能参数由进入气缸的压缩空气流量、压力和结构参数等因素决定。气缸或气马达是每个气动系统必不可少的元件，广泛应用于食品机械、数控机床、机动车辆、纺织机械等设备的气动系统上。本任务通过学习气缸的工作原理、类型、结构特点和应用，掌握气缸的选用和维护的技能。

> 知识链接

气动执行元件有如下特点：

1）与液压执行元件相比，气动执行元件的运动速度快，工作压力低，适用于低输出力的场合。气动执行元件正常工作的环境温度也较宽，一般可在-20~80℃（耐高温的可达150℃）的环境下正常工作。

2）相对机械传动来说，气动执行元件的结构简单，制造成本低，维修方便，便于调节其输出力的大小和速度。

由于气体的可压缩性使气动执行元件在速度控制、抗负载等方面的性能劣于液压执行元件。当需要精确地控制速度，减小负载变化对运动的影响时，常需要借助气动-液压联合装置等来实现。

一、气缸的类型与结构

1. 气缸的类型

气缸是自动化系统中使用最广泛的一种执行元件。它以压缩空气为动力驱动机构做直线往复运动。根据使用条件、场合的不同，气缸的结构、功能和形状也不一样，种类繁多，一般按压缩空气作用在活塞端面上的方向、结构、功能和安装形式来进行分类。

1）按压缩空气在活塞端面作用力方向可分为单作用气缸和双作用气缸。单作用气缸只有一个方向靠压缩空气推动，复位靠自重、复位弹簧力和其他形式的外力实现。双作用气缸的往复运动均靠压缩空气推动。

2）按气缸的结构特点可分为活塞式气缸、柱塞式气缸、薄膜式气缸、摆动气缸等。

3）按气缸的功能可分为普通气缸和特殊气缸。普通气缸主要包括单作用气缸和双作用气缸。特殊气缸主要包括冲击气缸、摆动气缸、带磁性开关气缸、气液阻尼缸、薄膜气缸、手指气缸。

4）按气缸的安装方式可分为耳座式气缸、法兰式气缸、凸缘式气缸和轴销式气缸。

2. 普通气缸

普通气缸有单作用气缸和双作用气缸两种。图3-18所示为普通型单活塞杆双作用气缸的结构。气缸一般由缸筒、前缸盖、后缸盖、活塞、活塞杆、密封件和紧固件等零件组成。缸筒在前、后缸盖之间由四根拉杆和螺母将其紧固锁定（图中未画出）。活塞与活塞杆相

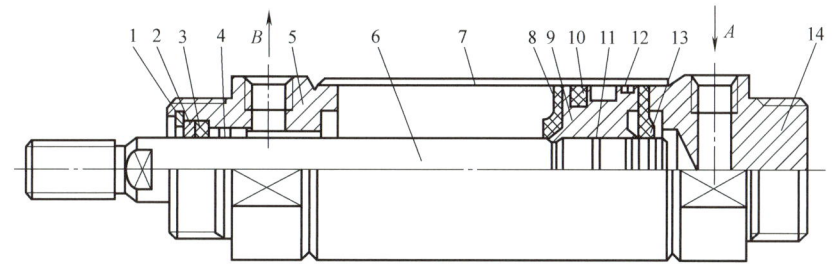

图3-18 普通型单活塞杆双作用气缸的结构

1—弹簧挡圈　2—防尘圈压板　3—防尘圈　4—导向套　5、14—端盖　6—活塞杆
7—缸筒　8、13—缓冲垫　9—活塞　10—活塞密封圈　11—密封圈　12—耐磨环

连，活塞上装有密封圈、导向环及耐磨环。为防止漏气和外部粉尘的侵入，前缸盖上装有活塞杆用防尘组合密封圈。普通气缸活塞上也可装磁性环。磁性环用来产生磁场，使活塞接近磁性开关时发出电信号，即在普通气缸上装上了磁性开关就构成带磁性开关气缸。

图 3-19 所示为普通型单活塞杆单作用气缸的结构，在活塞的一侧装有使活塞杆退回的弹簧，在前缸盖上开有呼吸孔。除此之外，其结构基本上和双作用气缸相同。图示单作用气缸的缸筒和前后缸盖之间采用滚压铆接方式固定。弹簧装在有杆腔，气缸活塞杆初始位置处于退回的位置。这种气缸称为预缩型单作用气缸。

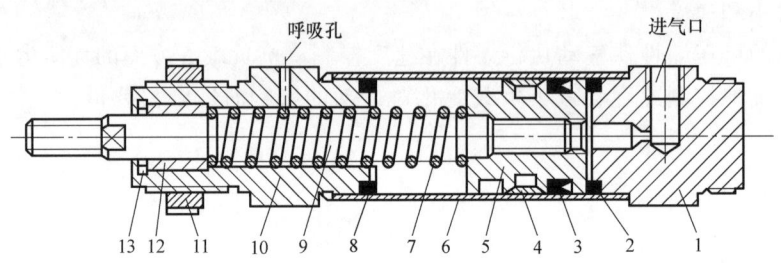

图 3-19 普通型单活塞杆单作用气缸的结构
1—后缸盖 2、8—弹性垫 3—活塞密封圈 4—导向环 5—活塞 6—缸筒
7—弹簧 9—活塞杆 10—前缸盖 11—螺母 12—导向套 13—卡环

3. 其他形式气缸

1) **无杆气缸**：无杆气缸没有普通气缸的刚性活塞杆，它利用活塞直接或间接实现往复直线运动。这种气缸最大的优点是节省了安装空间，特别适用于小缸径、长行程的场合，在自动化系统、气动机器人中获得了大量应用。

图 3-20 所示为无杆气缸的结构。在气缸缸筒轴向开有一条槽，在气缸两端设置空气缓冲装置。活塞带动与负载相连的滑块一起在槽内移动，且借助缸体上的一个管状沟槽防止其产生旋转。因防泄漏和防尘的需要，在开口部采用聚氨酯密封带和防尘不锈钢带固定在两侧端盖上。

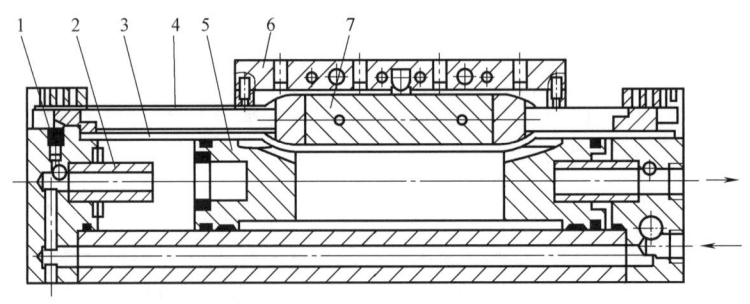

图 3-20 无杆气缸的结构
1—节流阀 2—缓冲柱塞 3—密封带 4—防尘不锈钢带 5—活塞 6—滑块 7—活塞架

这种气缸适用缸径为 8~80mm，最大行程在缸径不小于 40mm 时可达 6m。气缸运动速度较高，可达 2m/s。由于负载与活塞是与在气缸内运动的滑块连接的，因此在使用中必须考虑滑块上所承受的径向负载和轴向负载。为了增加承载能力，必须增加导向机构。若需用无杆气缸构成气动伺服定位系统，可用内置了位移传感器的无杆气缸。

2）带磁性开关气缸：带磁性开关气缸又称开关气缸，这是指在气缸活塞上置有永久磁环，利用直接安装在缸筒上的行程开关来检测气缸活塞位置的一种气缸。普通气缸、无杆气缸、磁性气缸、制动气缸、摆动气马达、手指气缸等都能构成开关气缸。以前，气缸行程位置的检测是在活塞杆端部设置挡块，用行程机构控制阀来发信。这种方法给装置设计、制造和安装带来诸多不便，而利用开关气缸可使位置检测方便，结构紧凑，利于实现机电一体化。

图 3-21 所示为开关气缸。用于开关气缸发信的行程开关有电子舌簧式行程开关、气动舌簧式行程开关和非接触式电感行程开关三种。无论何种行程开关，在使用时都必须了解其开关性能。当行程开关所带的感性负载（如电磁阀、继电器）断开时，在断开的瞬间会产生一个脉冲电压，这将损害行程开关的舌簧片电极，从而影响工作的可靠性，因此行程开关必须带保护电路。

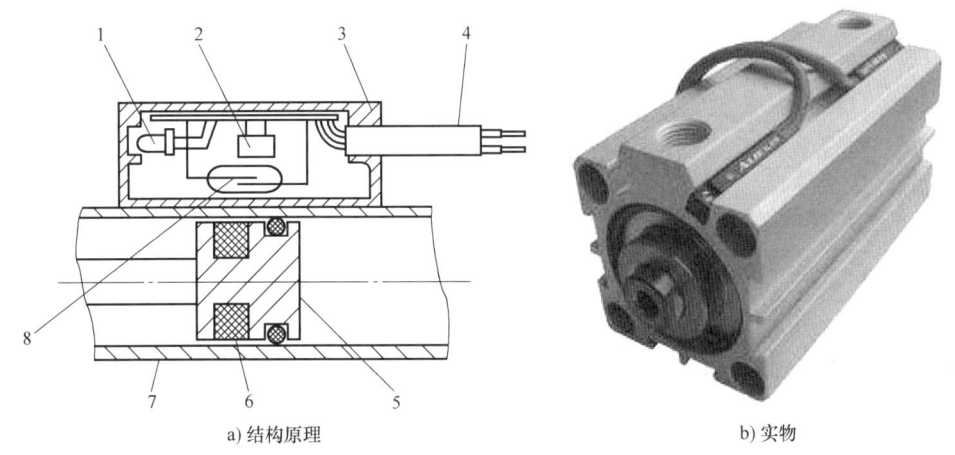

a) 结构原理　　　　　　　　　　　　b) 实物

图 3-21　开关气缸

1—动作指示灯　2—保护电器　3—开关外壳　4—导线　5—活塞　6—磁环（永久磁铁）　7—缸筒　8—舌簧开关

3）薄膜式气缸：薄膜式气缸是一种利用膜片在压缩空气作用下产生变形来推动活塞杆做直线运动的气缸，有单作用式和双作用式两种。薄膜式气缸的结构如图 3-22 所示。薄膜式气缸的膜片有平膜片和盘形膜片两种。薄膜式气缸因受膜片变形量限制，活塞位移较小，一般不超过 50mm，且其最大行程与缸径成正比。平膜片气缸最大行程约为缸径的 15%，盘形膜片气缸最大行程约为缸径的 25%。

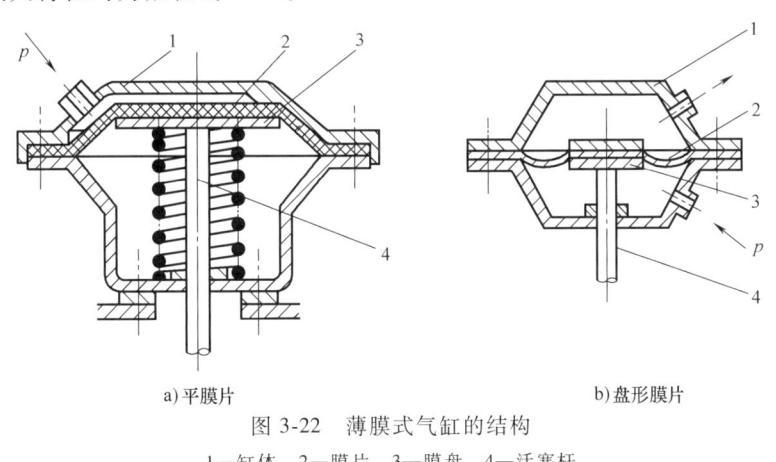

a) 平膜片　　　　　　　　　b) 盘形膜片

图 3-22　薄膜式气缸的结构

1—缸体　2—膜片　3—膜盘　4—活塞杆

薄膜式气缸的特点是行程小、结构紧凑、质量小、维修方便、密封性好、制造成本低，广泛应用于夹紧、落料、退料等机构中。

4) 冲击气缸：冲击气缸是把压缩空气的能量转换为活塞、活塞杆高速运动的动能并做功的一种气缸。气缸中的活塞是通过蓄能腔的快速充气而实现快速加速的，最大速度可以达到 10m/s 以上。与同尺寸普通气缸相比，冲击气缸的动能要高出上百倍，利用此动能可完成打印、冲孔、折弯、落料、铆接等多种动作。

冲击气缸分为普通型冲击气缸和快排型冲击气缸两种。它们的工作原理相同，差别为快排型冲击气缸在普通型冲击气缸的基础上增加了快速排气结构，以获得更大的能量。图 3-23 所示为普通型冲击气缸。冲击气缸有活塞杆腔、蓄能腔和活塞腔三个工作腔，以及带有排气小孔的中盖。

5) 摆动气缸：摆动气缸是把直线运动转换成摆动运动并输出转矩，使机构实现往复摆动的气动执行元件，又称为旋转气缸、摆动气马达。常用的摆动气缸的最大摆动角度分为 90°、180°和 270°三种规格。按照结构特点的不同，摆动气缸可分为叶片式摆动气缸、齿轮齿条式摆动气缸等。叶片式摆动气缸分为单叶片式和双叶片式两种，如图 3-24 所示。

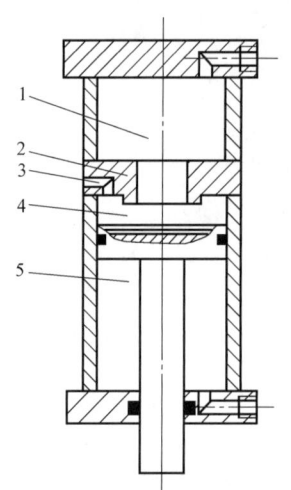

图 3-23 普通型冲击气缸
1—蓄能腔 2—中盖 3—排气孔
4—活塞腔 5—有杆腔

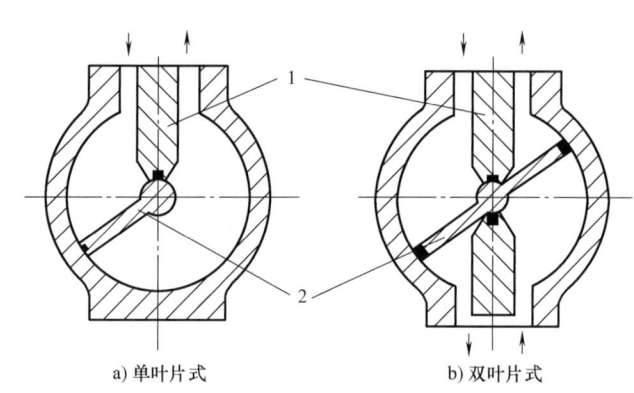

a) 单叶片式　　b) 双叶片式

图 3-24 叶片式摆动气缸
1—挡块 2—叶片

摆动气缸输出轴承受转矩，对冲击的耐力小，因此若受到驱动物体停止时的冲击作用，将容易损坏，需采用缓冲机构或安装制动器。

6) 手指气缸：手指气缸能实现各种抓取功能，是现代气动机械手的关键部件，如图 3-25 所示。手指气缸的特点：①所有的结构都是双作用的，能实现双向抓取，可自动对中，重复精度高；②抓取力矩恒定；③在气缸两侧可安装非接触式检测开关；④有多种安装、连接方式。

图 3-25a 所示为摆动手指气缸，活塞杆上有一个环形槽，由于手指耳轴与环形相连，因而手指可同时移动且自动对中，并确保抓取力矩始终恒定。

图 3-25b 所示为旋转手指气缸，其动作和齿轮齿条的啮合原理相似。活塞与一根可上下移动的轴固定在一起。轴的末端有三个环形槽，这些槽与两个驱动轮的齿啮合。因而，两个

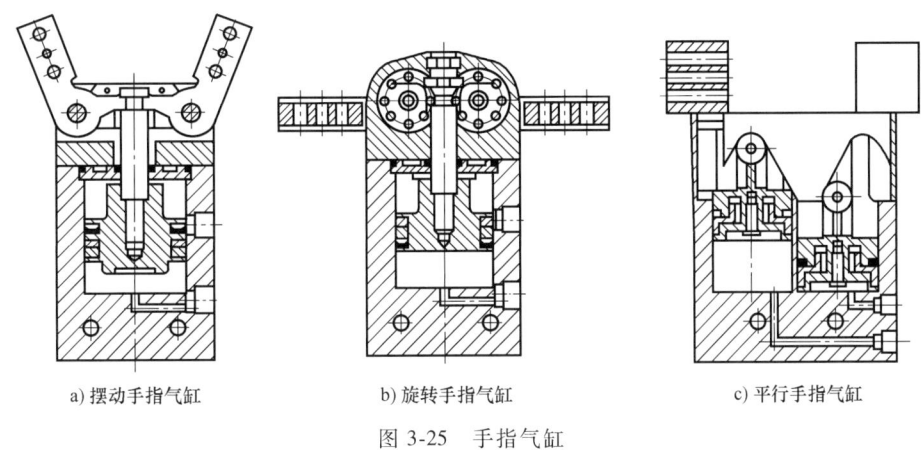

a) 摆动手指气缸　　　b) 旋转手指气缸　　　c) 平行手指气缸

图 3-25　手指气缸

手指可同时移动并自动对中，其齿轮齿条原理确保了抓取力矩始终恒定。

图 3-25c 所示为平行手指气缸，平行手指通过两个活塞工作。每个活塞由一个滚轮和一对曲柄与手指相连，形成一个特殊的驱动单元。这样，气缸手指总是轴向移动，每个手指是不能单独移动的。如果手指反向移动，则先前受压的活塞处于排气状态，而另一个活塞处于受压状态。

7）气液阻尼缸：气液阻尼缸是一种由气缸和液压缸构成的组合缸，有串联式气液阻尼缸（见图 3-26）和并联式气液阻尼缸（见图 3-27）两种结构。由气缸产生驱动力，而用液压缸的阻尼调节作用获得平稳的运动。这种气缸常用于机床进行切削加工的进给驱动装置，克服了普通气缸在负载变化较大时容易产生的"爬行"或"自走"现象，满足驱动刀具进行切削加工的要求。

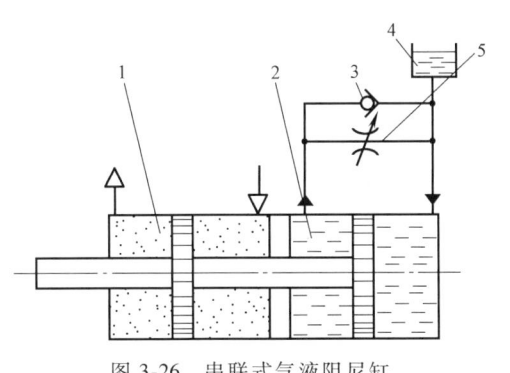

图 3-26　串联式气液阻尼缸
1—气缸　2—液压缸　3—单向阀　4—油箱　5—节流阀

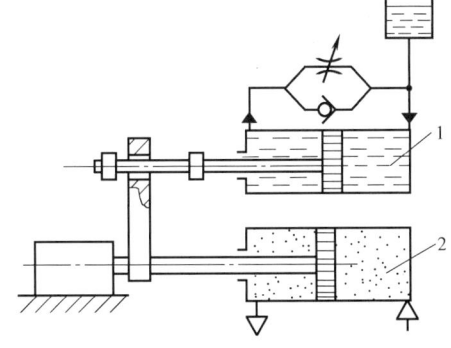

图 3-27　并联式气液阻尼缸
1—液压缸　2—气缸

气液阻尼缸的结构特点：缸体长度短、占用空间位置小，消除了气缸和液压缸之间的窜气现象；液压缸能单独制造，便于选用。使用气液阻尼缸时应注意：液压缸与气缸活塞杆轴线以及负载作用线应处在同一轴线上，否则运动时会产生附加力矩，引起运动速度不稳定等现象。

二、气缸的性能参数

1. 气缸的速度

气缸活塞运动的速度在运动过程中是变化的，通常所说的气缸速度是指气缸活塞的平均速度，如普通气缸的速度范围为 0.005~0.5m/s，就是指气缸活塞在全行程范围内运动的平均速度。目前，普通气缸的最低速度为 0.0005m/s，最高速度可达 17m/s。

2. 气缸的理论输出力

气缸理论输出力的计算公式与液压缸的相同。

3. 气缸的效率和负载率

气缸未加载时实际所能输出的力受气缸活塞和缸筒之间的摩擦力、活塞杆和前缸盖的摩擦力影响。摩擦力影响程度用气缸的效率 η 表示。图 3-28 所示为气缸的效率 η 与气缸的缸径 D 和工作压力 p 的关系曲线，缸径 D 增大，工作压力 p 提高，则气缸的效率 η 增加。当气缸缸径增大时，在同样的气缸结构和加工条件下，摩擦力在气缸的理论输出力中所占的比例明显地减小，即气缸的效率提高了。一般气缸的效率在 0.7~0.95 之间。通过对气缸的特性研究可知，要精准确定气缸的实际输出力是困难的。于是，在研究气缸的性能和选择确定气缸缸径时，常用到负载率 β 的概念。气缸负载率 β 的定义为

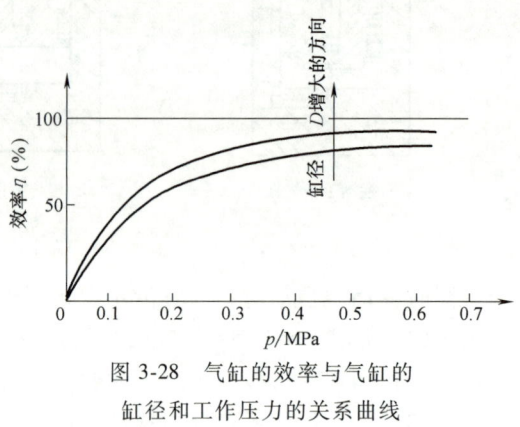

图 3-28　气缸的效率与气缸的缸径和工作压力的关系曲线

$$\beta = F/F_0 \tag{3-28}$$

式中　F——气缸的实际输出力；
　　　F_0——气缸的理论输出力。

气缸的实际负载（轴向负载）是由工况所决定的。若确定了气缸的负载率 β，则由定义就能确定气缸的理论输出力 F_0，从而可以计算气缸的缸径。气缸负载率 β 的选取与气缸的负载性质及气缸的运动速度有关。

三、气缸的选用

1) 根据工作任务对气缸的要求确定气缸的类型。
2) 根据气缸的类型选择其结构形式与安装方式。
3) 根据工作机构的负载确定活塞杆的推力和拉力，计算气缸需要的内径和活塞杆直径。
4) 根据夹紧机构的工况要求确定气缸的行程，注意不能使用满行程。
5) 选择气缸的缓冲装置。注意：气缸行程短或速度低时，一般在活塞两端设置缓冲垫；当气缸行程较长或速度较快时，需要在缸内设置缓冲装置。

任务实施

气缸的选用与维护

1. 任务组织

以小组为单位，小组规模一般为 3~5 人，每小组选举 1 名小组长协调小组的各项工作，教师提出必要的指导和建议，任务完成后以小组为单位组织学生进行汇报、讨论和交流，并

针对共性问题在课堂上组织讨论和专门讲解。

2. 任务内容

气缸的选用与维护。

3. 任务目的

使学生通过对气缸的选用与维护，掌握气缸的使用场合，熟悉气缸的维护保养常识，同时培养学生的团队合作意识。

4. 操作过程

步骤一：实训前准备气缸产品样本、气动夹紧机构示意图。按照每组一套进行准备。

步骤二：根据工作任务选择合适的气缸，填写气缸参数表，见表3-3。

表3-3 气缸参数表

气缸类型	气缸规格		气缸的安装方式	气缸标注方式
	缸筒内径	行程		

步骤三：气缸的维护保养。使用中要定期检查气缸各部分有无异常现象，发现问题及时处理。

1）经常检查各连接部位有无松动等，轴销式安装的气缸各活动部位要定期加润滑油。

2）注意气缸的工作情况。一般气缸工作压力为 0.4~0.6MPa，普通气缸运动速度范围为 0.005~0.5m/s，环境温度为 5~60℃（在低温下要采取防冻措施）。

3）气缸重新装配时，零件必须清洗干净，以防将杂质带入缸内。装配时要特别防止密封圈被剪切、损坏，注意 V 形、Y 形密封圈的安装方向。

4）气缸零件若长时间不使用时，注意用防锈油保护，进、排气口要加防尘盖。

步骤四：检查现场有无漏装元件，确认无误后打扫卫生。

任务评价

教师根据同学或小组任务实施情况给予表扬或指正，并视完成情况给予每个同学成绩。气缸的选用与维护考核表见表3-4。

表3-4 气缸的选用与维护考核表

考核项目	考核内容	分 数	得 分
工作态度	按时完成任务	5分	
	学习主动性强	15分	
任务内容	气缸选择合理	20分	
	气缸维护保养知识掌握	20分	
团队合作精神	团队分工科学、凝聚力强	10分	
	团队成员间有良好的协作精神	10分	
团队成员间互评	认为该同学较好地完成了本职任务，在团队中发挥的作用很大	20分	
总分		100分	

任务三　液压马达与气马达的选用

任务分析

液压马达与气马达是将传动介质的压力能转化为机械能并输出旋转运动的执行元件。通过学习液压马达、气马达的分类、结构特点、性能参数,掌握其相关计算及用途。

知识链接

一、液压马达

液压马达是将液体的压力能转换为机械能,对外输出转矩和回转运动的一种执行元件。

1. 液压马达的分类

液压马达按照额定转速可分为高速液压马达和低速液压马达两大类。一般认为,额定转速高于 500r/min 的属于高速液压马达;额定转速低于 500r/min 的属于低速液压马达。按照结构不同可分为齿轮式液压马达、叶片式液压马达、轴向柱塞式液压马达等。

2. 液压马达的主要性能参数

液压马达的主要性能参数有压力、排量和流量、转速、机械效率与转矩和液压马达的总效率。

(1) 压力

1) 工作压力 p:指液压马达输入油液的压力,用 p 表示,常用单位为 MPa。

2) 额定压力 p_n:指液压马达在额定转速下连续运转所允许达到的最大输入压力,用 p_n 表示,常用单位为 MPa。

3) 最高允许压力 p_{max}:指液压马达短时间内所允许超载使用的极限压力,用 p_{max} 表示,常用单位为 MPa。

(2) 排量和流量

1) 排量 V_M:指在不考虑漏失的情况下,液压马达轴每转一圈所需输入的液体体积,用 V_M 表示,常用单位为 mL/min。

2) 理论流量 q_t:指不考虑漏失的情况下,液压马达单位时间内所需输入的液体体积,用 q_t 表示,常用单位为 L/min。如果液压马达的转速为 n,则液压马达的理论流量为

$$q_t = V_M n / 1000 \qquad (3\text{-}29)$$

式中　q_t——液压马达的理论流量(L/min);

　　　V_M——液压马达的排量(mL/min);

　　　n——液压马达的转速(r/min)。

3) 实际流量 q:指液压马达工作时输入的流量,用 q 表示,常用单位为 L/min。计算实际流量时必须考虑液压马达的泄漏量。如果泄漏量为 Δq,则液压马达的实际流量为

$$q = q_t + \Delta q \qquad (3\text{-}30)$$

4) 额定流量 q_n:指在额定转速和额定压力下液压马达输入的流量,用 q_n 表示,常用单位为 L/min。

(3) 转速

1) 额定转速 n_n：在额定压力下，能保证长时间正常运转的最高转速，用 n_n 表示，常用单位为 r/min。

2) 最高转速 n_{max}：在额定压力下，允许液压马达在短时间内超过额定转速运转时的最高转速，用 n_{max} 表示，常用单位为 r/min。

3) 转速 n：在考虑液压马达的泄漏量后，液压马达输出的转速。其计算公式为

$$n = \frac{q\eta_V}{V_M} \times 1000 \tag{3-31}$$

式中　n——液压马达的转速（r/min）；
　　　q——实际流量（L/min）；
　　　V_M——液压马达的排量（mL/min）；
　　　η_V——液压马达的容积效率，$\eta_V = q_t/q$。

(4) 机械效率与转矩

1) 机械效率 η_m。指考虑液压马达工作时存在的摩擦后的效率。机械效率的计算公式为

$$\eta_m = T/T_i \tag{3-32}$$

2) 理论转矩 T_i。如果不计算各种损失，液压马达输入的液压功率全部转换为液压马达输出的机械功率，则液压马达输出的理论转矩为

$$T_i = \frac{\Delta p V_M}{2\pi} \tag{3-33}$$

式中　T_i——液压马达输出的理论转矩（N·m）；
　　　Δp——液压马达进、出口的压差（MPa）；
　　　V_M——液压马达的排量（mL/min）。

3) 输出转矩 T。由于液压马达内部的各种摩擦，实际输出转矩为

$$T = T_i \eta_m \tag{3-34}$$

(5) 液压马达的总效率　它是指液压马达的输出功率与输入功率的比值，用 η 表示，即

$$\eta = P/P_i = \eta_m \eta_V \tag{3-35}$$

式中　P——输出功率（kW）；
　　　P_i——输入功率（kW）；
　　　η_V——液压马达的容积效率；
　　　η_m——机械效率。

3. 齿轮式液压马达

齿轮式液压马达简称齿轮马达。齿轮马达是容积式液压马达，它与齿轮泵的结构类似，原理相反。齿轮马达通过将油液压力作用在齿轮上，从而在其传动轴上产生输出转矩。齿轮马达基本上由进、出油口的壳体和两个齿轮构成的旋转组件组成，与传动轴连接的齿轮称为主动轮，另一个称为从动轮。齿轮马达的结构简单，输出转速高，环境适应性好；但由于其结构缺陷，密封性能差，导致其内泄漏量大，容积效率低，稳定性差，一般应用于高转速、小转矩的场合，例如钻床和通风设备中。

4. 叶片式液压马达

图 3-29 所示为双作用叶片式液压马达。叶片沿转子的径向均布放置，并且在叶片根部放置有预紧弹簧，叶片顶部始终贴紧定子内表面形成良好的密封状态，保证叶片式液压马达在液压油通入后即刻正常起动。在回油腔和压油腔通入叶片根部的通路上设置有单向阀，以确保叶片根部始终有液压油。叶片式液压马达具有结构紧凑、简单、输出转矩均匀性好等特点，其低速性能优于齿轮马达，但其结构的抗振抗冲击性能不够

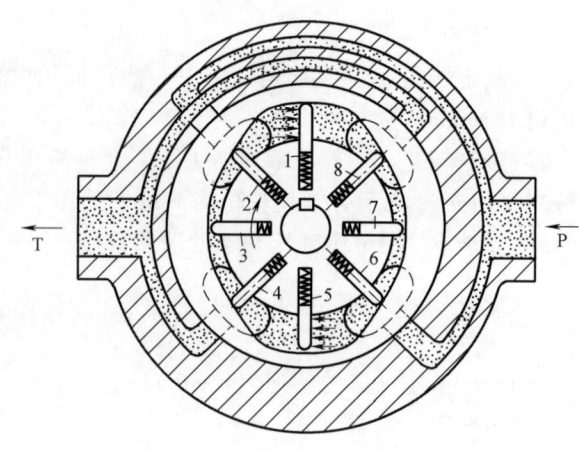

图 3-29 双作用叶片式液压马达

好，因此一般用于固定式装置上，例如磨床回转工作台和机床的操纵机构。

当压力油从 P 口进入叶片式液压马达后，在叶片 1、3 和叶片 5、7 上形成一面有液压油、一面没有液压油的现象，叶片 1 和叶片 5 受液压油的作用面积大于叶片 3 和叶片 7 受液压油的作用面积，因此叶片 1 和叶片 5 受到的压力对转子的顺时针转矩大于叶片 3 和叶片 7 受到的压力对转子的逆时针转矩，叶片驱动转子顺时针转动。转动的转矩大小由叶片两面的压差决定，转动的速度由输入的油液流量大小决定。

5. 柱塞式液压马达

柱塞式液压马达根据柱塞的排列形式可以分为轴向柱塞式液压马达和径向柱塞式液压马达两种类型，它们的结构与柱塞式液压泵的结构类似，原理与柱塞式液压泵的原理互逆。

图 3-30 所示为轴向柱塞式液压马达的工作原理。当液压油输入时，处于高压腔中的柱塞伸出，压在斜盘上。斜盘对柱塞的反作用力分解为 F_x 和 F_y，F_x 与柱塞上的液压力平衡，F_y 使处于高压腔中的柱塞都对转子中心产生一个转矩，使缸体和轴旋转。轴向柱塞式液压马达结构紧凑，径向尺寸小，转动惯量小，转速高，负载大，可以变速，低速平稳性好，但成本较高，一般适用于起重机、绞车、铲车、数控机床、行走机构等；径向柱塞式液压马达负载转矩较大，转速低，平稳性好，一般适用于挖掘机、拖拉机、起重机、采煤机等。

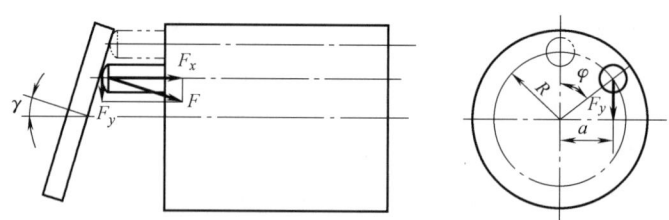

图 3-30 轴向柱塞式液压马达的工作原理

6. 液压马达的选用

选择液压马达时，需要考虑的因素有转矩、转速、工作压力、排量、外形和连接尺寸、容积效率、总效率等。首先根据液压系统的工作特点选择液压马达的类型，然后根据工况要求（转矩和转速）选择合适的型号和规格。

低速运转工况可选择低转速液压马达，也可以采用高速液压马达加减速装置。选择哪种方案主要根据结构及空间情况、设备成本、驱动转矩等进行选择。确定液压马达的种类后，可根据液压马达的技术参数选出几种规格，然后进行分析加以选择。

常用液压马达的技术性能参数见表 3-5，供选用液压马达时参考。

表 3-5 常用液压马达的技术性能参数

性能参数	种类				
	齿轮式 液压马达	叶片式 液压马达	轴向柱塞式 液压马达	静力平衡式 液压马达	多作用内曲线式 液压马达
压力范围/($\times 10^5$Pa)	100~400	60	100~320	140~250	70~320
转矩/N·m	17~330	10~70	17~5655	470~16800	167~120814
转速范围/(r/min)	150~300	120~3000	30~3000	2~1500	0.2~180
机械效率(%)	80~85	85~95	90~95	92~95	95~98
制动性能	差	较差	好	尚好	尚好
噪声	高	低	较低	高	高
流量脉动(%)	11~27	1~3	2~14	2~14	<1
最高自吸能力/($\times 10^5$Pa)	0.5	0.335	0.335	0.165	0.635
功率质量比	中	中	小	小	小
允许连续运转温度/℃	60	60	60	60	60
对油中杂质的敏感性	不敏感	较敏感	较敏感	很敏感	不敏感

二、气马达

气马达是将压缩空气的能量转换为回转运动的气动执行元件。

1. 气马达的分类与特点

气马达按结构不同可分为叶片式气马达、活塞式气马达和薄膜式气马达三种。

气马达和电动机相比，有如下特点：

1）工作安全。气马达适用于恶劣的工作环境，在易燃、高温、振动、潮湿、粉尘等不利条件下都能正常工作。

2）有过载保护功能，不会因过载而烧毁。过载时气马达只会降低速度或停机，当负载减小时即能重新正常运转。

3）气马达回转部分惯性转矩小，且空气本身的惯性也小，所以能快速起动和停止。只要改变进、排气方向，气马达就能实现输出的正转和反转。

4）满载连续运转时间长。由于压缩空气的绝热膨胀时的冷却作用，能降低滑动摩擦部分的发热，因此气马达能在高温环境中使用。在长时间满载连续运转时，气马达的温升较小。

5）气马达的功率范围及转速范围较宽。气马达的功率从几百瓦到几万瓦，转速可以从零到 25000r/min 或更高。

6）气马达的操作方便，维修简单。

2. 叶片式气马达

图 3-31 所示为叶片式气马达的结构原理，它主要由转子 2、定子 1、叶片 3 构成。压缩空气从输入口 A 进入，作用在工作腔两侧的叶片上。由于转子偏心安装，气压作用在两侧叶片上产生转矩差，使转子按逆时针方向旋转。做功后的气体从输出口 B 和孔 C 排出。改变压缩空气输入方向即可改变转子的转向。

叶片式气马达一般在中小容量、需高速回转的场合使用，其输出功率范围为 0.1~20kW，转速为 500~25000r/min。叶片式气马达在起动及低速时的特性不好，在转速为 500r/min 以下的场合使用时，必须使用减速机构。叶片式气马达主要用于矿山机械和气动工具中。

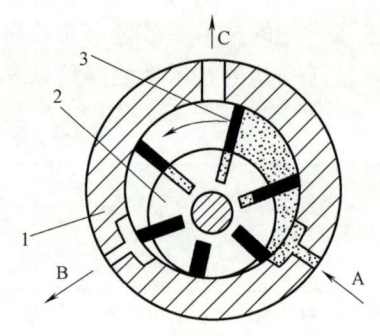

图 3-31 叶片式气马达的结构原理
1—定子 2—转子 3—叶片

任务实施

液压马达的选用

1. 任务组织

以小组为单位，小组规模一般为 3~5 人，每小组选举 1 名小组长协调小组的各项工作，教师提出必要的指导和建议，任务完成后以小组为单位组织学生进行汇报、讨论和交流，并针对共性问题在课堂上组织讨论和专门讲解。

每个小组至少准备两个厂家的液压元件产品样本。

2. 任务内容

1）熟悉液压马达的产品样本，了解液压马达的相关参数和外形结构。

2）根据以下工程实例选择液压马达。

某汽车起重机的起升卷筒由液压马达直接驱动，卷筒的直径为 500mm，满载时单根钢丝绳的最大受力为 35kN，卷筒的机械效率为 0.99，卷筒转速为 0~120r/min，正常工作时液压马达的进、出口最大工作压差为 28MPa。试为此汽车起重机的起升卷筒选择合适的液压马达。

列出所选液压马达的主要参数，填写在表 3-6 中。

表 3-6 所选液压马达的主要参数

品 牌	型 号	类 型	额定压力	最大压力
排 量	转 矩	转速范围	质 量	外形尺寸

3）总结液压马达的选用步骤。

任务评价

根据学生在小组内承担的任务及小组整体的完成情况给每个同学评定成绩。

液压马达的选用考核表见表 3-7。

表 3-7　液压马达的选用考核表

考核项目	考核内容	分　数	得　分
工作态度	按时完成任务	5 分	
	学习主动性强	10 分	
任务内容	数据计算正确	15 分	
	会使用产品样本	15 分	
	选型合理	15 分	
	步骤总结合理	15 分	
团队合作精神	团队分工科学、凝聚力强	5 分	
	团队成员间有良好的协作精神	5 分	
团队成员间互评	认为该同学较好地完成了本职任务,并对团队有很大帮助	15 分	
总分		100 分	

任务四　辅助元件的选用

任务分析

液压系统中,除去动力元件、执行元件和控制元件之外,还需要辅助元件。辅助元件主要包括蓄能器、过滤器、压力表、油管、密封件、油箱等。这些元件除油箱需要自己设计之外,其余大部分为标准件。辅助元件是系统正常工作的重要保证,在进行系统设计时,必须合理地选用和安装。

通过本任务的学习,掌握液压与气动系统中辅助元件的合理选用与安装。

知识链接

一、蓄能器

蓄能器是液压系统中的储能元件,用来储存液体的压力能,并在需要的时候释放出来供给系统。根据对液压油的加载方式不同,蓄能器可分为利用惰性气体或空气的可压缩性进行工作的气体加载式蓄能器和非气体加载式蓄能器。气体加载式蓄能器常见的有囊式蓄能器、隔膜式蓄能器、活塞式蓄能器、波纹管式蓄能器和无隔离式(气瓶式)蓄能器;非气体加载式蓄能器常见的有重力式蓄能器、弹簧式蓄能器两种。其中以囊式蓄能器最为常用。

1. 蓄能器的结构与功用

图 3-32a 所示为囊式蓄能器的结构示意图,它由充气阀 1、壳体 2、气囊 3 和提升阀 4 组成。气囊固定在壳体上部,气体从充气阀进入气囊,提升阀是一个弹簧加载的菌形阀,防止气囊在充气膨胀将压力油全部排出时挤出油口。这种蓄能器具有惯性小,反应灵敏,结构紧凑,重量轻,安装维护方便和无噪声等优点,因此应用非常广泛。但是其容量小,气囊和壳体的加工制作困难。

蓄能器的主要功用：作为动力源，与小流量的泵配合使用，在短时间内供应大量的压力油，以实现执行元件的快速移动；在停电或液压泵电动机出现故障时，作为应急油源短期使用；补偿泄漏及保持系统压力；吸收液压脉动，缓和液压冲击。

2. 蓄能器的安装使用

1) 蓄能器需要垂直安装，充气阀在上面，油口在下面，气体在上部，油液处于下部，以避免气体随油液一起排出。

2) 装在管路上的蓄能器必须使用支承架固定，用于吸收脉动和冲击，降低噪声的蓄能器应该装在靠近振动源的位置。

3) 蓄能器与管路系统之间应安装截止阀，以便充气、检修，停止工作时，将蓄能器和系统油路切断。蓄能器与液压泵之间还需要装有单向阀，防止液压泵在停止工作时，蓄能器里面的压力油倒流入液压泵。

4) 蓄能器中应使用惰性气体（一般为氮气），在搬运、拆卸或检修时应先将压缩气体排出以保证安全。

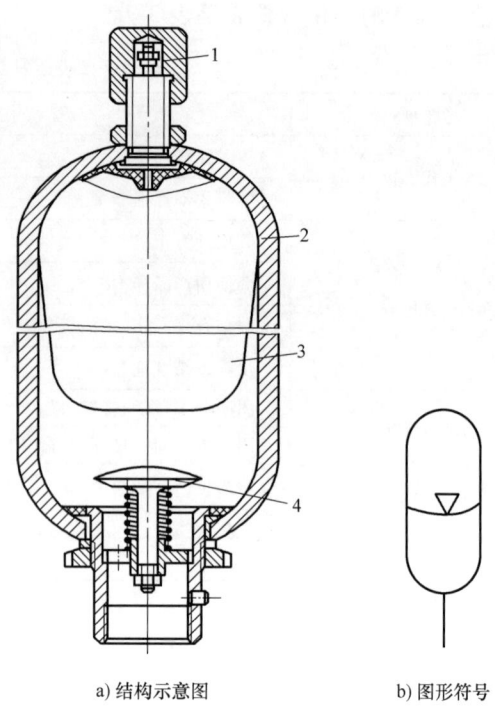

a) 结构示意图　　b) 图形符号

图 3-32　囊式蓄能器
1—充气阀　2—壳体　3—气囊　4—提升阀

二、过滤器

液压系统在安装和工作过程中不可避免地会有一些杂质侵入液压油，或者液压油自身氧化形成一些污染物混入液压系统。这些杂质和污染物会加剧元件的磨损或者造成有相对滑动的元件卡死，堵塞元件的毛细小孔或间隙，影响液压系统的性能和元件的寿命。

过滤器的作用就是使液压油中的各种杂质从液压油中过滤出来，使液压系统中的油液保持洁净，从而提高液压系统的工作稳定性、可靠性和元件的寿命。

1. 过滤器的类型与结构

根据过滤器的过滤精度（过滤杂质最小颗粒的大小）不同，过滤器可分为粗过滤器（可滤除最小颗粒的公称尺寸≥100μm）、普通过滤器（可滤除最小颗粒的公称尺寸为10~100μm）、精过滤器（可滤除最小颗粒的公称尺寸为5~10μm）、特精过滤器（可滤除最小颗粒的公称尺寸为1~5μm）；按滤芯材料和结构形式不同，过滤器可分为网式过滤器、线隙式过滤器、纸芯式过滤器、烧结式过滤器、磁性过滤器和复合式过滤器；按安装位置不同，过滤器可分为吸油路过滤器、压油路过滤器和回油路过滤器。

1) 网式过滤器：图 3-33 所示为网式过滤器的结构示意图。它由上盖、下盖、钢丝网（一层或多层）、筒形骨架等组成。其精度等级有三种：180μm、100μm 和 80μm。网式过滤器具有结构简单、清洗方便、通油能力大、压力损失小、过滤精度低等特点，常用于泵的吸油管路对油液的粗过滤。

2)线隙式过滤器:图 3-34 所示为线隙式过滤器的结构示意图。它主要由芯架、滤芯和壳体几部分组成。流入过滤器壳体的油液由线隙式滤芯外部进入滤芯内部从而实现过滤,再从上部孔道流出。线隙式过滤器的过滤精度为 $30\sim100\mu m$,常用在压油管路上。线隙式过滤器的过滤精度较高、通油能力大,但不易清洗。

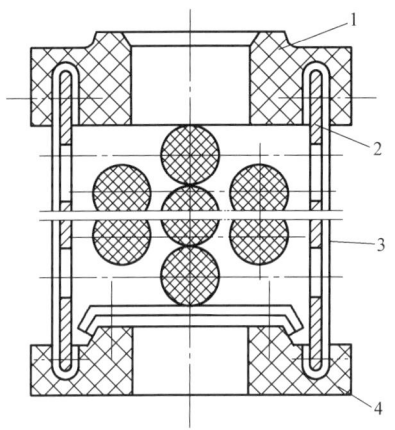

图 3-33 网式过滤器的结构示意图
1—上盖 2—筒形骨架 3—钢丝网 4—下盖

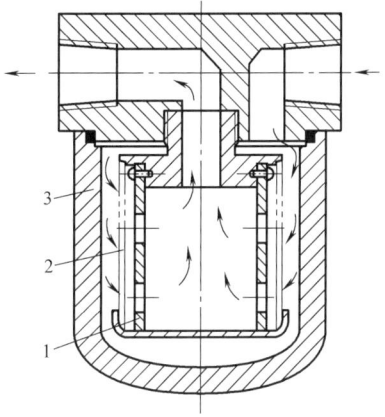

图 3-34 线隙式过滤器的结构示意图
1—芯架 2—滤芯 3—壳体

3)纸芯式过滤器:图 3-35 所示为纸芯式过滤器的结构示意图。纸芯式过滤器与线隙式过滤器结构类似,只不过滤芯为纸质。其过滤精度为 $5\sim30\mu m$。其结构紧凑,过滤精度高,通油能力大,但是滤芯无法清洗,只能更换。

4)烧结式过滤器:图 3-36 所示为烧结式过滤器的结构示意图。烧结式过滤器的滤芯由青铜等颗粒状金属烧结而成,利用颗粒间的间隙进行过滤。其过滤精度高,通油能力强,耐蚀性好,且能适用于高温场合,但是易堵塞,难以清洗,颗粒脱落会对油液造成二次污染。

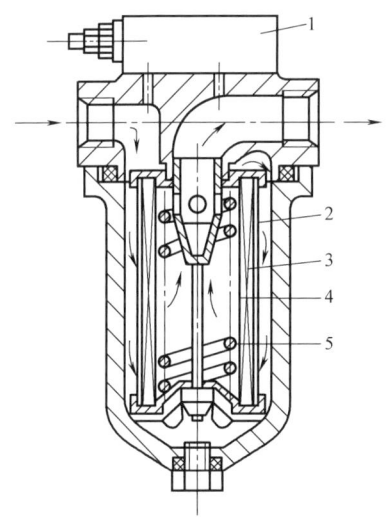

图 3-35 纸芯式过滤器的结构示意图
1—堵塞状态发信装置 2—滤芯外层
3—滤芯中层 4—滤芯里层 5—支承弹簧

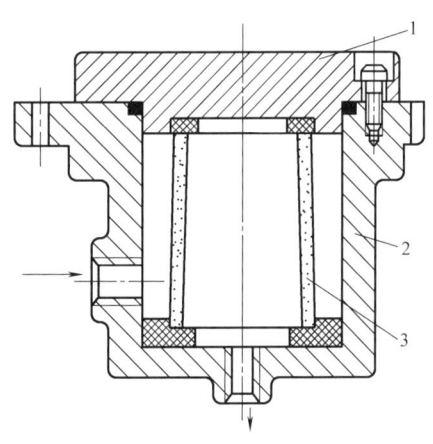

图 3-36 烧结式过滤器的结构示意图
1—端盖 2—壳体 3—滤芯

5）磁性过滤器：磁性过滤器利用磁铁吸附油液中的铁质颗粒，单纯的磁性过滤器对其他污染物没有过滤作用，一般与其他过滤器配合使用。

6）复合式过滤器：复合式过滤器为以上几种过滤器的组合。例如在纸芯式过滤器中间放入磁环即成为磁性纸芯式过滤器。

2. 过滤器的选用要求

过滤器在选用时应满足回路（或系统）的精度要求、通流能力、过滤能力和机械强度要求。

1）有适当的过滤精度，能够满足系统的要求。

2）有一定的通流能力，能够满足系统在较长时间内的流量要求。

3）工作可靠，具有一定的机械强度，能够满足承压要求。

4）滤芯要有一定的耐蚀性，能够在规定的温度下长期工作。

5）滤芯清洗、更换、维修方便。

过滤器一般只能单向使用（滤芯的外围进油，中心出油），进、出油口不能反接，以利于滤芯清洗和安全。

3. 过滤器的安装位置

1）安装在液压泵的吸油管路上。此处安装的过滤器一般装在吸油口，保护泵不致吸入较大的颗粒杂质，要求具有一定的通流能力，因此只能安装压力损失较小的粗级或普通精度等级过滤器。

2）安装在泵的压油管路上。此处安装的过滤器一般用来保护系统中除泵以外的其他液压元件。液压油与过滤器在高压下工作时，滤芯及壳体应能承受油路上的工作压力和冲击压力。为防止过滤器堵塞而使液压泵过载或引起滤芯破裂，可以并联安全阀和设堵塞状态发信装置。

3）安装在回油路上。这种安装位置适用于液压元件在脏湿环境下工作的系统。可在油液流入油箱以前滤去污染物。由于回油路压力低，可采用强度较低的精过滤器。

4）装在系统的分支油路上。若液压泵的流量较大时，过滤器需要较大的通流能力，使得过滤器的体积较大。为此可在相当于系统总流量20%~30%的支路上安装一个小流量的过滤器进行过滤，不会在主油路上造成压力损失。此种过滤不能保证杂质不进入系统。

5）单独过滤系统。这种方式是利用一个泵和过滤器组成一个独立于液压系统之外的过滤回路，它可以经常清除系统中的杂质，定时运行对油箱的油液进行过滤。

过滤器的安装位置如图3-37所示。

三、压力表

压力表在液压系统中用于工作压力的监测和显示压力数值，合理地使用压力表对保证液压系统的正常工作十分重要。

1. 压力表的工作原理

压力表的种类很多，弹簧管式压力表如图3-38所示，它由金属弯管1、指针2、刻度盘3、杠杆4、齿扇5、小齿轮6等几部分组成。液压油进入金属弯管，弯管发生变形，端部发生位移，通过杠杆带动齿扇摆动，齿扇摆动驱动小齿轮带动指针转动，指针在刻度盘上指示的位置即为当前压力值。

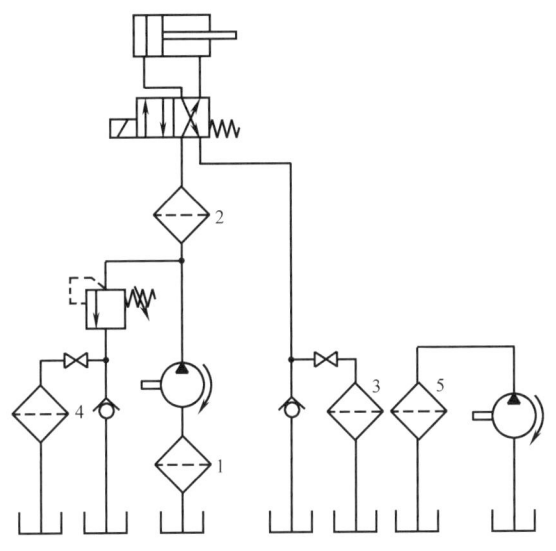

图 3-37 过滤器的安装位置

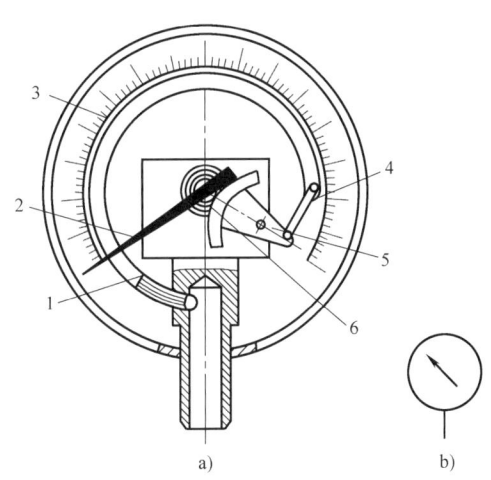

图 3-38 弹簧管式压力表
1—金属弯管 2—指针 3—刻度盘
4—杠杆 5—齿扇 6—小齿轮

压力表一般用于系统压力为压力表量程的 2/3~3/4，被测压力不应超过压力表量程的 3/4，否则将影响压力表的使用寿命。压力表必须直立安装。

2. 压力表开关

压力表开关实际上是一个小型的截止阀，用于切断或接通压力表与测量点的通路的一种元件。按所能测量的测压点数量可分为一点压力表开关、三点压力表开关和六点压力表开关等。多点压力表开关可使压力表油路分别与几个被测油路相连通，从而使用一个压力表可检测多个通路的压力。

图 3-39 所示为多点压力表开关。图示位置手柄拉出状态为非测压位置。此时压力表经三角槽口 a、孔 b 通过心轴上的中间孔与油箱连通。若把手柄向右推入，此时压力表经三角槽口与上测压点通路接通，同时切断压力表与油箱的通路，压力表的读数就为上测压点的压力

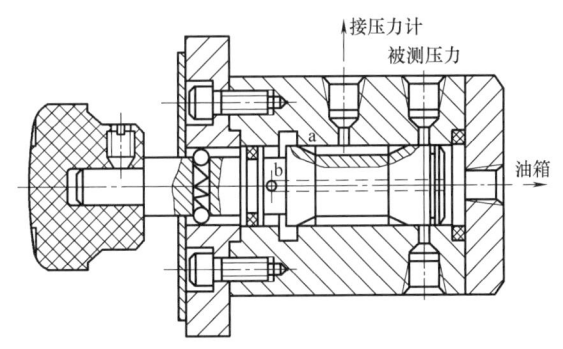

图 3-39 多点压力表开关

值。如果旋转手柄至另一个测压点的位置，便可将压力表与另一测压点通路连通，即可测得该点的压力值。向左拉出手柄，即可将压力表油路与油箱连通，与系统油路断开，以保护压力表。

四、油管和管接头

1. 油管

油管是液压系统中用于输送液压油、连接各个液压元件的辅助元件。液压系统中常用的

油管有钢管、铜管、橡胶软管、尼龙管和塑料管等多种类型。在使用时，可根据安装位置、工作压力进行选择。

与泵、阀连接的油管直径由泵、阀的接口尺寸决定。油管要尽可能减少弯头和接头，要能够保证有足够的通流面积，以减少油液的局部压力损失。同时要合理布置元件，缩短油管长度，以减少沿程压力损失。

无缝钢管承压能力强，但不易折弯，常用于高压系统中拆卸方便的场合。铜管具有一定的承压能力，且可根据需要弯曲成需要的任意形状，适用于小型设备及内部安装不便的中低压系统中。橡胶软管一般用于中低压系统中有相对运动的元件之间。尼龙管和塑料管承压能力差，价格便宜，一般用于回油路和卸油路。

2. 管接头

管接头用于油管与元件、油管与油管之间的可拆卸式连接。管接头的类型有很多，常见的有扩口式管接头（见图 3-40a）、焊接式管接头（见图 3-40b）、卡套式管接头（见图 3-40c）、扣压式管接头（见图 3-40d）和快换接头（见图 3-41）。对管接头的要求是工作可靠，结构简单，外形尺寸小，液阻小，安装制造方便。扩口式管接头适用于铜管、薄壁钢管、尼龙管和塑料管等低压管路中。焊接式管接头适用于管壁较厚、不常拆卸的高压系统。卡套式管接头适用于对冷拔钢管管道表面和卡套有较高的尺寸精度要求的高压系统管路中，且不需要另外的密封件即可达到较好的密封效果。扣压式管接头适用于高压软管。快换接头适用于需要经常拆卸的场合。

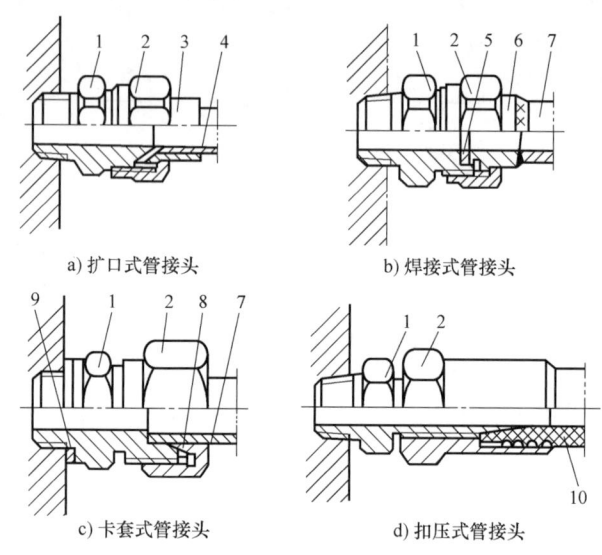

图 3-40 管接头的类型

1—接头体 2—螺母 3—管套 4—扩口薄管 5—密封垫 6—接管
7—钢管 8—卡套 9—组合密封垫 10—橡胶软管

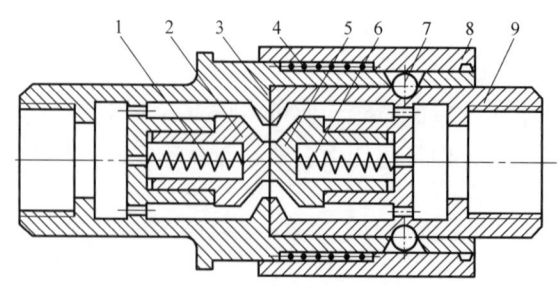

图 3-41 快换接头

1、4、6—弹簧 2、5—阀芯 3、9—接头体 7—钢球 8—外套

五、密封装置

在液压系统中,密封装置的作用是防止液压元件和液压系统中液压油的泄漏,同时防止外界灰尘等杂质的侵入,保证建立起必要的工作压力。如果若液压系统的密封不好,系统内油液可能会从高压腔泄漏至低压腔,工作机构达不到所需压力,造成机构运行不稳定;如果油液泄漏到元件外部,则会造成环境的污染和油液的浪费。在液压系统中密封装置的好坏直接影响设备工作的性能,所以要合理地选用和设计密封装置。密封装置的类型有很多种,按密封部位的运动情况,可分为动密封和静密封两大类。常用的密封方法有间隙密封、O 形密封圈密封和唇形密封圈密封。

1. 间隙密封

如图 3-42 所示,间隙密封利用相对运动件之间的微小间隙 δ 起密封作用,常用于直径较小、压力较低、运动速度较高的柱塞、活塞或滑阀的圆柱面配合副中。其圆柱面配合间隙与直径大小有关,对于阀芯与阀孔一般取 $\delta = 0.005 \sim 0.017$mm。间隙密封的优点是摩擦力小,缺点是磨损后不能自动补偿。

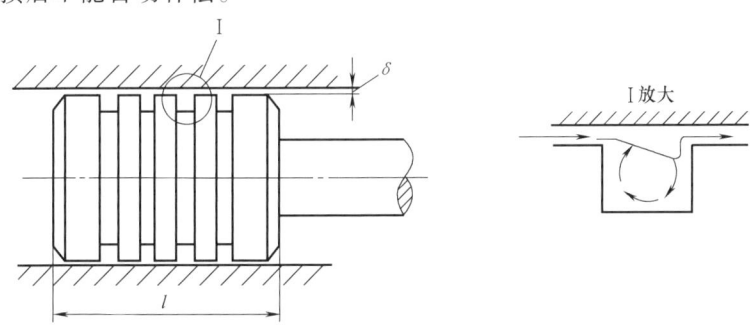

图 3-42 间隙密封

2. 密封圈密封

密封圈常用耐油橡胶或尼龙压制而成,根据其截面形状不同可分为 O 形密封圈、Y 形密封圈和 V 形密封圈,如图 3-43 所示。

O 形密封圈的截面为圆形,一般装在密封沟槽中,靠橡胶的初始变形及油液压力作用引起变形来消除间隙实现密封。随着压力的增加,O 形密封圈的工作面与密封表面的接触压力

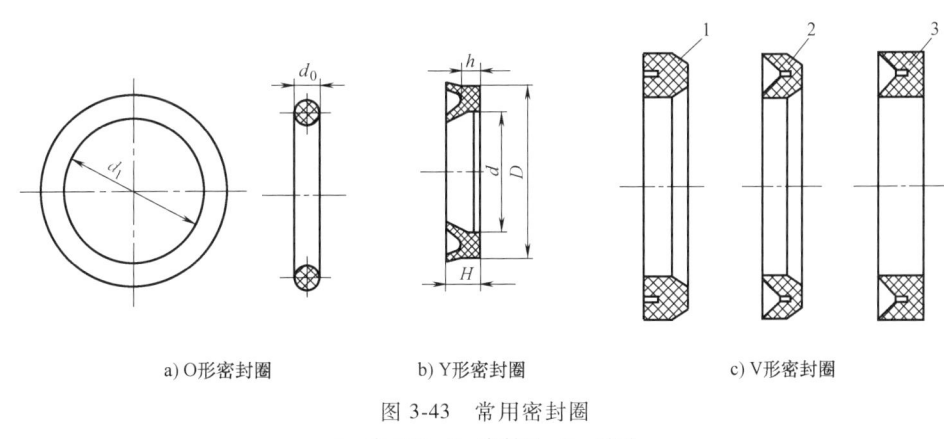

a) O 形密封圈   b) Y 形密封圈   c) V 形密封圈

图 3-43 常用密封圈

1—支承环 2—密封环 3—压环

能够自动提高密封性能，并且在密封圈磨损后具有自动补偿的能力。O形密封圈结构简单、制造和拆卸方便，适用于高低压系统。

Y形密封圈的截面近似为Y形，安装时唇口对着压力高的一侧，靠液压力使唇边紧贴于密封表面实现密封。随着压力的增大，唇边与密封表面的接触压力自动增大，密封能力得到提高，且磨损后能够实现自动补偿。Y形密封圈主要用于往复运动的密封。

V形密封圈的截面近似为V形，由支承环1、密封环2和压环3组成，其工作原理和安装方法与Y形密封圈相似。V形密封圈密封性能良好、耐高压、寿命长，通过调节压紧力，可获得最佳的密封效果，但V形密封圈的摩擦力及结构尺寸都较大。V形密封圈主要用于压力较高、移动速度低的场合。

六、油箱

油箱的主要功能是储存满足液压系统正常工作所需的足够的油液，散发油液中的热量，分离油液中的气体，沉淀油液中的杂质。

油箱按结构可分为整体式油箱和分离式油箱两种。整体式油箱和主机做在一起，利用主机中较大的铸件或焊接件储油。这种油箱结构紧凑，且与主机一体；但维修不便、散热性能差，而且油液温度的变化会引起机件热变形，影响设备精度。分离式油箱单独设计，独立于主机，不受主机结构影响，通过油管与主机上的液压元件连接。图3-44所示为小型分离式油箱。分离式油箱在设计时可充分考虑散热、维修、清洗及使用的实际情况。根据液压泵及电动机安装位置的不同，分离式油箱可水平安装、垂直安装，可安装在油箱下面或安装在油箱旁边。

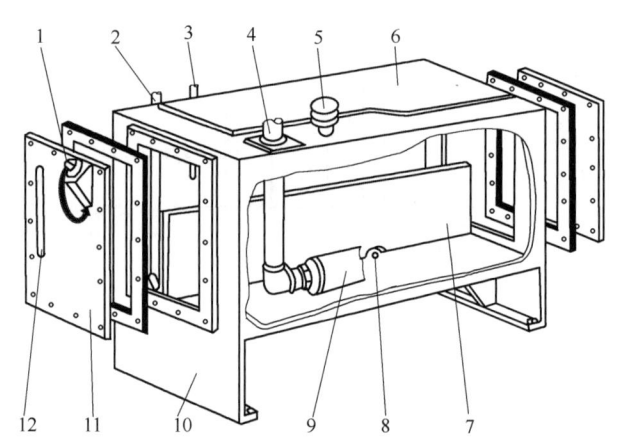

图3-44 小型分离式油箱
1—注油管 2—回油管 3—卸油管 4—吸油管 5—空气过滤器
6—安装板 7—隔板 8—排污口 9—过滤器
10—箱体 11—盖板 12—液位计

通常油箱采用2.5~5mm厚的钢板焊接而成。油箱容积的确定是设计油箱的关键。油箱的容积应能保证当系统需要大量供油而无回油时，油箱的最低液位高于液压泵进油口，不致使液压泵吸入空气；而当系统有大量回油而无供油时，或系统停止运转、油液返回油箱时，油液不致溢出。同时还要保证油箱有足够的散热能力。

七、热交换器

如果油液温度过高会使油液黏度降低、泄漏增加、密封件氧化、油液氧化，严重影响液压系统的性能。如果油温过低，油液黏度过大，设备起动困难，压力损失加大并引起过大的振动。这种情况下需要在液压系统中安装加热器，将油液升高到合适的温度。

1. 冷却器

常见的冷却器有风冷式冷却器和水冷式冷却器两种。风冷式冷却器利用空气作为冷却介质，靠空气的强制对流带走热量，这种冷却方式传热效率低，需要较大的换热面积，噪声大，常用于户外行走机械上。

水冷式冷却器有蛇形管式冷却器（也叫盘管式冷却器）和多管式冷却器。图 3-45 所示为蛇形管式冷却器，其传热效率低、冷却效果差。图 3-46 所示

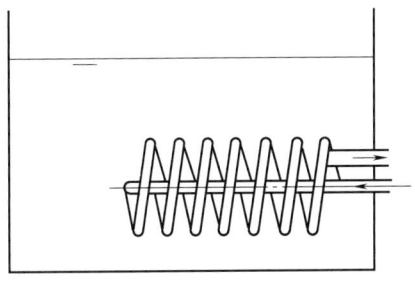

图 3-45　蛇形管式冷却器

为多管式冷却器，其进行强制对流冷却。多管式冷却器由左端盖、右端盖、隔板、水管（铜管）等几部分组成。油液从进油口 C 进入，从出油口 B 流出，冷却水从进水口 D 进入，通过多根水管 3 从出水口 A 流出，油液在水管外面流过，隔板用来增加油液的循环距离，以改善散热条件，冷却效果好。冷却器一般装在回油路及低压管路上。

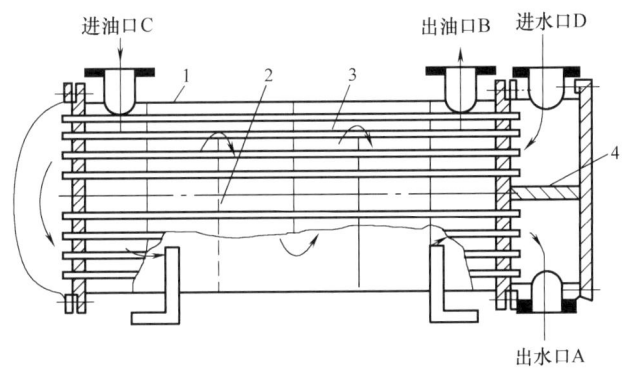

图 3-46　多管式冷却器
1—外壳　2—挡板　3—水管（铜管）　4—隔板

2. 加热器

液压系统中油温过低时可使用加热器，一般采用结构简单并且能够按需要调节最高温度和最低温度的电加热器。电加热器在油箱中的安装方式如图 3-47 所示。单个电加热器的功率不能太大，以避免引起其周围油液过度受热而变质。

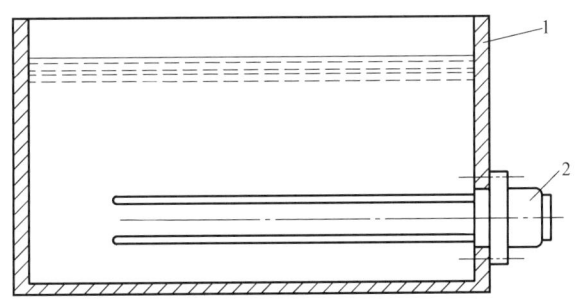

图 3-47　电加热器在油箱中的安装方式
1—油箱　2—加热器

 任务实施

液压站的维护与保养

1. 任务准备

组织:3~5人一个小组,设立组长一名。

准备:带液压站的液压实训台、液压油若干、瓷盆一个、呆扳手一套、内六角扳手一套。

2. 任务内容

1)观察液压站、液压站至实训台之间使用的是哪种类型的油管。

2)观察液压站、液压实训台上用到的管接头有哪些。

3)打开液压站的安装板(或者油箱箱盖),观察液压站使用的辅助元件有哪些。

4)观察油箱结构。

5)评估液压油的污染程度,若污染严重,进行液压油的更换。

6)查看各个辅助元件,看是否需要保养或更换。

填写液压站及液压实训台用到的辅助元件清单,见表3-8。

表3-8 液压站及液压实训台用到的辅助元件清单

名　　称	类　型	规　格	用　途	安装位置	是否完好
油管					
管接头					
过滤器					
密封装置					
热交换器					
压力表					
蓄能器					
油箱					

> 知识拓展

液 压 站

液压站又称液压泵站，如图 3-48 所示。液压站是由液压泵、驱动用电动机、油箱、方向阀、节流阀、溢流阀等构成的液压源装置或包括控制阀在内的液压装置。按驱动装置要求的流向、压力和流量供油，适用于驱动装置与液压站分离的各种设备上，将液压站与驱动装置（液压缸或液压马达）用油管相连，液压系统即可实现各种规定的动作。

一、液压站的分类

1. 按液压泵的安装位置分类

按照液压泵的安装位置不同，液压站可分为以下几种。

1）上置立式液压站：泵装置立式安装在油箱盖板上，主要用于定量泵系统。

2）上置卧式液压站：泵装置卧式安装在油箱盖板上，主要用于变量泵系统，以便于流量调节。

3）旁置式液压站：泵装置卧式安装在油箱旁单独的基础上，旁置式液压站可装备

图 3-48　液压站

备用泵，主要用于油箱容量大于 250L，电动机功率在 7.5kW 以上的系统。

2. 按冷却方式分类

按冷却方式不同，液压站可分为以下几种。

1）自然冷却液压站，靠油箱本身与空气热交换冷却，一般用于油箱容量小于 250L 的系统。

2）强迫冷却液压站，采取冷却器进行强制冷却，一般用于油箱容量大于或等于 250L 的系统。

二、液压站的结构组成

1. 液压站的功能部件

液压站是由泵装置、集成块或阀组合、油箱、电器盒组合而成的。液压站各功能部件的功用见表 3-9。

表 3-9　液压站各功能部件的功用

功能部件	功　用
泵装置	由电动机和液压泵组成,它是液压站的动力源,将机械能转化为液压油的动力能
集成块	由液压阀及通道体组合而成。它对液压油实行方向、压力、流量调节
阀组合	板式阀装在立板上,板后通过管路连接,与集成块功能相同
油箱	由钢板焊成的半封闭容器,其上还装有过滤网、空气过滤器等,它用来对液压油进行储存、冷却及过滤
电器盒	分两种形式:一种是设置了外接引线的端子板;一种是配置了全套控制电器的控制箱

2. 液压站的主要元器件

液压站的主要元器件有电动机、齿轮泵、电磁换向阀、电磁溢流阀、减压阀、调速阀、液压油过滤器、压力表、空气过滤器、液位计等。

任务评价

液压站的维护与保养考核表见表 3-10。

表 3-10 液压站的维护与保养考核表

考核项目	考核内容	分 数	得 分
工作态度	按时完成任务	5分	
	学习主动性强	10分	
任务内容	辅助元件查找全面	20分	
	拆装操作规范	20分	
	表 3-8 的填写情况	20分	
团队合作精神	团队分工科学、凝聚力强	5分	
	团队成员间有良好的协作精神	5分	
团队成员间互评	认为该同学较好地完成了本职任务，并对团队有很大帮助	15分	
总分		100分	

课后练习

一、思考题

1. 双活塞杆液压缸的密封装置有哪些？
2. 试分析液压缸缓冲装置的工作原理。
3. 液压缸和液压泵有何区别？
4. 液压马达有哪些类型？各适合哪些工作场合？
5. 气马达有哪些类型？各适合哪些工作场合？

二、计算题

1. 设计一单杆活塞式液压缸，活塞返回的速度为 40m/min，返回时克服的负载力为 $8×10^4$N，差动进给时速度为 60m/min，克服的阻力为 4000N。供油压力为 10MPa。求：(1) 液压缸内径与活塞杆外径。(2) 工作行程与返回行程所需流量。

2. 一单出杆液压缸，快进运动时采用差动连接，要求 $v_{快进}=v_{快退}$，$v_{快进}=2v_{快退}$。试求活塞截面面积 A_1 和活塞杆截面面积 A_2 之比。

3. 已知某液压马达的排量 $V=250$mL/r，液压马达的入口压力 $p_1=10.5$MPa，出口压力 $p_2=1.0$MPa，其机械效率 $\eta_m=0.9$，容积效率 $\eta_V=0.92$，试求当输入流量 $q=22$L/min 时，液压马达的实际转速 n 和液压马达的输出转矩 T。

项目四 换向回路的设计与构建

项目分析

液压与气动系统在使用过程中，通过在回路中使用换向阀来控制执行元件的方向，从而实现回路对运动方向控制的功能。本项目通过单向阀与换向阀的选用，以及基本换向回路的设计、分析来了解各种换向回路的原理和功能，而且要学会使用液压与气动仿真软件设计液压与气动换向回路，并使用仿真软件模拟检测设计的液压与气动回路合理性。本项目具体分为两个工作任务和一个实训任务，即"方向控制阀的结构与选用""设计常用方向控制回路"及"拆装换向阀与构建方向控制回路"，以达到掌握换向控制回路的设计与构建的目的。

项目目标

知识与技能目标：
1. 熟悉单向阀的性能、图形符号和应用。
2. 熟悉各种换向阀的性能、图形符号和应用。
3. 掌握液压与气动方向控制回路的设计与构建。
4. 会用液压仿真软件设计液压与气动换向回路。
5. 会拆装、更换单向阀和换向阀。
6. 会在教师的指导下构建液压与气动方向控制回路。

素质目标：
1. 培养遵规章、办实事，心中有敬畏、手中有精准的职业道德。
2. 不断深化系统、质量、精益、创新、安全、协作等意识。
3. 提升团队协作、思考逻辑、语言表达等职业素养。

任务一 方向控制阀的结构与选用

任务分析

通过方向控制阀改变液压传动系统中油液或压缩空气的流动方向、油路（气路）的接通与关闭，满足液压系统对油液或压缩空气流动方向的要求，通过各种换向阀及其他控制阀组成的换向回路控制系统执行元件的换向或起动、停止。另外，也可以采用双向泵直接改变泵的液流方向来实现执行元件的换向要求。

基本上使用液压系统或气动系统的机械装置都使用换向回路。图 4-1 所示为液压平面磨床。其工作台的纵向、横向进给运动采用了液压驱动，实现方向控制的就是方向控制阀。方向控制阀使液压油进入液压缸的不同工作腔，从而带动工作台完成左右往复运动和砂轮磨头的上下运动。

▶ 任务重点

1. 熟悉单向阀的性能、图形符号和应用。
2. 熟悉各种换向阀的性能、图形符号和选用。
3. 能在教师的指导下正确拆装液压与气动换向阀，会更换损坏的零部件。

▶ 任务难点

换向阀的结构与拆装。

▶ 知识链接

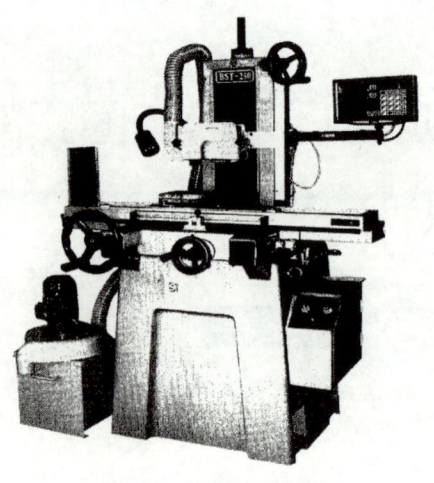

图 4-1 液压平面磨床

一、概述

液压控制阀的种类繁多，功能各异，可根据其用途、操作方式和连接方式进行分类，见表 4-1。

表 4-1 液压控制阀的分类

分类方法	种 类	详细分类
按用途分	压力控制阀	流溢阀、减压阀、顺序阀、比例压力控制阀、压力继电器等
	流量控制阀	节流阀、调速阀、分流阀、比例流量控制阀等
	方向控制阀	普通单向阀、液控单向阀、换向阀、比例方向控制阀等
按操作方式分	人力操纵阀	手把及手轮操纵阀、踏板操纵阀、杠杆操纵阀
	机械操纵阀	挡块操纵阀、弹簧操纵阀、液压与气动操纵阀
	电动操纵阀	电磁控制阀、电-液联合控制阀
按连接方式分	管式连接阀	螺纹式连接阀、法兰式连接阀
	板式及叠加式连接阀	单层连接板式阀、双层连接板式阀、集成块连接阀、叠加阀
	插装式连接阀	螺纹式插装阀、法兰式插装阀

液压控制阀的基本参数包括液压阀的规格、工作压力范围和许用流量。

液压阀的公称通径是指阀的进、出油口的名义尺寸，它表明阀的通流能力和所配管道的尺寸规格，并不表示阀的进、出油口的实际尺寸。如 DN20 的电液换向阀，其进、出油口的实际尺寸是 $\phi 21\mathrm{mm}$；DN32 的溢流阀，其进、出油口的实际尺寸是 $\phi 28\mathrm{mm}$ 等。

国产的中低压（≤6.3MPa）液压阀，常用公称流量来表示阀的通流能力。公称流量是指液压阀在额定工作状态下通过的名义流量，常以代号 q_g 表示，常用单位为 L/min。

公称流量仅供市场选购时便于与动力元件配套时参考,作为技术参数,其实际意义并不大,因为液压阀的许多工作状态或性能指标是由所通过的流量来决定的。在一定的范围内,通过流量的变化仅能引起液压阀某些性能指标的变化,如灵敏度、压力损失等,但并不影响阀的正常工作。具有实际意义的是给出液压阀在最大流量范围下通过各种不同流量时,阀的有关性能参数改变的特性曲线,如压力-流量特性曲线等。此类曲线对于选择元件、了解分析元件在各种工作参数下的工作状态,具有更直接的实用价值。

二、单向阀

1. 普通单向阀

普通单向阀(简称单向阀)的作用是只允许液流单方向流动,不允许反向倒流。要求其正向液流通过时压力损失小,反向截止时密封性能要好。

按进、出油液流向的不同,普通单向阀有直通式单向阀和直角式单向阀两种。直通式单向阀为管式连接,如图 4-2a 所示;直角式单向阀为板式连接,如图 4-2b 所示。图 4-2c 所示为单向阀的图形符号。

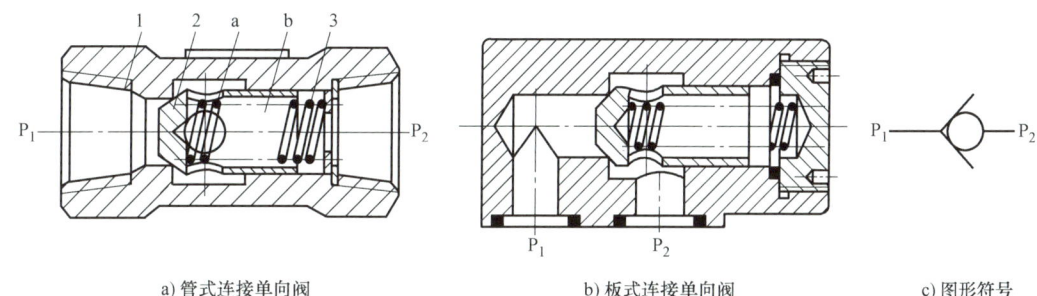

a) 管式连接单向阀　　b) 板式连接单向阀　　c) 图形符号

图 4-2　单向阀
1—阀体　2—阀芯　3—弹簧

单向阀由阀体、阀芯和弹簧等零件组成。当液压油从 P_1 口流入时,克服弹簧力使阀芯右移,阀口开启,油液经阀口、阀芯上的径向孔 a 和轴向孔 b 从 P_2 口流出。若油液从 P_2 口流入时,在油压和弹簧的作用下,将阀芯锥面紧压在阀座上,阀口关闭,使油液不能通过。

单向阀中的弹簧只起阀芯复位作用,弹簧刚度应较小,以免液流通过时产生过大的压力损失。一般单向阀的开启压力为 0.03~0.05MPa。当通过额定流量时的压力损失不超过 0.1~0.3MPa,若用作背压阀时可更换刚度较大的弹簧,使其开启压力达到 0.2~0.6MPa。

2. 液控单向阀

液控单向阀是一种允许油液双向流动的单向阀。图 4-3a 所示为液控单向阀的结构,它由单向阀和微型液压缸组成。当控制油口 C 不通液压油时,其工作和普通单向阀一样。当控制油口 C 通液压油时,控制活塞 1 右侧 a 腔通泄油口,在油液压力作用下活塞向右移动,推动顶杆 2 顶开阀芯 3,使进油口 P_1 到出油口 P_2 及出油口 P_2 到进油口 P_1 均能接通,这时油液就可以从 P_2 口流向 P_1 口。C 口通入的控制油压力最小应为主油路压力的 30%~50%。图 4-3b 所示为液控单向阀的图形符号。

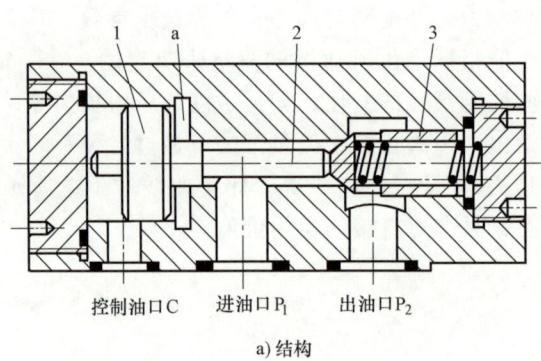 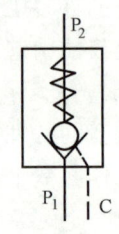

a) 结构　　　　　　　　　　　b) 图形符号

图 4-3　液控单向阀
1—活塞　2—顶杆　3—阀芯

液控单向阀控制油口 C 未通控制油时具有良好的反向密封性能，所以常用于保压回路、锁紧回路和平衡回路中。

三、液压换向阀

液压换向阀（简称换向阀）是利用阀芯与阀体的相对位置改变使油路接通、切断或变换油流的方向，从而实现液压执行元件的起动、停止或变换方向。当阀芯在图 4-4 所示工作位置时，4 个油口互相不通，液压缸两腔均不通液压油，处于停车位置状态。若使换向阀的阀芯左移，P 口和 A 口相通，B 口和 T 口相通，液压油经 P、A 油口

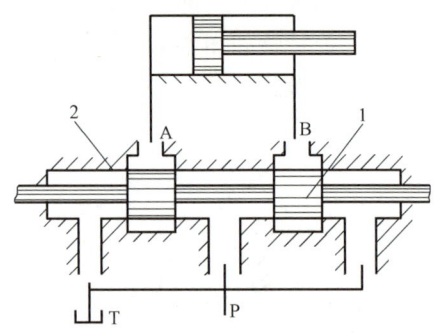

图 4-4　液压换向阀的工作原理
1—阀芯　2—阀体

进入液压缸左腔，液压缸右腔的油液经 B、T 油口回油箱，活塞向右运动。反之，若使阀芯右移，P 口和 B 口相通，A 口和 T 口相通，活塞向左运动。

1. 换向阀图形符号的意义

1）用方格数表示阀的工作位数，三格即三位。

2）在一个方格内，箭头或堵塞符号"⊥"与方格的相交点数为油口的通路数，即"通"数。箭头表示两油口连通，但不表示流动方向；"⊥"表示该油口不通流。

3）控制方式和复位弹簧的符号画在方格的两侧。

4）P 表示进油口，T 表示通油箱的回油口，A 和 B 表示连接其他两个工作油路的油口。

5）三位阀的中格、二位阀画有弹簧的那一格为常态位。二位二通阀有常开型和常闭型两种，前者常态位连通，后者则不通。在液压原理图中，换向阀的图形符号与油路的连接一般应画在常态位上。

2. 换向阀的结构原理和图形符号

表 4-2 列出了换向阀的结构原理和图形符号。

按换向阀阀芯在阀体内的工作位数和油口通路数分，换向阀有二位二通换向阀、二位三通阀、二位四通换向阀、二位五通换向阀、三位四通换向阀、三位五通换向阀等类型。

换向阀种类和应用

表 4-2 换向阀的结构原理和图形符号

名　称	结构原理图	图形符号
二位二通换向阀	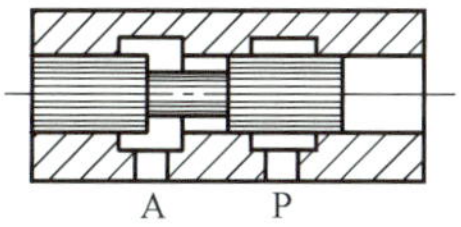	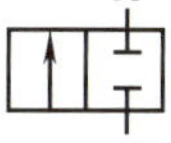
二位三通换向阀	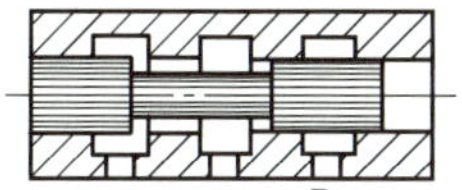	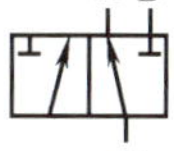
二位四通换向阀	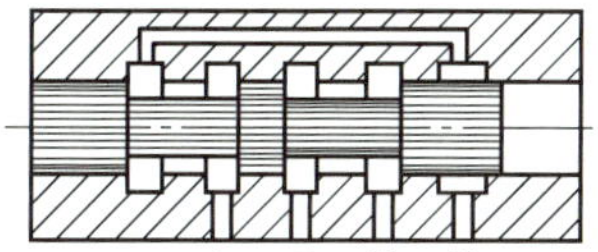	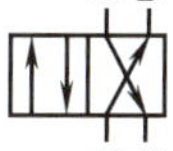
二位五通换向阀	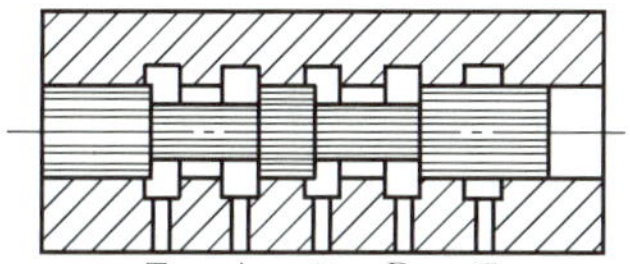	
三位四通换向阀	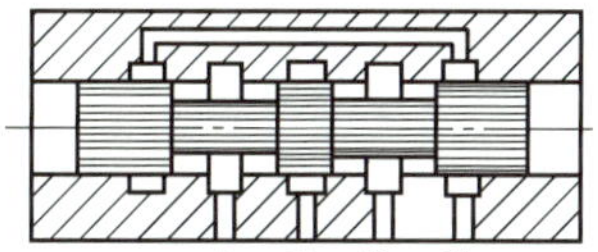	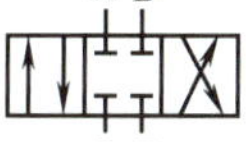
三位五通换向阀	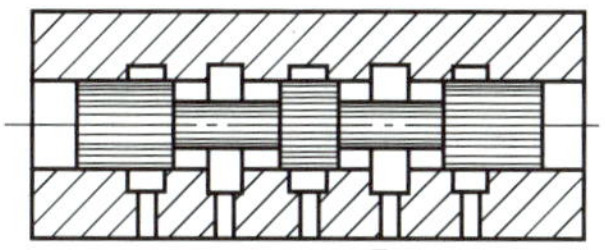	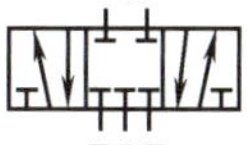

按换向阀阀芯换位的控制方式分，换向阀有手动换向阀、机动换向阀、电磁换向阀、液动换向阀和电液换向阀等类型。

按换向阀阀芯结构及运动方式分，换向阀有滑阀、转阀、锥阀等。

按换向阀的安装方式分，换向阀有管式换向阀、板式换向阀、法兰式换向阀等。

三位换向阀常态位各油口的连通方式称为中位机能。中位机能不同，阀在中位时对系统的控制性能也不相同。表 4-3 列出了五种常用的中位机能代号、结构原理和图形符号。将结构原理图中沟通的油口 T 分接为两个油口 T_1 和 T_2，四通即成为五通。

对中位机能的选用应从执行元件的换向平稳性要求、换向位置精度要求、重新起动时是否允许有冲击、是否需要卸荷和保压等方面加以考虑。下面就换向阀的常用型式举例说明如下。

表 4-3 三位换向阀的中位机能

机能代号	结构原理图	中位机能图形符号		其他中位机能图形符号示例
		三位四通	三位五通	
O		A B / P T	A B / T₁ P T₂	J / C
H		A B / P T	A B / T₁ P T₂	X
Y		A B / P T	A B / T₁ P T₂	U / N
P		A B / P T	A B / T₁ P T₂	K / OP
M		A B / P T	A B / T₁ P T₂	MP

1) O型（油口全封）：此时，执行元件可在任意位置被锁住，换向位置精度高；但因运动部件惯性引起的换向冲击较大，重新起动时因两腔充满油液，故起动平稳；泵不能卸荷，但系统能保压（因有泄漏，保压是短暂的）。

2) H型（油口全通）：此时，换向平稳，但冲出量大，换向位置精度低；执行元件浮动；重新起动时有冲击；泵能卸荷，系统不能保压。

另外，阀的非中位有时也兼有某种机能，如OP、MP等型式。

3. 常用的换向阀

1) 机动换向阀：机动换向阀又称行程阀。它利用行程挡块或凸轮推动阀芯实现换向。机动换向阀动作可靠，改变挡块的斜面角度便可改变换向时阀芯的移动速度，从而可以调节换向过程的快慢。

图4-5所示为二位三通机动换向阀及其图形符号。

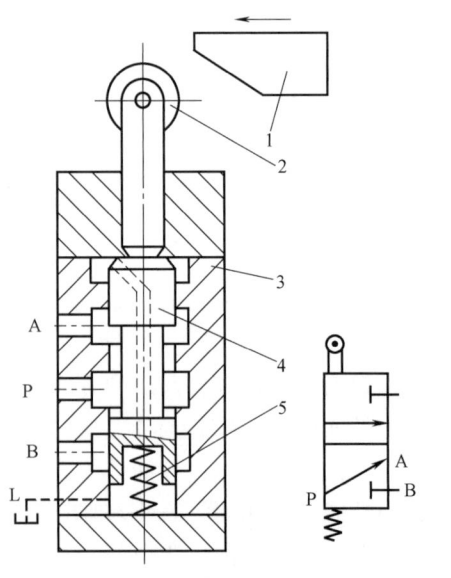

图 4-5 二位三通机动换向阀及其图形符号
1—行程挡块 2—滚轮 3—阀体 4—阀芯 5—弹簧

在常态位，P 口与 A 口相通；当行程挡块 1 压下机动阀滚轮 2 时，P 口与 B 口相通。图 4-5 中阀芯 4 上部的轴向孔是泄漏通道。这种阀经常应用于机床液压系统的速度换接回路中。

2) 电磁换向阀：电磁换向阀是借助于电磁铁的吸力推动阀芯动作以实现液流通、断或改变流向的阀。电磁换向阀操纵方便，布置灵活，易实现动作转换的自动化，因此应用最为广泛。电磁换向阀的种类规格很多，按电磁铁所用电源不同可分为交流电磁铁式电磁换向阀和直流电磁铁式电磁换向阀；按电磁铁是否浸在油里又分为湿式电磁换向阀和干式电磁换向阀等。每种电磁换向阀又有不同的工作位数和通路数以及各种流量规格。图 4-6 所示为二位三通电磁换向阀的结构及其图形符号。电磁铁不通电时，阀芯在常态处于右位，当左端电磁铁通电吸合时，衔铁通过推杆将阀芯推至右端，换向阀在左位工作。图 4-7 所示为三位四通电磁换向阀的结构及其图形符号。阀的左右两端各有一个电磁铁和一个对中弹簧，阀芯在常

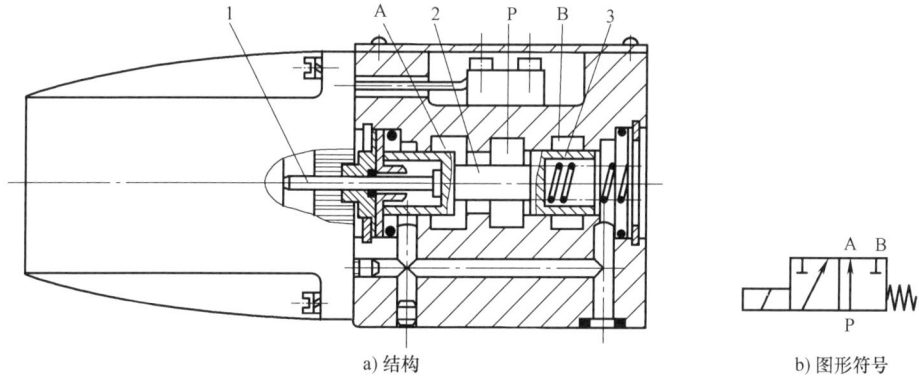

图 4-6 二位三通电磁换向阀的结构及其图形符号
1—推杆 2—阀芯 3—弹簧

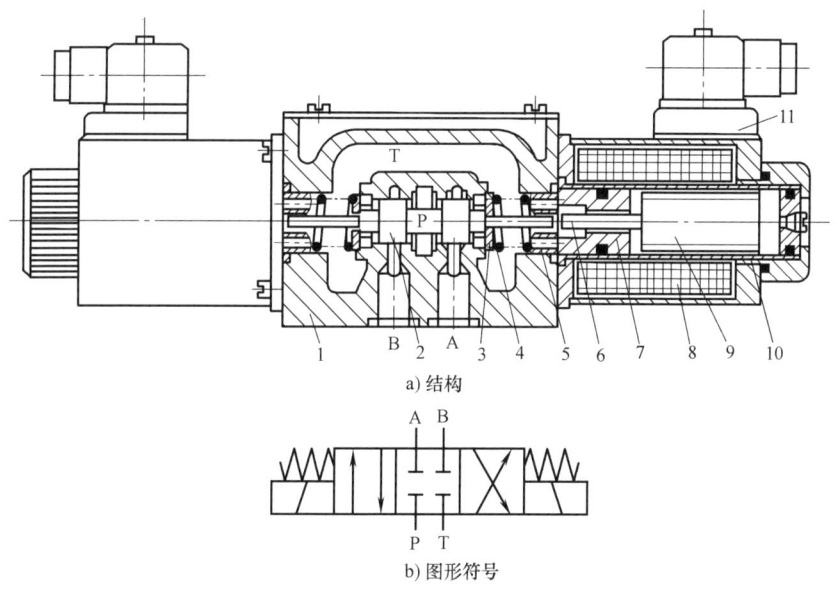

图 4-7 三位四通电磁换向阀的结构及其图形符号
1—阀体 2—阀芯 3—定位套 4—对中弹簧 5—挡圈 6—推杆
7—环 8—线圈 9—衔铁 10—导套 11—插头组件

态处于中位,当右端电磁铁通电吸合时,衔铁通过推杆将阀芯推至左端,换向阀在右位工作;当左端电磁铁通电吸合时,衔铁通过推杆将阀芯推至左端,换向阀就在左位工作。

3)液动换向阀:液动换向阀利用控制油路的液压油来推动阀芯实现换向。图 4-8 所示为三位四通液动换向阀的结构及其图形符号。当阀芯两端控制油口 C_1、C_2 都不通入液压油时,阀芯在两端弹簧力的作用下处于中位,当 C_1 口接通液压油,C_2 口接通回油时,阀芯右移,此时 P 与 A 接通,B 与 T 接通;当 C_2 口接通液压油,C_1 口接通回油时,阀芯左移,此时 P 与 B 接通,A 与 T 接通。液动换向阀的优点是结构简单、动作可靠、换向平稳,由于液压驱动力大,故可用于流量大的系统中。

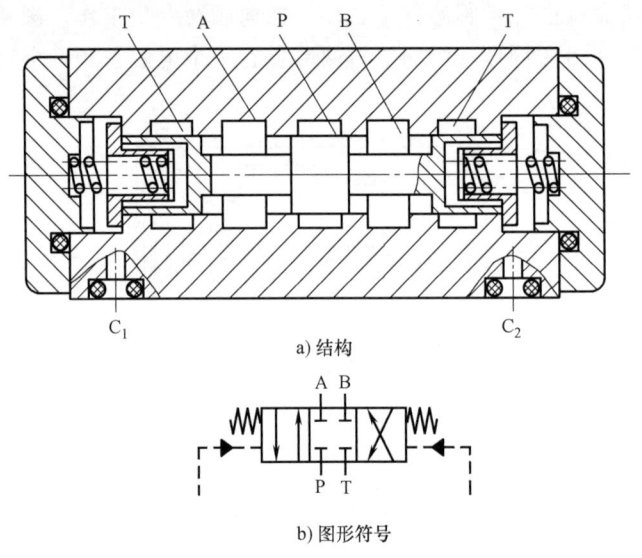

图 4-8　三位四通液动换向阀的结构及其图形符号

4)电液换向阀:电液换向阀是由电磁换向阀和液动换向阀组合而成的。其中,电磁换向阀起先导作用,用来改变液动换向阀的控制油路的方向,称为先导阀;液动换向阀实现主油路的换向,称为主阀。

图 4-9 所示为电液换向阀的结构、图形符号和简化图形符号。当电磁阀两边的电磁铁均不通电时,电磁阀阀芯处于中位,控制油液被切断,液动阀阀芯 1 两端均不通控制液压油,在弹簧的作用下处于中位,此时油口 P、A、B、T 均不相通。当电磁铁 4 通电,电磁阀阀芯 5 向右移动,来自液动阀 P 口或外接油口 P′的控制液压油可经先导电磁阀的 A′口和单向阀 2 进入液动阀左端油腔,推动液动阀阀芯 1 向右移动,这时液动阀右端油腔的控制液压油通过节流阀 7 经电磁阀的 B′口和 T′口流回油箱,于是使液动阀油口 P 与 A 相通,B 与 T 相通;反之,当电磁铁 6 通电,使电磁阀阀芯 5 向左移动,液动阀右端油腔进控制液压油,左端油腔的油液经节流阀 3 回油箱,使液动阀阀芯 1 向左移动,则油口 P 与 B 相通,A 与 T 相通。阀体内的节流阀可用来调节液动阀芯的移动速度,使其换向平稳,无冲击。必须注意以下事项:

① 当液动阀为弹簧对中型时,电磁阀的中位机能必须保证电磁阀处于中位时,液动阀两端的控制油路卸荷(如电磁阀的 Y 型中位机能),否则液动阀无法回到中位。

② 控制液压油可来自主油路的 P 口(内控式),也可以另设独立油源(外控式)。当采用内控式,主油路又有卸荷要求时,必须在 P 口安装一预控压力阀,以保证最低的控制压

项目四　换向回路的设计与构建

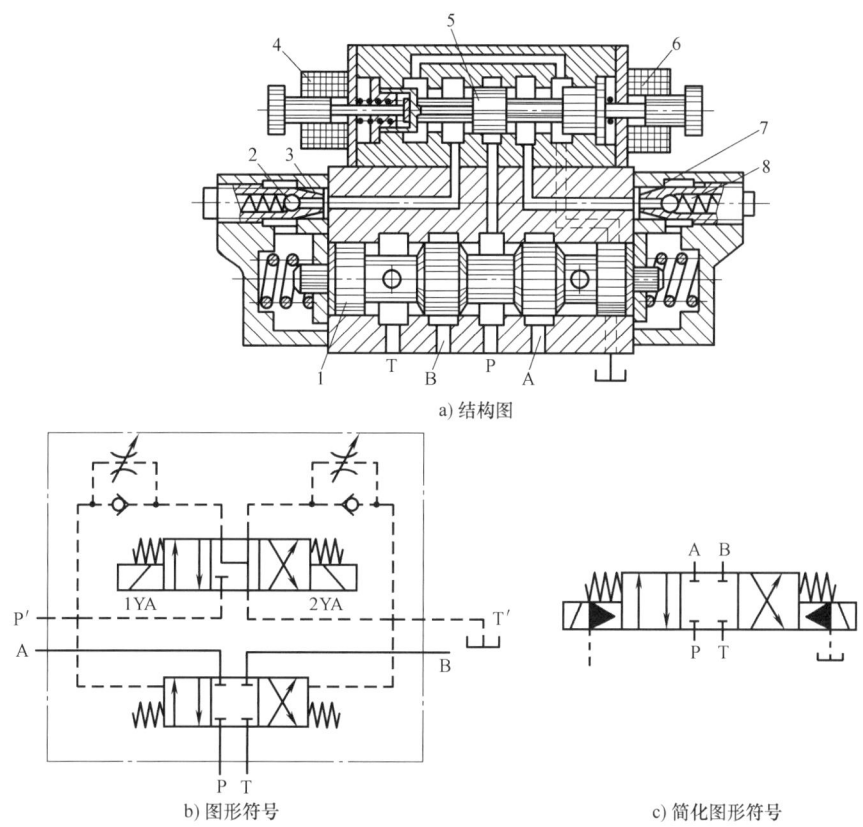

图 4-9　电液换向阀的结构、图形符号和简化图形符号
1—液动阀阀芯　2、8—单向阀　3、7—节流阀　4、6—电磁铁　5—电磁阀阀芯

力。当采用外控式时，独立油源的流量不得小于液动阀最大流量的15%，以保证换向时间的要求。

电液换向阀综合了电磁阀和液动阀的优点，具有控制方便和通过流量大的特点。

四、气动单向型控制阀

1. 气动单向阀

气动单向阀是指气流只能向一个方向流动而不能反向流动的阀。单向阀的工作原理、结构和图形符号如图 4-10 所示，与液压阀中的单向阀基本相同。

2. 梭阀

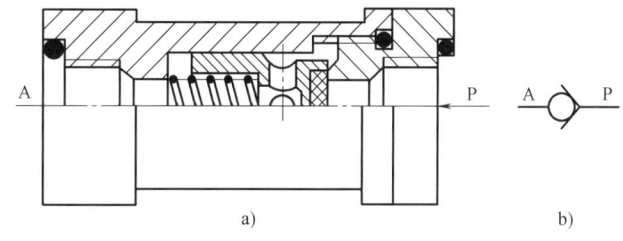

图 4-10　气动单向阀的结构和图形符号

在气压传动系统中，当两个通路 P_1 和 P_2 均可与通路 A 相通，而不允许 P_1 与 P_2 之间互通时，就要采用梭阀。由于阀芯像织布梭子一样来回运动，因而称为梭阀，它相当于两个单向阀组合的阀。

图 4-11 所示为梭阀的结构。当通路 P_1 进气时，将阀芯推向右边，通路 P_2 被关闭，于

是气流从 P_1 进入通路 A，如图 4-12a 所示；反之，气流则从 P_2 进入 A，如图 4-12b 所示。当 P_1、P_2 同时进气时，哪端压力高，A 就与哪端相通，另一端就自动关闭。图 4-12c 为梭阀的图形符号。

3. 双压阀

图 4-13 所示为双压阀的工作原理和图形符号。P_1 或 P_2 单独输入时，A 口无输出，只有当 P_1、P_2 同时输入时，A 口才有输出。当 P_1、P_2 气体压力不等时，则气压低的通过 A 口输出。

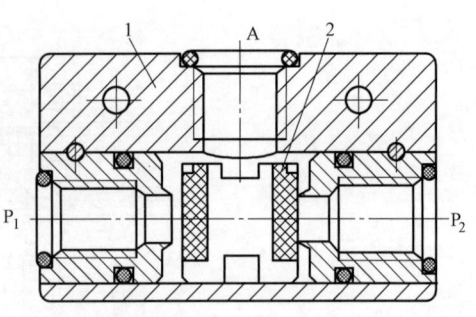

图 4-11 梭阀的结构
1—阀体 2—阀芯

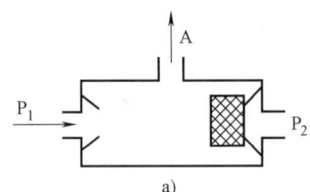

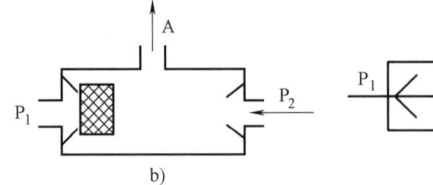

图 4-12 梭阀的工作原理和图形符号

4. 快速排气阀

快速排气阀简称快排阀，它是为加快气缸运动速度而作为快速排气用的阀。图 4-14a 所示为快速排气阀的一种结构形式。当压缩空气进入进气口 P，使膜片 1 向下变形，打开 P 与 A 的通路，同时关闭排气口 O；当 P 口没有压缩空气进入时，在 A 口和 P 口的压差作用下，膜片向上恢复，关闭 P 口，使 A 口通过 O 口快速排气。图 4-14b 所示为快速排气阀的图形符号。

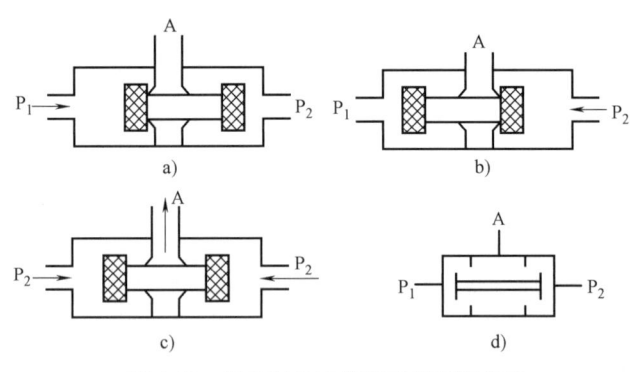

图 4-13 双压阀的工作原理和图形符号

五、气动换向控制阀

气动换向控制阀（简称换向阀）的功用是改变气流通道，使气体流动方向发生变化，从而改变气动执行元件的运动方向。下面介绍几种常用的换向阀。

1. 气压控制换向阀

气压控制换向阀是利用气体压力来使主阀阀芯运动，从而使气体改变流向的一种控制阀，按常用控制方式分为加压控制换向阀和差压控制换向阀两种。

加压控制是指所加的控制信号压力是逐渐上升的，当气压增加到阀芯的动作压力时，主阀便换向。图 4-15a 所示为二位三通加压控制换向阀的图形符号。差压控制是利用控制气压作用在阀芯两端不同面积上所产生的压差来使阀换向的一种控制方式。图 4-15b 所示为二位五通差压控制换向阀的图形符号,当没有控制信号 K 时,P 与 A 相通,B 与 O_2 相通;当有控制信号 K 时,P 与 B 相通,A 与 O_1 相通。

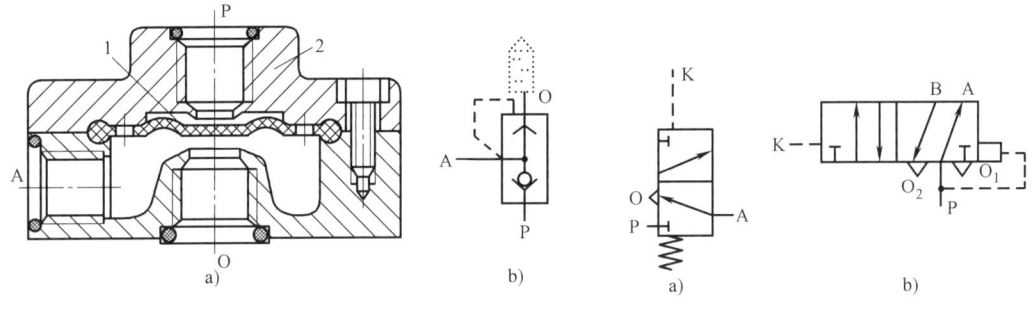

图 4-14 快速排气阀的典型结构及其图形符号
1—膜片 2—阀体

图 4-15 气压控制换向阀的图形符号

2. 电磁控制换向阀(电磁阀)

气压传动中的电磁控制换向阀与液压传动中的电磁控制换向阀一样,也由电磁铁控制部分和主阀两部分组成。图 4-16a 所示为二位三通电磁阀处于原始状态;图 4-16b 所示为通电状态;图 4-16c 所示为该阀的图形符号。

3. 先导电磁阀(电-气换向阀)

先导电磁阀由电磁阀和主阀两部分组成,其工作原理与液压传动中的电液换向阀类似,因而它又可称为电-气换向阀。按照该类换向阀有无专门的外接控制油口,可分为外控式先导电磁阀和内控式先导电磁阀两类。图 4-17a 所示为二位三通先导电磁阀(内控式),图示位置工作腔 A 通过 O 腔排气,当通电时衔铁被吸住向上运动,压缩空气经阀杆中间孔到活塞橡胶碗上腔,把阀芯压下,使进气腔 P 和工作腔 A 相通,切断排气腔 O。图 4-17b 所示为二位三通先导电磁阀的图形符号。图 4-18 所示为二位五通先导换向阀(外控式)的工作原理和图形符号。

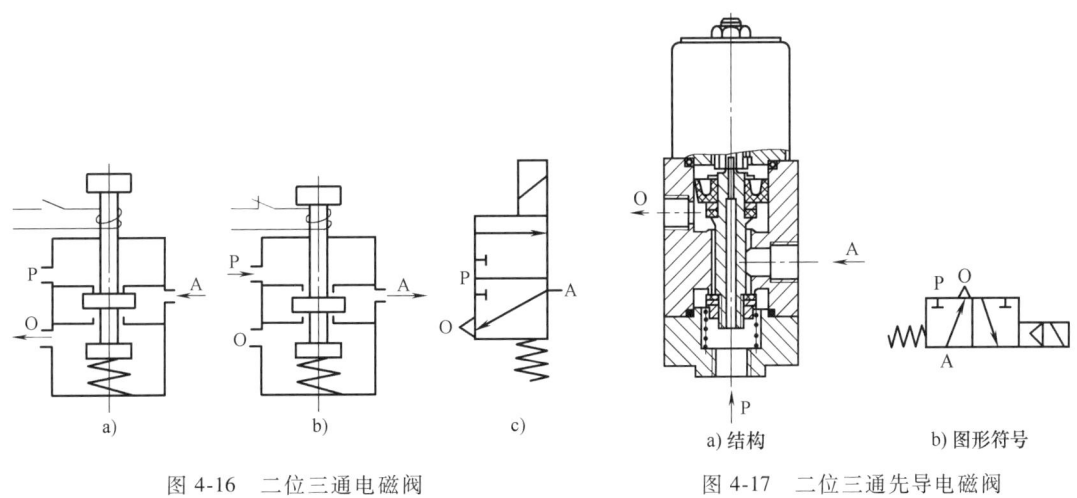

图 4-16 二位三通电磁阀

图 4-17 二位三通先导电磁阀（内控式）的结构和图形符号

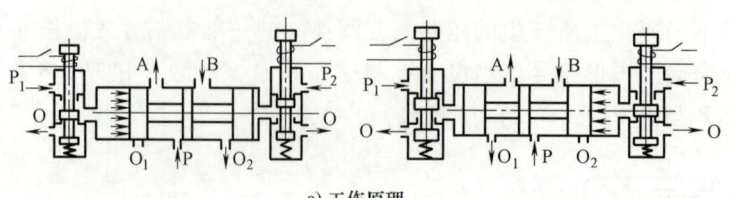

a) 工作原理

b) 图形符号

图 4-18 二位五通先导换向阀（外控式）的工作原理和图形符号

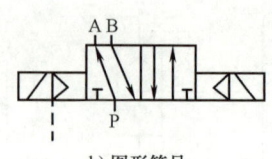

换向阀的拆装

1. 任务组织

以小组为单位，小组规模一般为 3~5 人，每小组选举 1 名小组长协调小组的各项工作，教师提出必要的指导和建议，任务完成后以小组为单位组织学生进行汇报、讨论和交流，并针对共性问题在课堂上组织讨论和专门讲解。

2. 任务内容

液控单向阀和电液换向阀的拆装。

3. 任务目的

通过对液控单向阀和电液换向阀的拆装，掌握换向阀的拆装方法及步骤，熟悉液控单向阀和电液换向阀的组成结构，同时培养学生的团队合作意识。

4. 操作过程

步骤一：分析液控单向阀和电液换向阀的结构

（1）液控单向阀　液控单向阀的立体结构如图 4-19 所示。

（2）电液换向阀的结构　电液换向阀的立体结构如图 4-20 所示。

步骤二：准备拆装工具

手钳、螺钉旋具（一字槽和十字槽）、卡簧钳、内六角扳手一套、瓷盆一个、煤油 1L。

步骤三：拆装过程

（1）液控单向阀的拆装步骤

1）用卡簧钳将阀上下两端的丝堵拆卸掉。

2）依次取出控制活塞、顶杆、阀芯、弹簧。

3）所有拆卸件经过煤油清洗后，损坏件和易损件（密封环）更换后按逆向顺序完成组装。

（2）电液换向阀的拆装步骤

1）先导阀（电磁阀）的拆装步骤：

项目四 换向回路的设计与构建

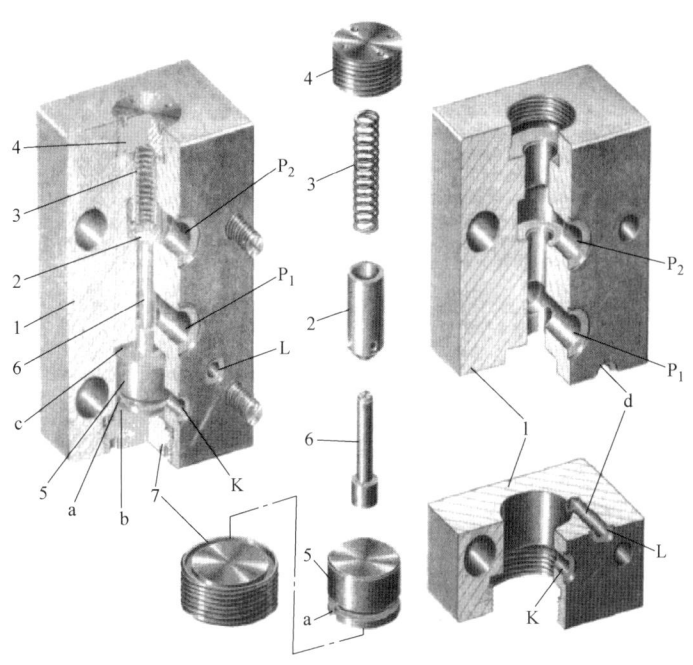

图 4-19 液控单向阀的立体结构图

1—阀体 2—阀芯 3—弹簧 4—螺塞 5—控制活塞 6—顶杆 7—丝堵

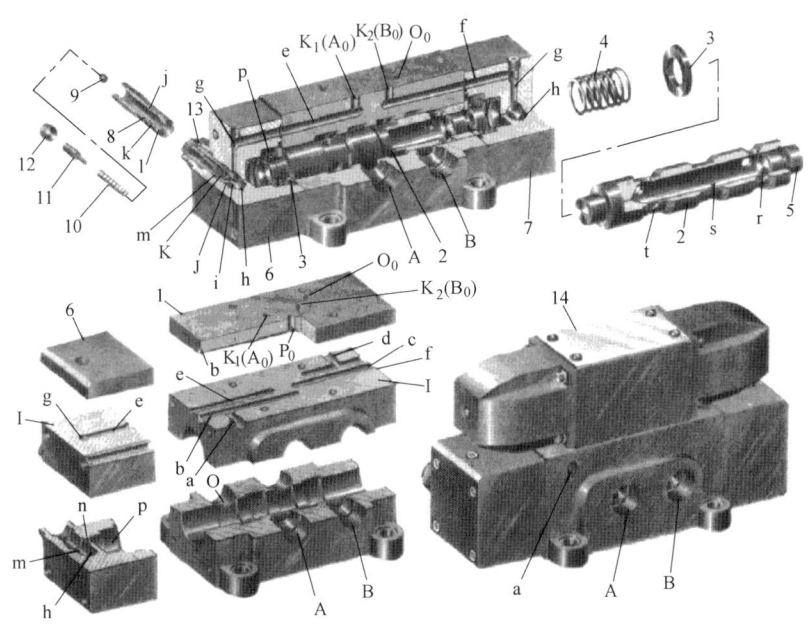

图 4-20 电液换向阀的立体结构图

1—主阀阀体 2—阀芯 3—密封圈 4—弹簧 5—控制活塞 6、7—主阀阀板 8—单向阀阀体
9—钢球 10—单向阀弹簧 11—单向阀推杆 12—螺塞 13—接头 14—先导阀

113

① 首先把电气部分（接线柱）拆卸掉。

② 用十字槽螺钉旋具拆卸电磁阀两侧的挡板。

③ 取出两端弹簧后，再取出电磁阀阀芯。

2）主阀（液动阀）的拆装步骤：

① 用内六角扳手拆卸阀体两侧，取出两侧的弹簧和弹簧垫。

② 取出主阀阀芯，用内六角扳手拧松电磁阀，使电磁阀与液动阀间分离。

③ 所有拆卸件经过煤油清洗后，损坏件和易损件（密封环）更换后按逆向顺序完成组装。

5. 拆装注意事项

1）在拆装阀时，拆装工具不要碰坏阀的电气部分，如电磁铁和导线等。

2）阀芯只能用手推进推出，不能用工具将阀芯推进推出。

3）所有拆卸件经过煤油清洗后，损坏件和易损件（密封环）更换后按逆向顺序完成组装过程。

知识拓展

工作实践常见问题解析

问题 1 液压方向控制阀的故障如何排除？

解答 液压方向控制阀的故障、产生原因及排除方法见表 4-4。

表 4-4 液压方向控制阀的故障、产生原因及排除方法

故　　障	产生原因	排除方法
油封漏油	油封破损	更换油封
	排油口有背压	背压须在 0.04MPa 以下
机械操作的阀芯不能动作	排油口有背压	背压须在 0.04MPa 以下
	压下阀芯的凸块角度过大	凸块角度应小于 30°
电磁换向阀线圈烧毁	线圈绝缘不良	更换电池线圈
	磁力线圈铁心卡住	更换电池线圈铁心
	电压过高或过低	检查电压适当调整
	转换压力在规定值以上	降低压力,检查压力表
	转换流量在规定值以上	更换成流量合适的控制阀
	回油接口有背压	低压用背压为 0.1MPa,高压用背压为 0.7MPa 以下
液动换向阀不动作	液控压力不够	液控压力为 0.35MPa 以上
	阀芯胶着	分解、清理、清洗
	灰尘进入	分解、清理、清洗

问题 2 气动方向控制阀的故障如何排除？

解答 气动方向控制阀的故障、产生原因及排除方法见表 4-5。

项目四　换向回路的设计与构建

表 4-5　气动方向控制阀的故障、产生原因及排除方法

故　障	产生原因	排除方法
不能换向	润滑不良，滑动阻力大	改善润滑
	密封圈的压缩量大或膨胀变形	适当减小密封圈的压缩量，改进密封圈的材质
	灰尘或油污等卡在阀芯或阀座上	清除灰尘或油污
	弹簧卡住或损坏	重新安装或更换弹簧
	控制活塞截面面积偏小，操作力不够	增大活塞截面面积
阀泄漏	密封圈的压缩量过小或有损伤	适当增大密封圈的压缩量或更换损坏密封圈
	阀杆或阀座有损伤	更换阀杆或阀座
	铸件有缩孔	更换铸件
阀产生振动	压力低(先导阀)	提高先导操作压力
	电压低(电磁阀)	提高电压或改变线圈参数

任务评价

教师根据同学或小组任务实施情况给予表扬或指正，并视完成情况给予每个同学成绩。换向阀的拆装考核表见表 4-6。

表 4-6　换向阀的拆装考核表

考核项目	考核内容	分　数	得　分
工作态度	按时完成任务	5 分	
	遵守纪律，服从管理	10 分	
任务内容	拆卸顺序正确，操作规范	15 分	
	安装顺序正确，操作规范	15 分	
	会正确使用拆装工具	10 分	
	换向阀的结构及功用分析到位	20 分	
团队合作精神	团队有较强的凝聚力	5 分	
	团队成员间有良好的协作精神	5 分	
	团队成员间有相互的服务意识	5 分	
团队成员间互评	认为该团队较好地完成了本任务	10 分	
	总分	100 分	

任务二　常用方向控制回路的设计

任务分析

方向控制回路是液压与气动回路中最基本的回路，主要是利用各种换向阀来控制液压或气动执行元件改变运动方向或原位停止。随着科技的进步，现在设计液压与气动回路时一般

使用仿真软件，不但可以方便快捷地设计液压与气动系统，而且还可以验证设计的正确性，并演示回路动作过程。

▶ 任务重点

1. 熟悉液压换向回路的原理和应用。
2. 掌握气动换向回路的原理和应用。
3. 掌握锁紧回路的特性。
4. 会使用 FluidSIM 仿真软件设计换向回路。

▶ 任务难点

FluidSIM 仿真软件的使用。

▶ 知识链接

一、液压换向回路

方向控制回路是利用各种方向控制阀来控制液压系统中液流的通断、变向调节，从而控制执行元件的起动、停止和换向的回路。

1. 换向回路

换向回路是指在液压泵和执行元件之间利用各种换向阀实现方向控制的回路。各种控制方式的换向阀或双向变量泵皆可组成换向回路。

图 4-21 所示为依靠重力或弹簧返回的单作用液压缸换向回路，采用二位三通换向阀进行换向。图 4-22 所示为双作用液压缸换向回路，采用三位四通 M 型中位机能的电磁换向阀来控制液压缸的换向。电磁铁 1YA 得电时，油液压力推动活塞向下运动；电磁铁 2YA 得电时，油液压力推动活塞向上运动；电磁铁 1YA、2YA 都失电，即为中位，此时液压缸停止运动，液压泵供出的油通过溢流阀的中位机能卸荷回油箱。

换向回路
工作原理

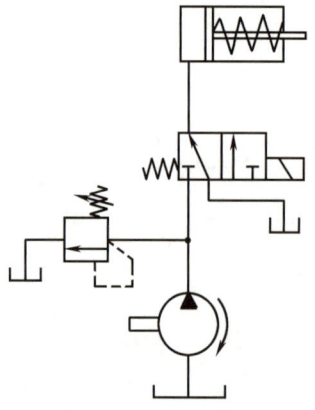

图 4-21 单作用液压缸换向回路

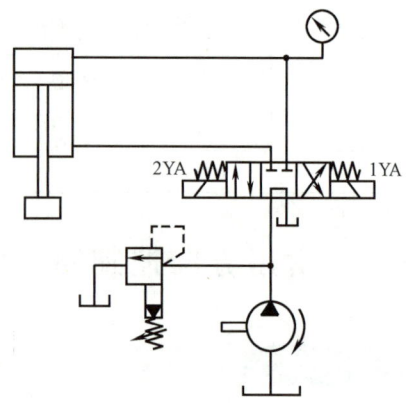

图 4-22 双作用液压缸换向回路

双作用液压缸的换向一般可采用二位四通（或五通）及三位四通（或五通）换向阀进行换向，按不同的用途可选用不同的控制方式的换向回路。

各种换向阀及其换向回路的特点如下。

1) 手动换向阀：换向精度和平稳性不高，常用于换向不频繁且无须自动化控制的场合。如一般机床夹具、工程机械等。

2) 机动换向阀：换向精度高，冲击较小，一般用于速度和惯性较大的液压系统中。

3) 电磁换向阀：使用方便，易于实现自动化，但换向时间短，冲击大，交流电磁铁尤甚，一般用于小流量、平稳性要求不高的液压系统。

4) 液动阀和电液换向阀：用于流量超过 63L/min、对换向精度与平稳有一定要求的液压系统。

2. 锁紧回路

图 4-23a 所示为采用三位四通换向阀 M 型中位机能的锁紧回路。它利用 M 型中位机能封闭液压缸的两腔，使活塞能在行程的任意位置上锁紧。由于滑阀式换向阀的泄漏不可避免，因此这种锁紧回路只能用于锁紧时间短、锁紧要求不高的场合。

图 4-23b 所示为采用液控单向阀的锁紧回路。它由液压泵、溢流阀、H 型三位四通换向阀、液控单向阀、液压缸等组成。换向阀左位工作时，液压油经左液控单向阀进入液压缸的左腔，同时将右液控单向阀打开，液压缸右腔的油流回油箱，液压缸活塞向右运动；反之，换向阀右位工作时，液压油经右液控单向阀进入液压缸的右腔，同时将左液控单向阀打开，液压缸左腔的油流回油箱，液压缸活塞向左运动；当换向阀处于中位或液压泵停止供油时，两个液控单向阀立即关闭，活塞停止运动。为了保证换向阀中位锁紧可靠，换向阀应采用 H 型

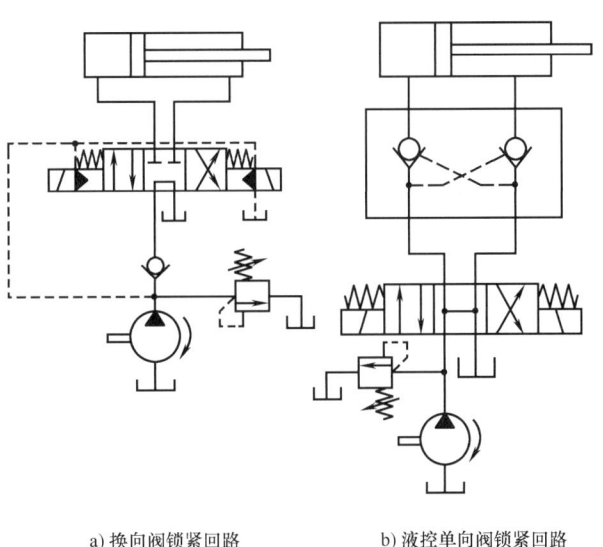

a) 换向阀锁紧回路　　　b) 液控单向阀锁紧回路

图 4-23　锁紧回路

或 Y 型中位机能。因为液控单向阀密封性好，所以锁紧性能好，可对执行元件长期锁紧。这种回路主要用于汽车起重机支腿锁紧、飞机起落架锁紧、矿山采掘机械液压支架锁紧等。

二、气动换向回路

1. 单作用气缸换向回路

图 4-24a 所示为采用二位三通换向阀的单作用气缸换向回路。当电磁铁得电时，气压使活塞杆伸出工作，当电磁铁失电时，活塞杆在弹簧的作用下缩回。

图 4-24b 所示为采用三位五通换向阀的单作用气缸换向回路。当下电磁铁得电时，气压使活塞杆伸出工作，当电磁铁失电时换向阀自动复位，故可控制单作用气缸的伸、缩及在任意位置停止，但定位精度不高，定位时间不宜过长。

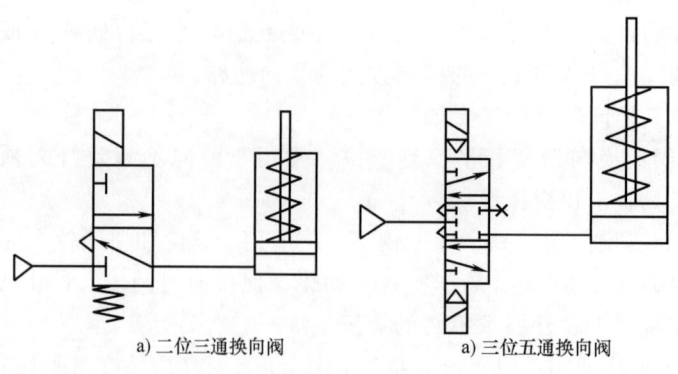

a) 二位三通换向阀　　　　　　　a) 三位五通换向阀

图 4-24　单作用气缸换向回路

2. 双作用气缸换向回路

图 4-25a 所示为采用二位五通换向阀的双作用气缸换向回路，通过对换向阀左右两侧分别输入控制信号，使气缸活塞杆伸出或缩回。此回路不允许左右两侧同时加等压控制信号，否则会误动作。图 4-25b 所示为采用三位五通换向阀的双作用气缸换向回路，换向阀控制双作用气缸的伸、缩，还能实现在任意位置停止。

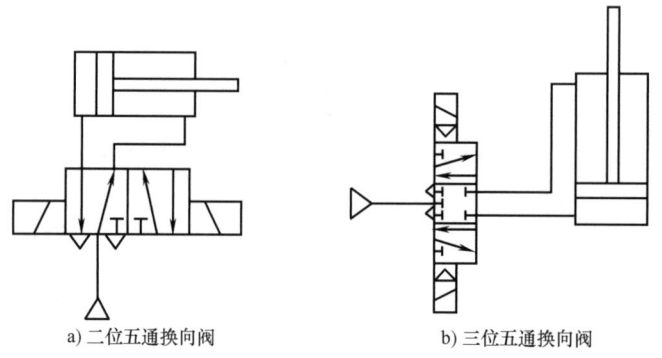

a) 二位五通换向阀　　　　　　　b) 三位五通换向阀

图 4-25　双作用气缸换向回路

3. 单向型控制阀应用回路

图 4-26 所示为梭阀在手动-自动换向回路中的应用，在逻辑回路中起逻辑"或"的作用。图 4-27 所示为双压阀在机动换向回路中的应用，在逻辑回路中起逻辑"与"的作用。

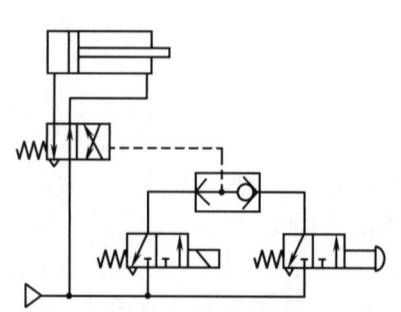
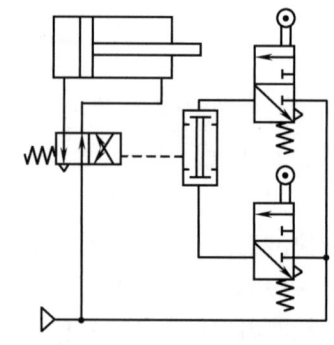

图 4-26　梭阀在手动-自动换向回路中的应用　　　　图 4-27　双压阀在机动换向回路中的应用

三、FluidSIM 软件的使用

FluidSIM 软件由德国 Festo 公司和 Paderborn 大学联合开发，是专门用于液压与气压传动的软件。FluidSIM 软件可设计液压回路相配套的电气控制回路图。通过电气控制液压回路，能充分展现各种开关和阀的动作过程。FluidSIM 软件将 CAD 功能和仿真功能紧密联系在一起。

FluidSIM 是一款功能非常强大的液压与气压传动多媒体教学、设计和仿真软件。它从基本元件认识、基本回路连接，到复杂回路联动，从液压与气动回路的设计，到控制电路的设计，以及液（气）电联合仿真，每个环节可以反复练习、设计、修改和仿真，使用起来非常简单、方便和实用，是一款非常优秀的教学软件。

FluidSIM 仿真软件是各种知识的综合应用，必须掌握液压与气压传动技术、继电器控制技术、传感器技术、软件的使用操作技术、机械传动技术、自动控制技术、PLC 控制技术等多学科的专业知识，才能熟练地操作和使用它。在绘图过程中，FluidSIM 软件将检查各元件之间连接是否可行，可对基于元件物理模型的回路图进行实际仿真，观察到各元件的物理量值，如气缸的运动速度、输出力，节流阀的开度，气路的压力等，这样用户就能预先了解回路的动态特性，从而正确地估计回路实际运行时的工作状态。这样就使回路图绘制和相应液压系统仿真相一致，从而能够在设计完回路后，验证设计的正确性，并演示回路的动作过程。

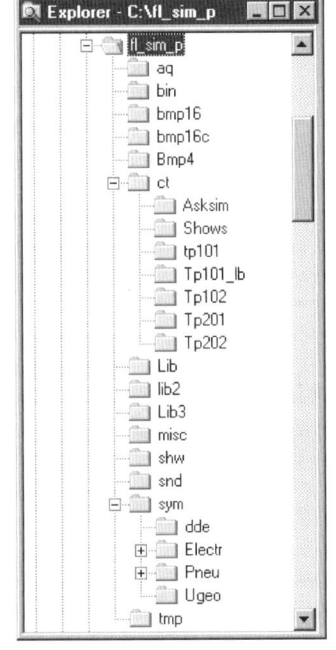

图 4-28 FluidSIM 软件的目录结构

1. FluidSIM-P 简介

FluidSIM-P 用于气压传动教学。

（1）FluidSIM 软件包含的文件 FluidSIM 软件的目录结构如图 4-28 所示。

1）aq 目录包含 FluidSIM 软件的知识库。

2）bin 目录包含 FluidSIM 软件的可执行文件以及附加库。该目录还含有注册信息及卸载程序 fduninst.exe。

3）Bmp4 目录包含元件图片，这些图片具有 4 个灰度，用于 16 色的 Microsoft Windows 操作系统。

4）bmp16 目录也包含元件图片，这些图片具有 16 个灰度，用于至少 256 色的 Microsoft Windows 操作系统。

5）bmp16c 目录包含元件插图和教学资料。

6）ct 目录包含 FluidSIM 软件中的回路图，同时也是保存新建回路图的默认目录。

（2）新建回路图

1）新建文件和元件。单击 按钮或在"文件"菜单下执行"新建"命令，新建空白绘图区域，以打开一个新窗口（见图 4-29），每个新建绘图区域都自动含有一个文件名，且可按该文件名进行保存。这个文件名显示在新窗口标题栏上。通过元件库右边的滚动条，用户可以浏览元件。窗口左边显示出 FluidSIM 软件的整个元件库，它包括新建回路图所需的气动元件和电气元件。窗口顶部的菜单栏列出了仿真和创建回路图所需的功能，工具栏给出

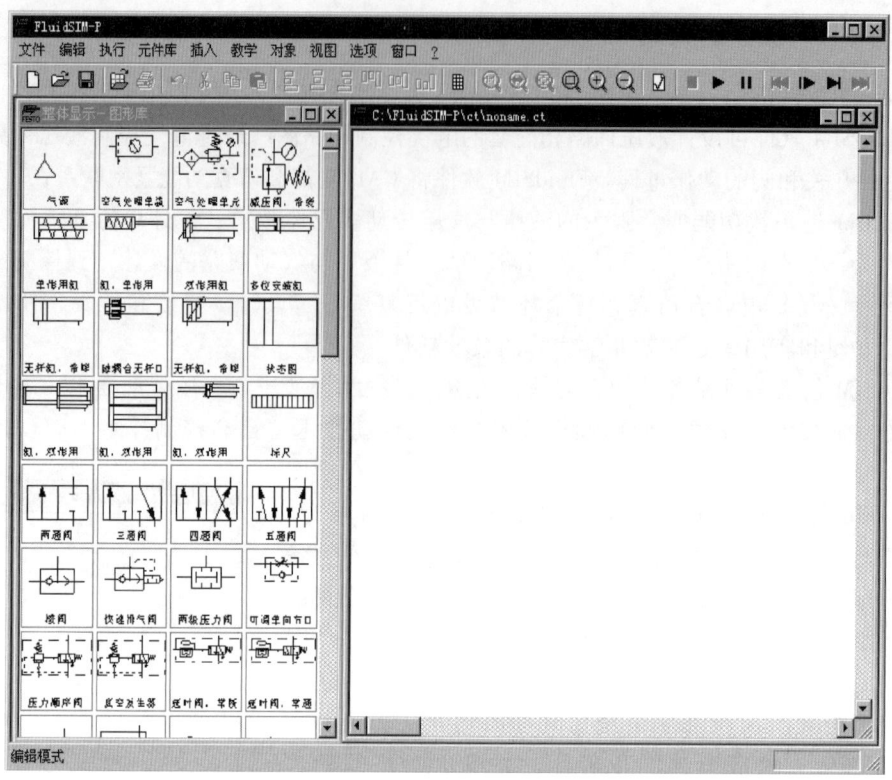

图 4-29 新建窗口

了常用菜单功能。

工具栏包括下列九组功能：

① 新建、浏览、打开和保存回路图按钮 ▯ ▯ ▯ ▯ 。

② 打印窗口内容，如打印回路图和元件图按钮 ▯ 。

③ 编辑回路图按钮 ▯ ▯ ▯ ▯ 。

④ 调整元件位置按钮 ▯ ▯ ▯ ▯ ▯ ▯ 。

⑤ 显示网格按钮 ▯ 。

⑥ 缩放回路图、元件图和其他窗口按钮 ▯ ▯ ▯ ▯ ▯ ▯ 。

⑦ 回路图检查按钮 ▯ 。

⑧ 仿真回路图，控制动画播放（基本功能）按钮 ▯ ▯ ▯ 。

⑨ 仿真回路图，控制动画播放（辅助功能）按钮 ▯ ▯ ▯ 。

状态栏位于窗口底部，用于显示操作 FluidSIM 软件期间的当前计算和活动信息。在编辑模式中，FluidSIM 软件可以显示由鼠标指针所选定的元件。

在 FluidSIM 软件中，操作按钮、滚动条和菜单栏与 Microsoft Windows 应用软件基本类似。

采用鼠标，用户可以从元件库中将元件"拖动"和"放置"在绘图区域上。其方法如下：

将鼠标指针移动到元件库中的元件上，例如将鼠标指针移动到"气缸"上。按下鼠标左键，在保持鼠标左键按下期间，移动鼠标指针，则气缸被选中，鼠标指针由箭头变为四方向箭头交叉形式，元件外形随鼠标指针移动而移动。将鼠标指针移动到绘图区域，释放鼠标左键，则气缸就被放到绘图区域里，图4-30所示为新建气缸元件。

采用这种方法，可以从元件库中"拖动"每个元件，并将其放到绘图区域中的期望位置上。按同样方法，也可以重新布置绘图区域中的元件，例如拖动气缸至右上角。

为了简化新建回路图，元件自动在绘图区域中定位。

例如，有意将气缸移至绘图区域外，如绘图窗口外，鼠标指针变为禁止符号，且不能放下元件。

将第二只气缸拖至绘图区域上。选定第一只气缸。单击按钮（剪切）或在"编辑"菜单下，执行"删除"命令，或者按下<Delete>键删除第一只气缸。

图4-30 新建气缸元件

2) 设置元件参数。例如，将 n 位三通换向阀和气源拖至绘图区域上。

为确定换向阀的驱动方式，可双击 n 位三通换向阀，弹出图4-31所示的"控制阀结构"对话框：

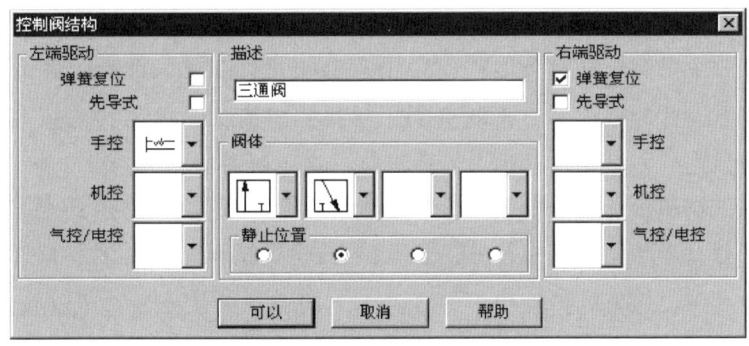

图4-31 "控制阀结构"对话框

① 左端驱动和右端驱动设置。换向阀两端的驱动方式可以单独定义，即可以是一种驱动方式，也可以为多种驱动方式，如"手动""机控"或"气控/电控"。单击相应驱动方式的下拉列表框可以设置驱动方式，若不需要选择驱动方式，则在相应的驱动方式下拉列表框中选择空白符号即可。对于换向阀的每一端，都可以设置为"弹簧复位"或"气控复位"。

② 描述设置。这里键入换向阀名称，该名称用于状态图和元件列表中。

③ 阀体设置。换向阀最多有四个工作位置，对每个工作位置来说，都可以单独选择。

单击相应下拉列表框并选择图形符号,就可以设置每个工作位置。若不希望选择工作位置,则应直接从相应下拉列表框选择空白符号。

④ 静止位置单选按钮设置。该按钮用于定义换向阀的静止位置(有时也称之为中位)。静止位置是指换向阀不受任何驱动的工作位置。注意:只有当静止位置与弹簧复位设置相一致时,静止位置的定义才有效。

从该对话框左边下拉列表框中选择带锁定手控方式,换向阀右端选中"弹簧复位"复选框,单击"可以"按钮,关闭该对话框。

⑤ 指定气接口"3"为排气口。双击气接口"3",系统弹出"气接口"对话框,如图4-32a所示,单击"气接口端部"下拉列表框,选择一个图形符号,从而确定气接口形式。选择排气口符号(表示简单排气),关闭"气接口"对话框。换向阀变为图4-32b所示形式。

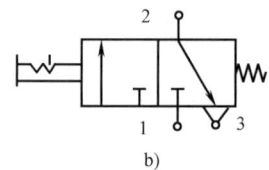

图 4-32 "气接口"对话框

3)连接元件。在编辑模式下,当把鼠标指针移至气缸接口上时,其形状变为十字线圆点形式。当将鼠标指针移动到气缸接口上时,按下鼠标左键,并移动鼠标指针。注意:此时鼠标指针形状变为十字线圆点箭头形式 ⊕。保持按下鼠标左键,将鼠标指针 ⊕ 移动到换向阀接口 2 上。注意:此时鼠标指针形状变为十字线圆点箭头向内形式 ⊕。释放鼠标左键,在两个选定气接口之间,立即就显示出元件管路连接,如图 4-33 所示。

FluidSIM 软件在两个选定的气接口之间自动绘制气管路。当在两个气接口之间不能绘制气管路时,鼠标指针形状变为禁止符号 ⊘,表示两个气接口之间不能将鼠标指针移至气管路上。在编辑模式下,当鼠标指针位于气管路之上时,其形状变为选定气管路符号 ╬。按下鼠标左键,向左移动选定气管路符号 ╬,然后释放鼠标左键,气管路立即可重新绘制,如图 4-34 所示。在编辑模式下,可以选择或移动元件和管路。在"编辑"菜单下,执行"删除"命令,或按下<Delete>键,可以删除元件和管路。

连接其他元件,最终的气动回路图如图 4-35 所示。

(3)气动回路的仿真 单击 ▶ 按钮或在"执行"菜单下,执行"启动"命令,或按下功能键<F9>。FluidSIM 软件切换到仿真模式时,启动回路图仿真。当处于仿真模式时,鼠标指针形状变为手形 ✋。在仿真期间,FluidSIM 软件首先计算所有的电气参数,接着建立气动回路模型。基于所建立的模型，就可计算气动回路中的压力和流量分布。根据回路复杂性和计算机的计算能力，回路图仿真也许要花费大量时间。只要计算出结果，管路就用不同颜色表示，且气缸活塞杆伸出，如图4-36所示的仿真回路。

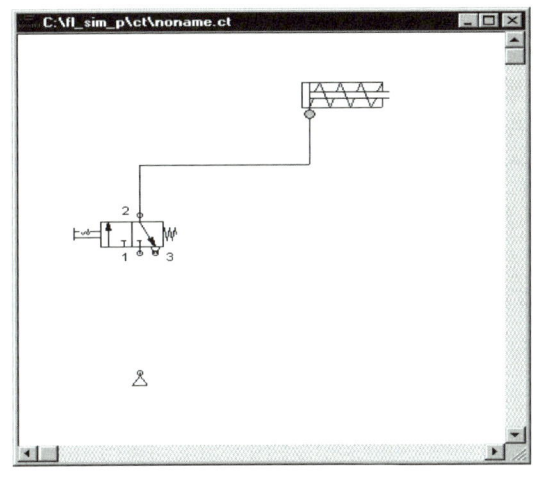

图4-33 元件管路连接

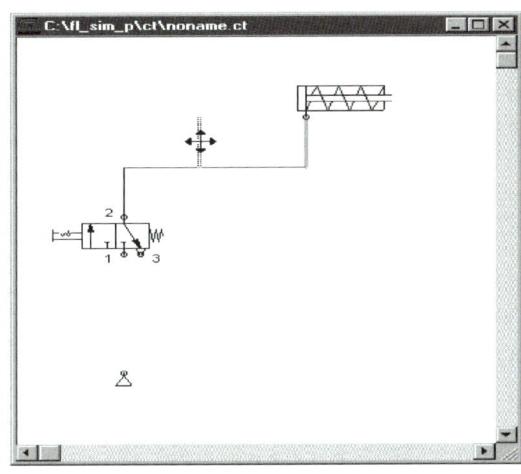

图4-34 气管路的重新绘制

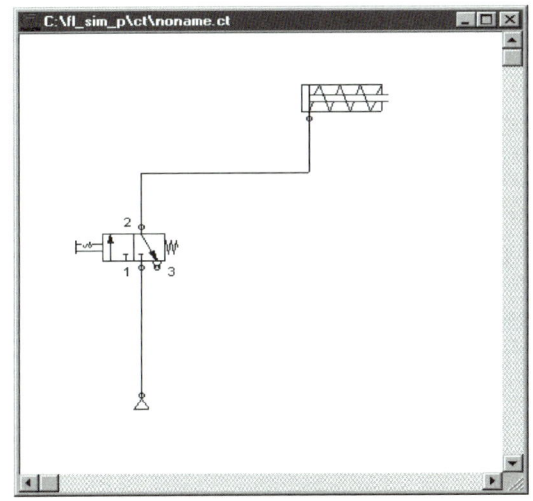

图4-35 气动回路图

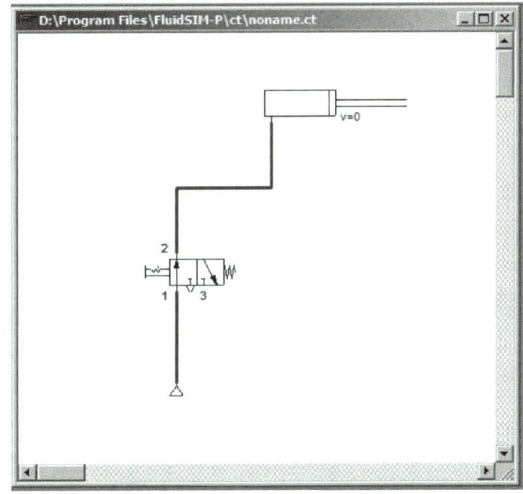

图4-36 仿真回路

电缆和气管路颜色的含义见表4-7。

表4-7 电缆和气管路颜色的含义

颜　色	含　　义	颜　色	含　　义	颜　色	含　　义
深蓝色	气管路中有压力	淡蓝色	气管路中无压力	淡红色	电缆,有电流流动

在"选项"菜单下，执行"仿真"命令，用户可以定义颜色与状态值之间的匹配关系，深蓝色管路的颜色浓度与压力相对应，它与最大压力有关。

在FluidSIM软件中，仿真是以物理模型为基础，这些物理模型的建立是基于Festo Didactic GmbH &Co 试验设备上的元件，因此计算值应与测量值相一致。实际上，当比较计算值和测量值时，测量值常有较大的波动，这主要是由于元件制造误差、气管长度和空气温度等因素造成的。

通过鼠标单击回路图中的手控换向阀和开关，可实现其手动切换：

将鼠标指针移到左边开关上。当鼠标指针变为手指形🖐，此时表明该开关可以被操作。当用户单击手动开关时，就可以仿真回路图的实际性能。在本例中，一旦单击该开关，开关就闭合，自动开始重新计算，接着气缸活塞返回至初始位置。

用户仿真另一个回路图时，可以不关闭当前回路图。FluidSIM 软件允许用户同时打开几个回路图，也就是说 FluidSIM 软件能够同时仿真几个回路图。

单击 ■ 按钮或者在"执行"菜单下，执行"停止"命令，可以将当前回路图由仿真模式切换到编辑模式。将回路图由仿真模式切换到编辑模式时，所有元件都将被置回"初始状态"。特别是当将开关置成初始位置以及将换向阀切换到静止位置时，气缸活塞将回到上一个位置，且删除所有计算值。

单击 ⏸ 按钮（另一种方法是在"执行"菜单下，执行"暂停"命令或按功能键<F8>），用户可以将编辑状态切换为仿真状态，但并不启动仿真。在启动仿真之前，若设置元件，则这个特征是有用的。

辅助仿真功能：

① ⏮ 复位和重新启动仿真。

② ⏭ 按单步模式仿真。

③ ⏭ 仿真至系统状态变化。

2. FluidSIM-H 简介

FluidSIM-H 用于液压传动教学，与 FluidSIM-P 的操作基本相同。下面以一双作用液压缸电控自动往复运动的电-气（液）压回路设计及仿真为例。

（1）新建文件　单击 🗋 按钮或在"文件"菜单下，执行"新建"命令，新建空白绘图区域，以打开一个新窗口，并将所用液压元件放置在绘图区域上，同时设置液压控制阀的结构等信息，如图 4-37 所示。

（2）液压回路的完成与仿真　将图 4-38 所示的液压元件利用"油管"连接起来，软件会自动布置线路。在工具栏中单击 ▶ 按钮或在"执行"菜单下，执行"启动"命令，或按下功能键<F9>。进行液压回路的仿真运行，以检查液压回路是否正确。图 4-38 所示为正确的液压回路仿真运行图。

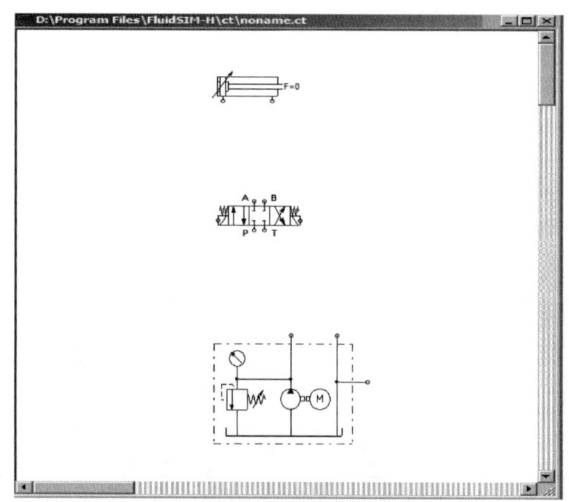

图 4-37　新建液压回路图

项目四　换向回路的设计与构建

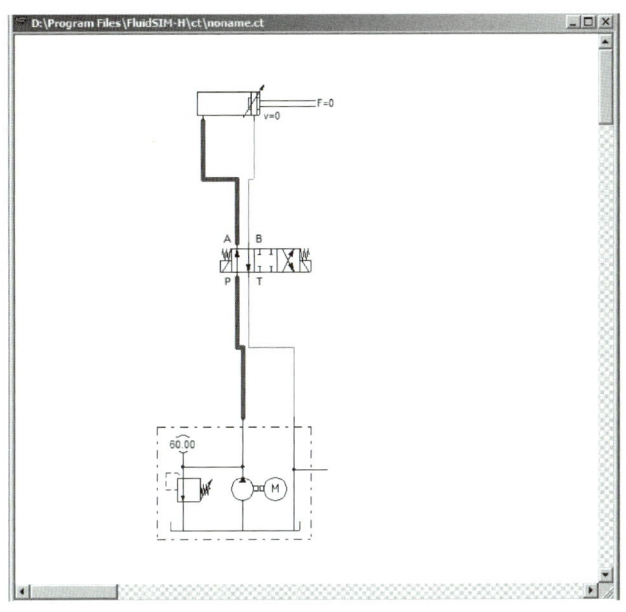

图 4-38　液压回路仿真运行图

电缆和液压管路颜色的含义见表 4-8。

表 4-8　电缆和液压管路颜色的含义

颜　色	含　义
暗红色	液压管路:压力大于或等于最大压力的 50%
黄褐色	液压管路:压力小于最大压力的 50%
淡红色	电缆:有电流流动

在"选项"菜单下，执行"仿真"命令，用户可以定义颜色与状态值之间匹配关系，暗红色管路的颜色浓度与压力相对应，它与最大压力有关。

（3）电气回路的设计与仿真　电气元件的使用与液压元件的使用方法相同，但需要了解电气元件的符号。软件中的符号与电气课程的符号基本一致，连接方式与气压和液压元件的连接方式一致。在绘图区域布置电气元件与液压元件，并进行仿真运行，如图 4-39 所示。

（4）文件的保存　单击 按钮或在"文件"菜单下，执行"保存"命令，保存回路图。如果是新建回路图，那么 FluidSIM 软件会自动打开文件选择对话框，以便用户可定义回路图名。

（5）演示文稿　FluidSIM 软件安装盘上已有许多备好的演示文稿。通过 FluidSIM 软件也可以编辑或新建演示文稿。在"教学"菜单下，执行"演示文稿"命令，可以找到所有演示文稿，如图 4-40 所示。

（6）播放教学影片　FluidSIM 软件光盘中含有 15 个教学影片，每个影片长度为 1~10min，其覆盖了电-气（液）压技术的一些典型应用领域。在"教学"菜单下，执行"教学影片"命令，弹出"教学影片"对话框，如图 4-41 所示。

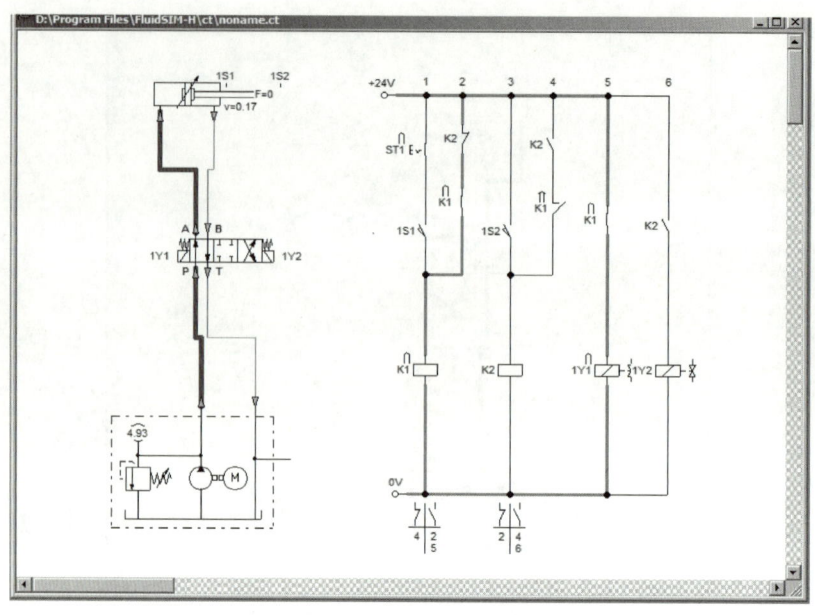

图 4-39 电气回路的设计与仿真

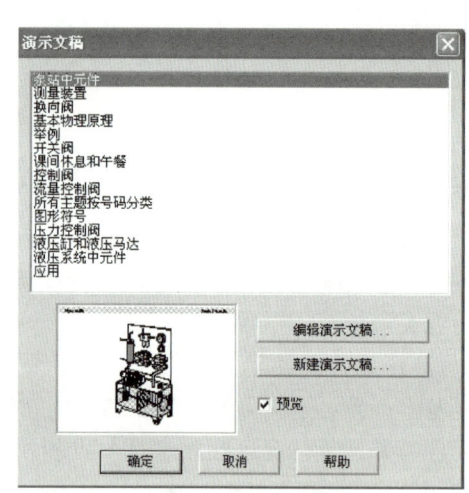

图 4-40 演示文稿

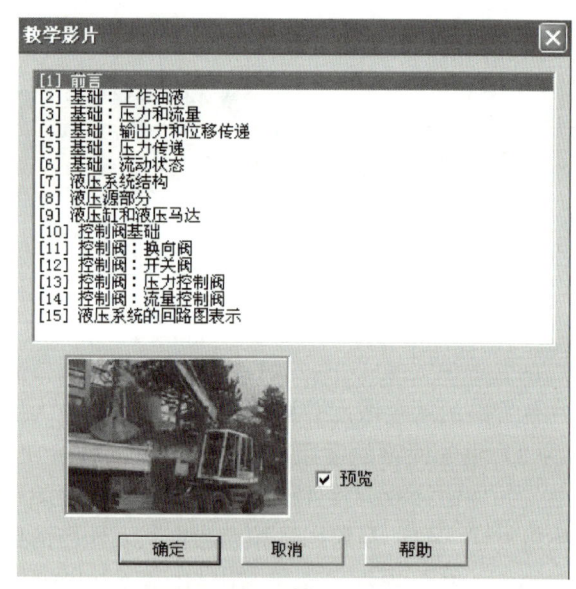

图 4-41 "教学影片"对话框

任务实施

一、液压换向系统的设计与构建

1. 任务组织

以小组为单位,小组规模一般为 3~5 人,每小组选举 1 名小组长协调小组的各项工作,教师提出必要的指导和建议,任务完成后以小组为单位组织学生进行汇报、讨论和交流,并针对共性问题在课堂上组织讨论和专门讲解。

2. 任务内容

用 FluidSIM 软件设计一个能够完成往返工作任务的液压换向系统,并在综合实训台上构建回路。

3. 任务目的

通过用 FluidSIM 软件设计换向系统,使学生初步学会 FluidSIM 软件的用法,熟悉液压回路的组成,能够分析各种简单的液压换向回路,并通过在综合实训台上构建换向系统,学会液压元件的选择、连接与排布,同时培养学生的团队合作意识。

4. 操作过程

步骤一:分组分析液压系统的工作任务,通过用 FluidSIM 软件设计换向系统。

步骤二:在综合实训台上选择需要的液压元件。

步骤三:根据系统图在实训台上排布各液压元件,连接、构建几种简单的换向回路。

步骤四:学生先互检构建的液压系统,然后由教师进行检查。

步骤五:开启实训台的液压泵,使执行元件完成规定的动作。

步骤六:完成实训,经教师检查评估后,关闭液压泵,拆下管线,将元件放回原来的位置。

二、气动换向系统的设计与构建

1. 任务组织

以小组为单位,小组规模一般为 3~5 人,每小组选举小组长协调小组的各项工作,教师提出必要的指导和建议,任务完成后以小组为单位组织学生进行汇报、讨论和交流,并针对共性问题在课堂上组织讨论和专门讲解。

2. 任务内容

用 FluidSIM 软件设计一个能够完成往返工作任务的气动换向系统,并在综合实训台上构建回路。

3. 任务目的

通过用 FluidSIM 软件设计气动换向系统,使学生初步学会 FluidSIM 软件的用法,熟悉气动回路的组成,能够分析各种简单的气动换向回路,并通过在综合实训台上构建换向系统,学会气动元件的选择、连接与排布,同时培养学生的团队合作意识。

4. 操作过程

步骤一:分组分析气动换向系统的工作任务,通过用 FluidSIM 软件设计气动换向系统。

步骤二:在综合实训台上选择需要的气动元件。

步骤三:根据系统图在实训台上排布各气动元件,连接、构建几种简单的气动换向回路。

步骤四:学生先互检构建的气动系统,然后由教师进行检查。

步骤五:开启实训台的空气压缩机,使执行元件完成规定的动作。

步骤六:拆卸气动系统,整理气压元件和气管等。

任务评价

教师根据同学或小组任务实施情况给予表扬或指正,并视完成情况给予每个同学成绩。

换向回路的设计与构建考核表见表 4-9。

表 4-9 换向回路的设计与构建考核表

考核项目	考核内容	分 数	得 分
工作态度	按时完成任务	5 分	
	遵守纪律,服从管理	10 分	
任务内容	换向回路设计正确,模拟规范	15 分	
	实训安装顺序正确,操作规范	15 分	
	会正确使用液压与气压仿真软件	10 分	
	换向回路的组成及功用分析到位	20 分	
团队合作精神	团队有较强的凝聚力	5 分	
	团队成员间有良好的协作精神	5 分	
	团队成员间有相互的服务意识	5 分	
团队成员间互评	认为该团队较好地完成了本任务	10 分	
总分		100 分	

课后练习

一、填空题

1. 液压控制阀按用途分为_____、_____、_____三类。
2. 换向阀的图形符号中_____表示进油口,_____表示通油箱的回油口,_____和_____表示连接其他两个工作油路的油口。
3. 中位机能为_____型换向阀,在换向阀处于中间位置时液压泵卸荷;而_____型换向阀,在换向阀处于中间位置时液压泵保持压力。
4. 气动单向型控制阀有_____、_____、_____三种。
5. 常见气动换向阀有_____、_____、_____。
6. 快速排气阀的用途是_____,它一般安装_____。
7. 换向回路的功用是_____。
8. 锁紧回路的功用是在执行元件不工作时,切断其_____、_____油路,准确地使它停留在_____位置上。

二、选择题

1. 若某三位换向阀的阀芯在中间位置时,液压油与液压缸两腔连通,回油封闭,则此阀的中位机能可能为（　　）。
    A. P 型　　　　B. Y 型　　　　C. O 型　　　　D. H 型
2. 为使三位四通换向阀在中位工作时能使液压缸闭锁,应采用（　　）。
    A. O 型　　　　B. Y 型　　　　C. P 型　　　　D. H 型
3. 液压方向的迅速改变或停止,致使液流速度也发生急剧变化,这就造成（　　）。
    A. 液压冲击　　B. 泄漏　　　　C. 系统爬行　　D. 压力升高

三、思考题

1. 液控单向阀和普通单向阀的区别是什么？各用在什么场合？
2. 什么是换向阀的"位"和"通"？换向阀有几种控制方式？各有什么特点？
3. 电液换向阀的结构特点是什么？如何调节它的换向时间？
4. 液压换向回路与气动换向回路有何异同？

项目五　调压回路的设计与构建

项目分析

液压与气动系统在实际应用中需要根据不同的工作条件或工艺要求输出各种不同的推力或转矩，通过压力控制阀及其组成的压力控制回路，可以很方便地控制调节整个液压与气动系统或系统某一部分的压力，从而改变液压与气动执行元件输出的推力或转矩，满足不同的使用要求。

液压与气动系统中压力调节元件有很多，主要分为溢流阀、减压阀、顺序阀及压力继电器；通过学习液压与气动系统中压力控制元件的结构组成、工作原理、性能特点和适用场合，能够掌握调压回路、减压回路、增压回路、平衡回路、卸荷回路、保压回路等压力控制回路的构建方法及适用场合。

项目目标

知识与技能目标：
1. 熟悉液压与气动压力控制阀的分类和符号。
2. 熟悉溢流阀、减压阀、顺序阀等压力控制阀的作用、结构和应用，理解其工作原理。
3. 熟悉液压与气动压力控制回路的类型、功能、特点和应用。
4. 学会正确辨认各类液压与气动压力控制阀。
5. 学会正确使用工具拆装压力控制阀，会更换损坏部件。
6. 学会在教师的指导下正确选用压力控制阀，构建液压与气动压力控制回路。

素质目标：
1. 培养遵章守规、严谨求实的职业素养。
2. 强化安全意识。
3. 训练思维的逻辑性。

任务一　压力控制阀的结构与维护

任务分析

通过溢流阀的拆卸，掌握溢流阀的结构特点，分析溢流阀的工作原理及用途。在此基础上触类旁通，分析掌握减压阀、顺序阀、压力继电器的结构特点、工作原理及用途。

项目五 调压回路的设计与构建

知识链接

一、液压压力控制阀

压力控制阀,简称压力阀,是在液压传动系统中用来控制油液压力高低的液压阀。这类阀的工作原理相同,都是利用作用在阀芯上的液压力和弹簧力相平衡的原理工作的。

按用途不同,压力控制阀可分为溢流阀、减压阀、顺序阀、压力继电器等。

1. 溢流阀

溢流阀按结构形式不同,可分为直动式溢流阀和先导式溢流阀两种。直动式溢流阀适用于低压系统,先导式溢流阀适用于中、高压系统。

(1) 溢流阀的结构和工作原理

1) 直动式溢流阀。直动式溢流阀是依靠系统中的液压油直接作用在阀芯上的力与弹簧力相平衡,来控制阀芯的启闭动作。图 5-1 所示为直动式溢流阀的结构(见图 5-1a)、工作原理(见图 5-1b)和图形符号(见图 5-1c),P 是进油口,T 是回油口,进口压力油经阀芯 3 中间的阻尼孔 a 作用在阀芯的底部端面上,作用面积为 A,液压油作用于该端面上的力为 pA,调压弹簧 2 作用在阀芯上的预紧力为 F_s。当进口油压力 p 较小时,即 $pA \leqslant F_s$ 时,阀芯在调压弹簧 2 的作用下处于下端位置,将 P 和 T 两油口隔开,阀口关闭,回油口 T 无油液流回油箱(不溢流),即为常闭状态。当进口油压力升高,在阀芯下端所产生的作用力超过弹簧的压紧力 F_s 时,即 $pA > F_s$ 时,阀芯上移,弹簧被压缩,阀芯上移,阀口被打开,P 与 T 两油口接通,油液就从回油口 T 流回油箱,溢流阀开始溢流。阀芯上的弹簧力随着开口量的增大而增大,直至与液压作用力相平衡。

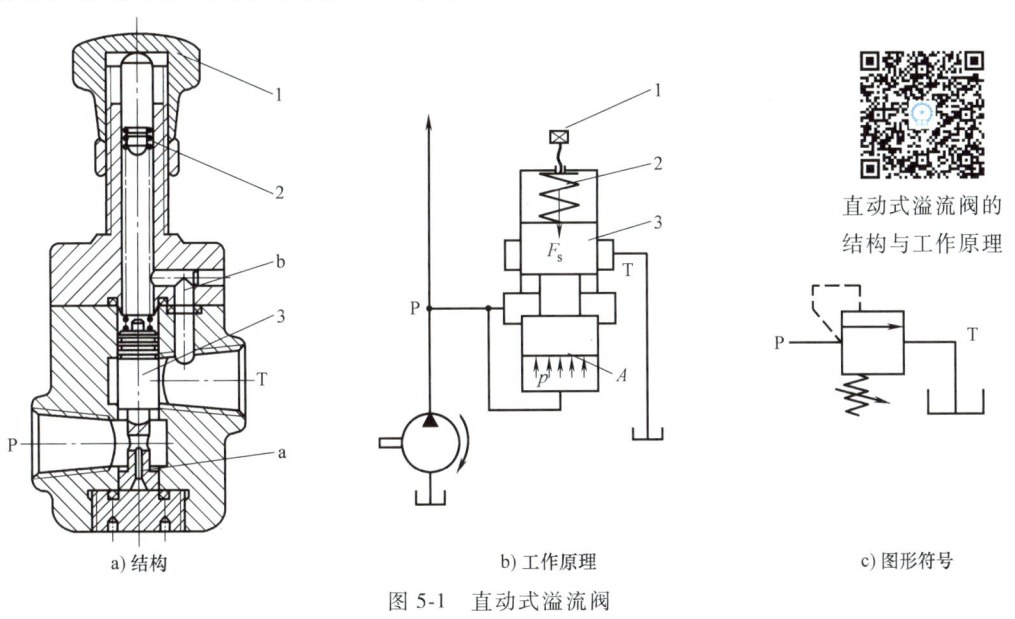

直动式溢流阀的结构与工作原理

a) 结构   b) 工作原理   c) 图形符号

图 5-1 直动式溢流阀

1—调节手轮 2—调压弹簧 3—阀芯

当通过溢流阀的流量变化时,阀口开度变化,弹簧压缩量也随之改变。在弹簧压缩量变化甚小的情况下,可以认为阀芯在液压力和弹簧力作用下保持平衡,溢流阀进口处的压力 p

基本保持在弹簧调定值，这时溢流阀起定压溢流作用。

阀芯上的阻尼孔 a 用来对阀芯的动作产生阻尼，减小油压的脉动，以提高阀工作的平稳性，旋动调节手轮 1 可以改变弹簧的预压缩量，从而调定溢流阀进口处的油液压力 p。通道 b 使弹簧腔与回油口连通，以排掉泄入弹簧腔的油液，此泄油方式为内泄式。

直动式溢流阀结构简单，制造容易，成本低；但油液压力直接靠弹簧平衡，所以压力稳定性较差，动作时有振动和噪声。此外，当系统压力较高时，需采用大刚度的弹簧，使阀的定压精度和灵敏度变差。所以普通直动式溢流阀只用于低压小流量液压系统，其最大调整压力一般为 2.5MPa 左右。

2) 先导式溢流阀。先导式溢流阀的结构如图 5-2a 所示，它由先导阀和主阀两部分组成。先导阀实际上是一个小流量的直动式溢流阀，阀芯是锥阀，用来调定压力；主阀阀芯是滑阀，用来实现溢流。

先导式溢流阀的工作原理如图 5-2b 所示，压力油从 P 口进入阀体以后，经过小孔 a 进入主阀阀芯底部，同时经过阻尼小孔 b 向上通过孔 c 进入先导阀的右腔，作用在先导阀的锥形阀芯 3 上，产生向左的推力。调压弹簧 2 作用在阀芯的左侧，调节手轮 1 可调整弹簧的预紧力。

当油液压力 p 较小时，作用于先导阀阀芯 3 右侧的液压作用力小于左侧调节弹簧 2 的弹簧力时，先导阀关闭。此时，没有油液流过阻尼小孔 b，油腔 A、B 的压力相同，在主阀复位弹簧 4 的作用下，主阀阀芯处于最下端位置，主阀阀口 T 关闭，没有溢流。

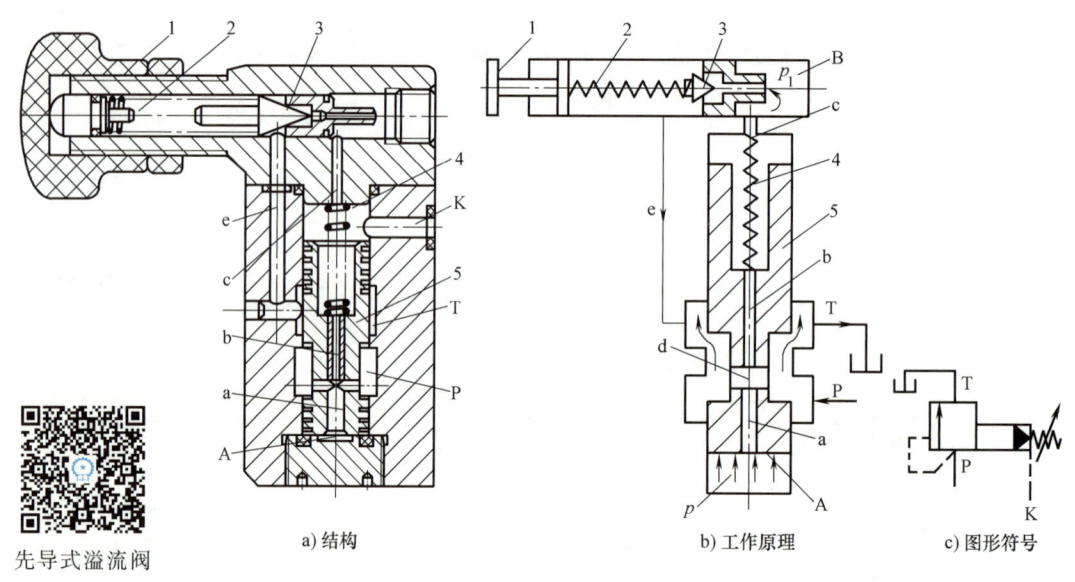

先导式溢流阀的工作原理

图 5-2 先导式溢流阀

a) 结构　　b) 工作原理　　c) 图形符号

1—调节手轮　2—调压弹簧　3—先导阀阀芯　4—主阀复位弹簧　5—主阀阀芯

当油液压力 p 增大，使作用于先导阀阀芯右侧的液压作用力大于左侧弹簧力时，先导阀开启，油液经通道 e、回油口 T 流回油箱。这时，液压油流经节流小孔 b 时产生压降，使 B 腔油液压力 p_1 小于油腔 A 中油液压力 p，当此压差（$\Delta p = p - p_1$）产生的向上作用力超过主阀复位弹簧 4 的弹簧力 F_s 并克服主阀阀芯自重和摩擦力时，主阀阀芯向上移动，进油口 P

项目五 调压回路的设计与构建

和回油口 T 接通，溢流阀溢流。

当溢流阀稳定工作时，则溢流阀进口处的压力为

$$p = p_1 + \frac{F_s}{A} \approx 定值$$

由于油液通过阻尼孔而产生的 p 与 p_1 之间的压力差值不太大，因此主阀阀芯只需一个小刚度的软弹簧，能满足当 p 与 p_1 的压力值相等时，弹簧力能够使阀芯复位即可；而作用在先导阀阀芯 3 上的压力 p_1 与其阀芯截面面积的乘积即为调压弹簧 2 的弹簧力，由于先导阀阀芯一般为锥阀，受压面积较小，所以用一个刚度不太大的弹簧即可调整较高的开启压力 p_1，旋动手轮调节先导阀弹簧的预紧力，就可调节溢流阀的溢流压力。

先导式溢流阀有一个远程控制口 K，如果将 K 口用油管接到另一个远程调压阀（远程调压阀的结构和溢流阀的先导控制部分一样），调节远程调压阀的弹簧力，即可调节溢流阀主阀阀芯上端的液压力，从而对溢流阀的溢流压力实现远程调压。但是，远程调压阀所能调节的最高压力不得超过溢流阀本身先导阀的调整压力。当远程控制口 K 通过二位二通阀接通油箱时，主阀阀芯上端的压力接近于零，主阀阀芯上移到最高位置，阀口开得很大。由于主阀弹簧较软，这时溢流阀 P 口处压力很低，系统的油液在低压下通过溢流阀流回油箱，实现卸荷。

（2）溢流阀的作用　溢流阀的主要作用是稳定液压系统压力或进行安全保护。几乎所有的液压系统中都需要用到它，其正确使用、性能好坏对整个液压系统的正常工作影响很大，其作用如下：

1）溢流稳压：在定量泵节流调速回路中，溢流阀在泵的出口处与系统并联，不断地将系统中多余的油液溢流回油箱，保持系统压力的稳定。阀芯处于常开状态，其溢流量的大小由从节流阀进入液压缸的流量大小而定。

2）安全保护：在使用变量泵的液压系统中，溢流阀用来限定系统的最高压力，起过载保护作用，也称为安全阀。此系统中，变量泵出口流量可随负载变化自动适应执行元件运动速度，无多余流量，泵的工作压力随负载的变化而变化。当系统正常工作时，溢流阀的阀口处于闭合状态，无溢流；当负载升高、系统过载时，溢流阀阀芯打开溢流，起安全保护作用。

3）用作背压阀：将低压溢流阀安装在液压缸的回油路上，使液压缸的回油腔产生背压，提高运动部件的平稳性，此时的溢流阀也称为背压阀。

4）用作卸荷阀：在定量泵系统中，先导式溢流阀的远程控制口通过二位二通电磁换向阀与油箱相连可起使泵卸荷的作用，当电磁铁得电时，先导式溢流阀的远程控制口与油箱接通，主阀阀芯的阀口可迅速打开至最大，使泵卸荷，减少能量损耗。

5）远程调压：当先导式溢流阀的远程控制口与调整压力较低的溢流阀连通时，其主阀阀芯上腔的油压只要达到低压阀的调整压力，主阀即可在先导阀无动作的情况下实现溢流，即实现远程调压。

2. 减压阀

（1）减压阀的作用和分类　减压阀的作用主要是降低液压系统中某一回路的油液压力，使之低于液压泵的供油压力，以满足执行机构（如夹紧回路、定位回路、制动回路、离合回路和系统控制回路等）的需要，并保持基本恒定，常用于各种液压设备的夹紧系统、润

滑系统和控制系统中。

减压阀按调节要求不同，可分为定值减压阀、定差减压阀和定比减压阀。其中，定值减压阀应用最广，又简称减压阀，根据结构和工作原理不同，可分为直动式减压阀和先导式减压阀两类，一般采用先导式减压阀。

（2）减压阀的结构和工作原理　先导式减压阀的结构如图 5-3a 所示，其结构与先导式溢流阀相似，也是由先导阀和主阀两部分组成。图 5-3b 为其工作原理，它利用液流流过缝隙时产生的压力损失减压，使其出口压力低于进口压力。液压油从进油口 P_1 进入减压阀，经阀口缝隙（开度为 h）减压后从出油口 P_2 输出，同时出口液压油经小孔 a 进入主阀阀芯 5 的下端，又经阻尼小孔 b 进入主阀阀芯上端油腔，再经小孔 c、d 进入先导阀的右端油腔，作用于先导阀阀芯 3 上。当出油口压力 p_2 低于调定压力时，先导阀关闭，主阀阀芯 5 上端油腔油液压力 $p_2 = p_3$，主阀弹簧 4 的弹簧力克服摩擦力将主阀阀芯推向下端，阀口缝隙的开度 h 最大，减压阀不起减压作用，为常开状态。当出口压力大于减压阀的调定压力时，先导阀开启，少量油液经先导阀阀口、通道 e，由泄油口 L 流回油箱。由于阻尼小孔 b 的作用，油液流过时，在主阀阀芯两端产生压差 Δp，主阀阀芯在此压差作用下克服弹簧力上移，阀口缝隙的开度 h 减小，使出口压力降低至调定压力，减压阀起减压作用。当出口处压力产生变化时，减压阀将会自动调整阀口缝隙的开度大小来保证出口压力稳定。旋动调节手轮 1 调节先导阀弹簧的预紧力，即可调定减压阀的出口压力。另外，由于减压阀的进、出油口均为有一定压力的液压油，因此它的泄油口 L 必须单独外接油箱。

图 5-3c 所示为先导式减压阀的图形符号。

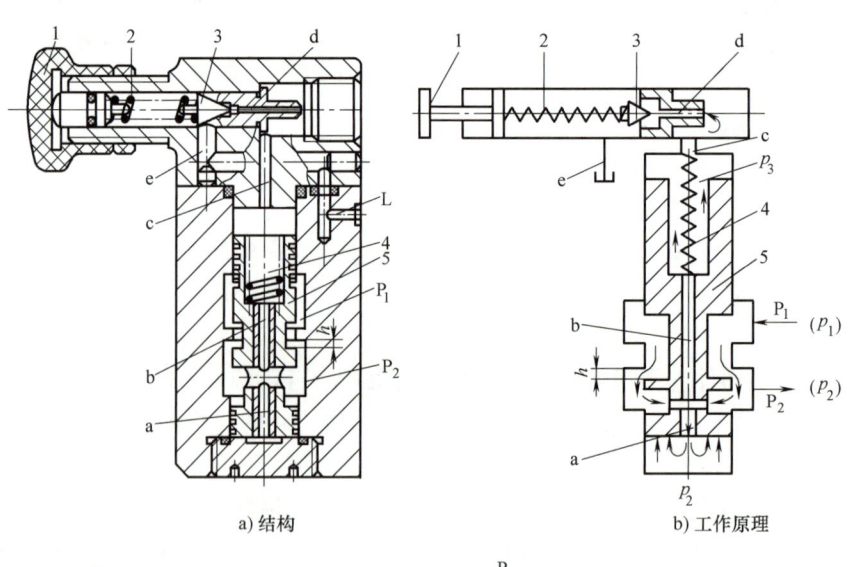

先导式减压阀的结构与工作原理

图 5-3　先导式减压阀

1—调节手轮　2—调压弹簧　3—先导阀阀芯　4—主阀弹簧　5—主阀阀芯

3. 顺序阀

1）顺序阀的作用和分类：顺序阀的作用是利用油路中压力的变化控制阀口启闭来控制液压系统中各执行元件动作的先后顺序。依控制压力的不同，顺序阀又可分为内控式顺序阀和外控式顺序阀两种。按结构和工作原理不同，顺序阀也可分为直动式顺序阀和先导式顺序阀两种，前者一般用于低压系统，后者用于中、高压系统。

2）顺序阀的结构和工作原理：图 5-4 所示为直动式顺序阀。当进油口压力较低时，阀芯在弹簧的作用下处于下端位置，进油口和出油口不相通。当作用在阀芯下端的油液的液压力大于弹簧的预紧力时，阀芯向上移动，阀口打开，油液便经阀口从出油口流出，从而操纵另一执行元件或其他元件动作。由图 5-4 可见，顺序阀和溢流阀的结构基本相似，不同的只是顺序阀的出油口通向系统的另一压力油路，而溢流阀的出油口通油箱。此外，由于顺序阀的进、出油口均为有一定压力的液压油，因此弹簧腔的泄漏油从泄油口 L 流出必须单独外接油箱。这种油口连通情况的顺序阀，称为内控外泄式顺序阀，如图 5-4b 所示。为了减小调压弹簧的刚度，顺序阀底部设置了控制活塞。外控口 K 用螺塞堵住。

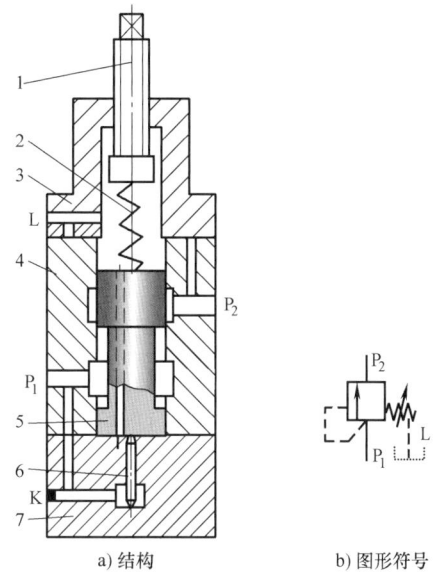

图 5-4 直动式顺序阀
1—调节螺钉 2—调压弹簧 3—上阀盖 4—阀体
5—阀芯 6—控制活塞 7—下阀盖

将图 5-4a 中的下阀盖旋转 90°或 180°安装，切断进口油液流往控制活塞下腔的通路，并去除外控口 K 的螺塞，接入引自外部油路的液压油，便成为外控顺序阀或称液控顺序阀，其工作原理和图形符号如图 5-5a、b 所示。这时外控式顺序阀阀口的开启与一次油路进口压力没有关系，只取决于控制压力的大小。

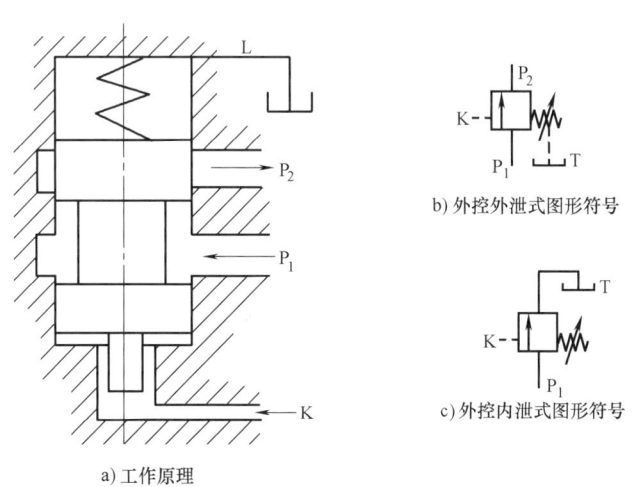

图 5-5 直动式外控顺序阀

若将上阀盖旋转180°安装，还可使弹簧腔与出油口 P_2 相连（在阀体上开有沟通孔道），并将外泄口 L 堵塞，便成为外控内泄顺序阀，其图形符号如图 5-5c 所示。外控内泄顺序阀只用于出口接油箱的场合，常用来使液压泵卸荷，故又称为卸荷阀。

直动式顺序阀的工作压力和通过阀的流量都有一定的限制，最高控制压力也不太高。对性能要求较高的高压大流量系统，需采用先导式顺序阀。图 5-6 所示为先导式顺序阀其工作原理可按前述先导式溢流阀推演，在此不再重复。

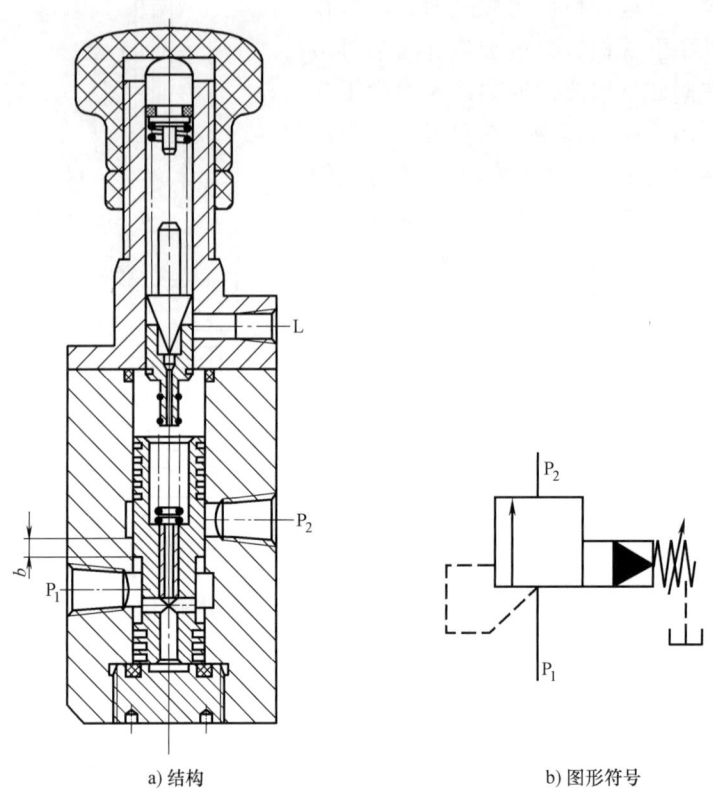

a) 结构   b) 图形符号

图 5-6 先导式顺序阀

4. 压力继电器

压力继电器是一种将液压信号转换为电信号的液-电信号转换元件。其作用是根据液压系统的压力变化自动接通或断开有关电路，以实现对系统的程序控制和安全保护功能。按结构不同，压力继电器可分为柱塞式压力继电器、弹簧管式压力继电器、膜片式压力继电器和波纹管式压力继电器四类，其中以柱塞式压力继电器最常用。

图 5-7 所示为单柱塞式压力继电器。液压油从油口 P 通入，作用在柱塞 5 的底部，柱塞受到向上的油液作用力和向下弹簧力的作用，当油液作用力达到弹簧的调定值时，便克服弹簧力推动柱塞上移，通过顶杆 3 使微动开关 1 的触点闭合发出电信号。当油液压力降低时，柱塞在弹簧力的作用下往下移动，微动开关的触点断开，切断电信号。限位挡块 4 可在压力超载时保护微动开关。调节螺钉 2 可改变弹簧的预压缩量，调节发出电信号的控制油液压力。

5. 溢流阀、减压阀和顺序阀的比较

溢流阀、减压阀和顺序阀同属压力控制阀，它们之间既有许多相同之处，也有不同之

项目五 调压回路的设计与构建

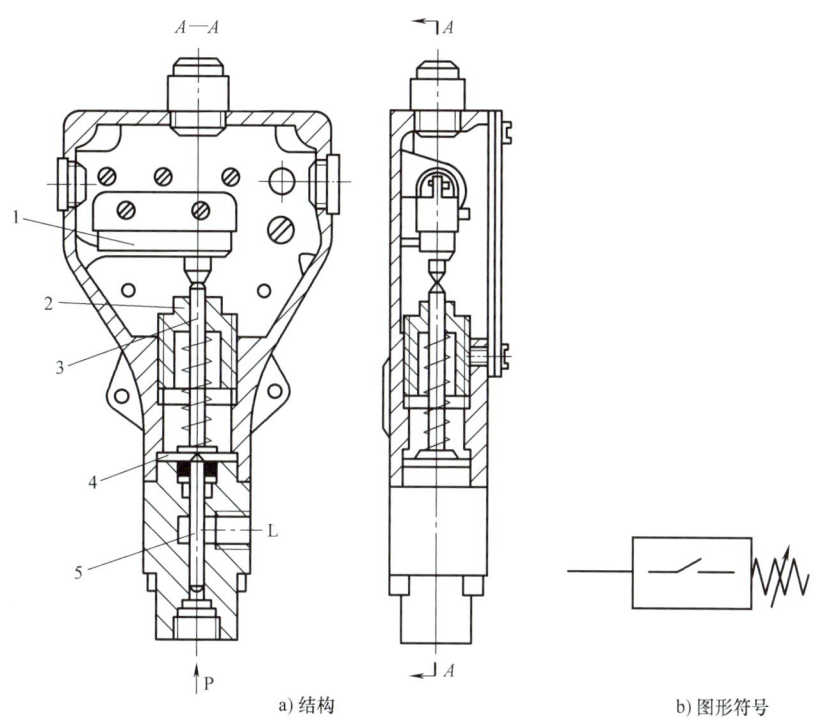

a) 结构 b) 图形符号

图 5-7 单柱塞式压力继电器
1—微动开关 2—调节螺钉 3—顶杆 4—限位挡块 5—柱塞

处，它们的比较详见表 5-1。

表 5-1 溢流阀、减压阀和顺序阀的比较

名　称	溢流阀	减压阀	顺序阀
图形符号			
控制油路的特点	把进口处油液引到阀芯一端，使其压力与阀芯另一端的弹簧力平衡，控制进油路的压力，保证进口压力恒定，常态时阀口关闭	把出口处油液引到阀芯一端，使其压力与阀芯另一端的弹簧力平衡，控制出油路的压力，保证出口压力恒定，常态时阀口全开	把进口处油液引到阀芯一端，使其压力与阀芯另一端的弹簧力平衡，控制进油路的压力，保证进口压力恒定，常态时阀口关闭
出油口情况	出油口与油箱相连	出油口与减压回路相连	出油口与工作回路相连
弹簧腔泄油形式	内泄式	外泄式	内泄式
连接方式	1. 用作溢流阀、安全阀和卸荷阀时与主油路并联 2. 用作背压阀时则与回路串联	与减压回路串联	实现顺序动作时与回路串联，用作卸荷阀时与回路并联
功　用	定压、限压、稳压、保压	减压、稳压	不控制系统的压力，只利用系统的压力变化控制油路的通断

二、气动压力控制阀

气动压力控制阀在气动系统中主要起调节、降低或稳定气源压力、控制执行元件的动作顺序、保证系统的工作安全等作用。根据结构、工作原理和功用不同,气动压力控制阀分为减压阀(调压阀)、溢流阀(安全阀)、顺序阀等。

1. 减压阀

减压阀又称调压阀,用来调节或控制气压的变化,并保持降压后的输出压力值稳定在需要的值上,确保系统压力的稳定。减压阀是气动系统中最重要的压力调节元件。

气动系统的压缩空气一般是由空气压缩机将空气压缩储存在储气罐内,然后经管路输送给后面的气动装置使用。储气罐的压力一般比设备实际需要的压力高,并且压力波动也较大,因此在一般情况下,需采用减压阀来得到压力较低并且稳定的供气气源。

按调节压力方式的不同,减压阀分为直动式减压阀和先导式减压阀两种。

图 5-8 所示为直动式减压阀。

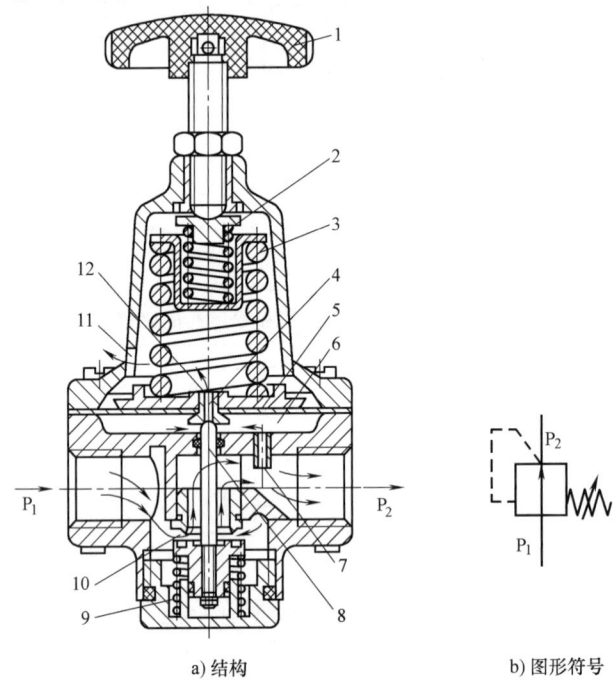

a) 结构　　　　　　b) 图形符号

图 5-8　直动式减压阀

1—调节手轮　2、3—调压弹簧　4—溢流阀座　5—膜片　6—膜片气室　7—阻尼孔　8—阀杆
9—复位弹簧　10—进气阀　11—排气孔　12—溢流孔

直动式减压阀的工作原理:顺时针方向旋转调节手轮 1,经过调压弹簧 2、3 推动膜片 5 下移,膜片 5 又推动阀杆 8 下移,进气阀 10 被打开,管道气流经入口 P_1 进入阀体,经进气阀 10 的阀口节流减压后从出口 P_2 输出,与此同时,部分输出气流经过阻尼孔 7 进入膜片气室 6,在膜片上产生向上的推力,当此推力与弹簧力相平衡时,输出压力便稳定在一定的值。

若输出压力发生波动,如当出口的压力 p_2 瞬时增高时,作用在膜片上向上的作用力增大，膜片上移，向上压缩弹簧，带动溢流阀座 4 上移，部分气流经溢流孔 12 和排气孔 11 排出，在复位弹簧 9 及大气压力的作用下，阀杆 8 带动进气阀 10 上移，使阀门开度减小，输出压力 p_2 降低，直到新的平衡为止。重新平衡后的输出压力又基本上恢复至原值。反之，若输入压力瞬时下降，则输出压力也相应下降，膜片下移，阀门开度增大，节流作用减小，输出压力又基本上回升至原值。旋转调节手轮 1 可以改变调压弹簧 2、3 的预紧力，进而来调节减压阀的输出压力。采用两个弹簧调压的目的是使调节的压力更稳定。

2. 溢流阀

气动溢流阀的功用同液压溢流阀一样，都是通过溢流来保持进口压力稳定的。溢流阀用在气动系统中所起的作用是当气动回路和容器中的压力上升到超过调定值时，自动向外排气，使压力下降，稳定在调定值，从而起到过载保护作用，保证系统能够安全可靠地工作，因此又称其为安全阀。

溢流阀也可分为直动式溢流阀和先导式溢流阀两种，按结构不同可分活塞式溢流阀、膜片式溢流阀和球阀式溢流阀等。直动式溢流阀一般通径较小，先导式溢流阀一般用于通径较大或需要远距离控制的场合。

图 5-9 所示为直动式溢流阀。图中阀的 P 口与系统相连接，O 口通大气，阀在初始工作位置时阀门关闭，当系统气压上升，达到调定值时，气体压力将克服弹簧预紧力，使阀芯上移，开启阀门，压缩空气从 P 口经 O 口排气，将系统压力稳定在调定值；当系统内压力降至调定压力以下时，在弹簧力作用下阀口关闭。通过调节螺杆调节弹簧的预紧力，即可改变阀的开启压力。

3. 顺序阀

顺序阀是依靠气压的大小来控制气动系统中各元件动作的先后顺序的压力控制阀，常用来控制气缸的顺序动作。气动系统中顺序阀常与单向阀并联组成一体使用，称为单向顺序阀。

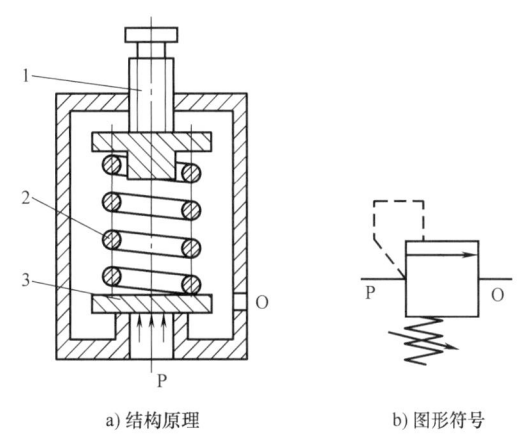

a) 结构原理　　b) 图形符号

图 5-9　直动式溢流阀
1—调节螺杆　2—调压弹簧　3—阀芯

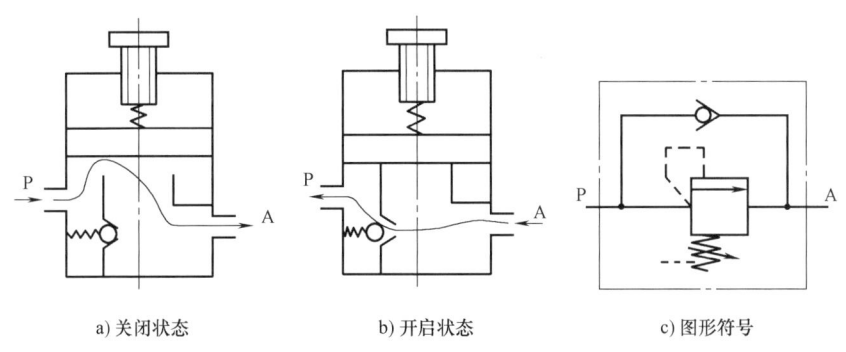

a) 关闭状态　　b) 开启状态　　c) 图形符号

图 5-10　单向顺序阀

图 5-10 所示为单向顺序阀。图 5-10a 所示为气体正向流动时,进口 P 的气压力作用在活塞上,若气压作用力小于弹簧预紧力时,阀处于关闭状态;当它超过压缩弹簧的预紧力时,活塞被顶开,压缩空气经过进口 P 到出口 A 流出,进入后面的气动回路,此时单向阀在压差力和弹簧力作用下处于关闭状态。图 5-10b 所示为气体反向流动时,进口 P 变成出口,A 口压力将顶开单向阀,使 A 口和 P 口接通。顺序阀的开启压力可通过旋动阀上端的调节螺杆来改变。图 5-10c 所示为单向顺序阀的图形符号。

任务实施

溢流阀的拆装与维护

1. 任务组织

以小组为单位,小组规模一般为 3~5 人,每小组选举 1 名小组长协调小组的各项工作,教师提出必要的指导和建议,任务完成后以小组为单位组织学生进行汇报、讨论和交流,并针对共性问题在课堂上组织讨论和专门讲解。

2. 任务内容

1)准备。每组准备一套工具:手钳一个、十字槽螺钉旋具一把、一字槽螺钉旋具一把、卡簧钳一个、内六角扳手一套、瓷盆一个、煤油 1L。

2)以小组为单位,参考图 5-11 所示的直动式溢流阀结构和图 5-12 所示的先导式溢流阀结构分析溢流阀的结构。

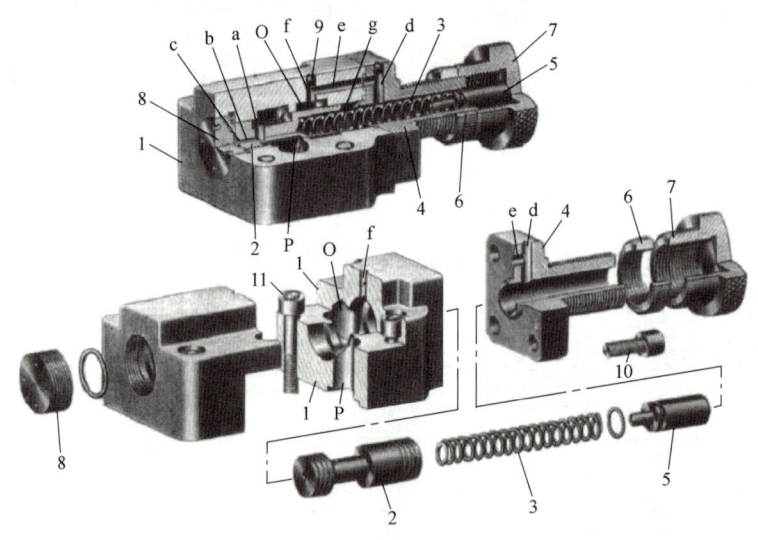

图 5-11 直动式溢流阀结构
1—阀体 2—阀芯 3—调压弹簧 4—阀座 5—顶杆 6—阀套
7—调节螺母 8、9—丝堵 10—螺母 11—螺杆

3)领取待拆装的溢流阀、拆装工具,完成准备工作。

3. 拆装过程

(1) 直动式溢流阀的拆装步骤

1）选用合适的内六角扳手将四个六角螺母 10 分别拧下，使阀体 1 与阀座 4 分离。

2）从阀体 1 中取出调压弹簧 3，用卡簧钳将丝堵拧出，取出阀芯 2。

3）将调节螺母 7 从阀座 4 上拧下，再将阀套 6 从阀座上拧下。

4）从调节螺母中取出顶杆 5。

5）所有拆卸件经过煤油清洗后，更换损坏件和易损件（密封环）后按逆向顺序完成组装过程。

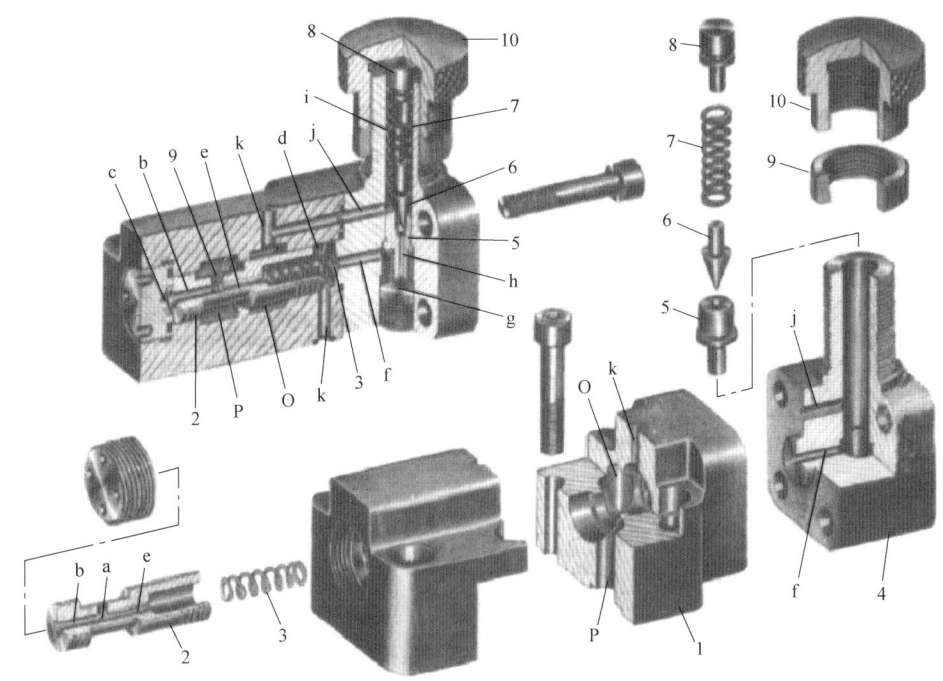

图 5-12 先导式溢流阀结构

1—主阀阀体 2—主阀阀芯 3—主阀阀芯弹簧 4—先导阀阀座 5—阀芯座
6—锥阀阀芯 7—调压弹簧 8—顶杆 9—阀套 10—调节螺母

（2）先导式溢流阀的拆装步骤

1）选用合适的内六角扳手将四个六角螺母分别拧下，使主阀阀体 1 与先导阀阀座 4 分离。

2）从主阀阀体 1 中取出主阀阀芯弹簧 3，用卡簧钳将丝堵拧出，取出主阀阀芯 2。

3）将调节螺母 10 从先导阀阀座 4 上拧下，再将阀套 9 从阀座上拧下。

4）从先导阀阀座 4 中依次取出调压弹簧 7、锥阀阀芯 6、阀芯座 5。

5）从调节螺母中取出顶杆 8。

6）所有拆卸件经过煤油清洗后，更换损坏件和易损件（密封环）后按逆向顺序完成组装过程。

4. 检测零件

对拆卸开的零件进行检测，查看其外观质量，有无划痕、损伤、油孔堵塞或密封装置老化。填写零件检测情况登记表，见表 5-2。

表 5-2　零件检测情况登记表

序号	零件名称	拆卸工具及检测方法		零件数量	零件是否完好	
		工具	检测		完好	受损
1						
2						
3						
4						
⋮						

5. 拆装注意事项

1）阀芯只能用手推进推出，不能用工具将阀芯推进推出。

2）主阀阀芯在阀体内应移动灵活，不得有阻滞现象，配合间隙一般为 0.015~0.025mm。

3）主阀阀芯、先导阀阀芯与它们的阀座应密合良好，不得有泄漏（可用汽油或煤油检查）。

4）所有拆卸件经过煤油清洗后，更换损坏件和易损件（密封环）后按逆向顺序完成组装过程。

任务评价

教师在巡视中观察学生的表现，根据学生在小组内承担的任务及小组整体的完成情况给每个同学评定成绩。

溢流阀的拆装与维护考核表，见表 5-3。

表 5-3　溢流阀的拆装与维护考核表

考核项目	考核内容	分　数	得　分
工作态度	按时完成任务	5 分	
	学习主动性强	10 分	
任务内容	工具选取恰当、使用正确	15 分	
	拆卸方案合理、零件摆放整齐	15 分	
	零件检测方法合理、准确	15 分	
	表 5-2 的填写情况	20 分	
团队合作精神	团队分工科学、凝聚力强	5 分	
	团队成员间有良好的协作精神	5 分	
团队成员间互评	认为该同学较好地完成了本职任务,对团队帮助很大	10 分	
	总分	100 分	

任务二　常用压力控制回路的设计

任务分析

通过学习调压回路、减压回路、增压回路、保压回路、卸荷回路和平衡回路等基本回路的工作原理，掌握液压与气压基本回路的构建方法及用途。

> 知识链接

一、液压压力控制回路

压力控制回路是利用压力控制阀来控制系统整体或局部油路的压力，以满足液压执行元件对力或转矩要求的回路。这类回路包括调压回路、减压回路、增压回路、保压回路、卸荷回路和平衡回路等多种回路。

1. 调压回路

调压回路的功用是使液压系统整体或部分的压力保持恒定或不超过某个数值，或者使工作机构在运动过程的各个阶段具有不同压力的回路。在定量泵供液的系统中，液压泵的供油压力可以通过溢流阀来调节。在变量泵供液的系统中，用安全阀来限定系统的最高压力，防止系统过载。若系统中需要两种以上的压力，则可采用多级调压回路。调压回路的核心元件是溢流阀。

如图 5-13a 所示，由先导式溢流阀 1 和远程调压阀 5 分别调整工作压力。当二位二通电磁阀 4 处于图示位置时，系统压力由阀 1 调定（此时相当于单级调压）；当阀 4 通电后右位接入时，系统压力由阀 5 调定，实现两种不同的压力控制。注意，阀 5 的调定压力一定要低于阀 1 的调定压力，否则不能实现二级调压。当系统压力由阀 5 调定时，先导式溢流阀 1 的先导阀阀口关闭，当主阀开启时，液压泵的溢流流量经主阀流回油箱。

如图 5-13b 所示，系统的压力由先导式溢流阀 1 和远程调压阀 2、3 分别控制，从而组成了三级调压回路。当两个电磁铁均不通电时，系统压力由阀 1 调定；当 1YA 通电，系统压力由阀 2 调定；当 2YA 通电时，系统压力由阀 3 调定。注意，阀 2 和阀 3 的调定压力要低于阀 1 的调定压力，而阀 2 和阀 3 的调定压力之间没有一定的关系。

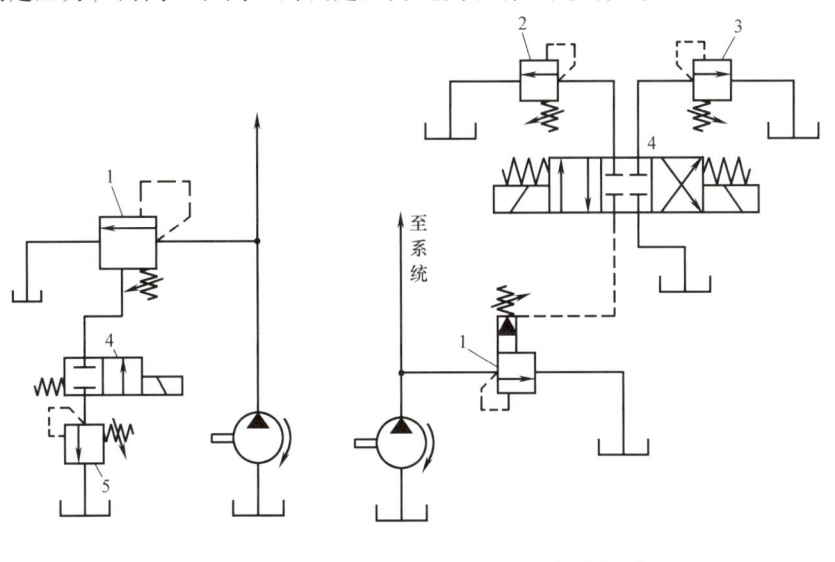

a) 单级、二级调压回路　　　　b) 三级调压回路

图 5-13　调压回路

1—先导式溢流阀　2、3、5—远程调压阀　4—二位二通电磁阀

2. 减压回路

减压回路的功用是使系统中的某一部分油路具有低于主油路的稳定压力。最常见的减压回路采用定值减压阀与主油路相连，如图5-14a所示。回路中的单向阀用于防止油液倒流，起短时保压的作用。

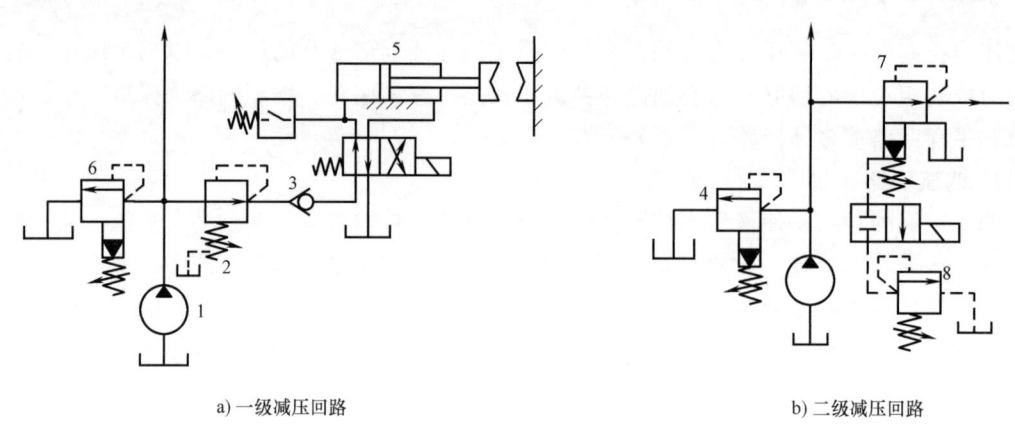

a) 一级减压回路　　　　　　　　　　b) 二级减压回路

图 5-14　减压回路
1—液压泵　2、7—减压阀　3—单向阀　4、6、8—溢流阀　5—液压缸

减压回路中也可以采用类似二级或多级调压的方式获得二级或多级减压。图5-14b所示为利用减压阀7的远程控制口接一溢流阀8，可由阀7、阀8各调得一种低压。但要注意，阀8的调定压力值一定要低于阀7的调定压力值。

为了使减压回路工作可靠，减压阀的最低调定压力应不小于0.5MPa，最高调定压力至少应比系统压力低0.5MPa。当减压回路中的执行元件需要调速时，调速元件应放在减压阀的后面，以避免减压阀泄漏对执行元件的速度发生影响。

3. 增压回路

增压回路可以提高系统中某一支路的工作压力，以满足局部工作机构的需要。利用增压回路，液压系统可以采用压力较低的液压泵来获得较高压力的液压油。采用增压回路可节省能源，而且工作可靠、噪声小。增压回路中实现油液压力增大的主要元件是增压器。

图5-15a所示为使用单作用增压器的增压回路，该回路只能间断增压，故称单作用增压器增压回路，适应于液压缸需要较大单向作用力但行程小、作业时间短的液压系统。在图示位置工作时，系统的供油压力 p_1 进入增压器4的大活塞左腔A，此时在小活塞右腔B即可得到所需的较高压力 p_2，高压油液进入单作用液压缸7上腔后推动活塞下移。当二位四通电磁换向阀3左位接入系统时，增压器返回，辅助油箱5中的油液经单向阀6进入小活塞右腔B，补偿增压器4和单作用液压缸7的泄漏。

图5-15b所示为采用双作用增压器的增压回路，能连续输出高压油，适应于增压行程要求较长的场合。在图示位置时，液压泵输出的压力油经二位四通电磁换向阀12和单向阀8进入增压器左端大、小活塞的左腔，大活塞右腔的回油流入油箱，右端小活塞右腔增压后的高压油经单向阀10输出，此时单向阀9、11被关闭。当增压器活塞移到右端时，二位四通电磁换向阀12通电换向，增压器活塞向左移动，大活塞左腔的回油流入油箱，左端小活塞

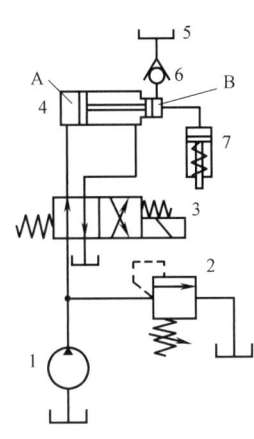
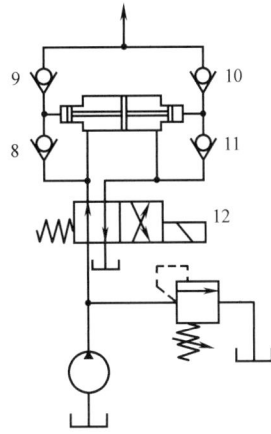

a) 单作用增压器的增压回路　　b) 双作用增压器的增压回路

图 5-15　增压回路

1—液压泵　2—溢流阀　3、12—二位四通电磁换向阀　4—增压器　5—辅助油箱
6、8~11—单向阀　7—单作用液压缸

左腔输出的高压油经单向阀 9 输出。这样，增压器的活塞不断往复运动，两端便交替输出高压油，从而实现了连续增压。

4. 卸荷回路

卸荷回路的功用是在系统执行元件短时间停止工作期间，液压泵不停止转动，使其在很小的输出功率下运转，以减少功率损耗，降低系统发热，延长泵和电动机的寿命。卸荷有流量卸荷和压力卸荷两种方法。流量卸荷用于变量泵。常见的卸荷回路有以下几种。

1）换向阀卸荷回路：M、H 和 K 型中位机能的三位换向阀处于中位时，泵即卸荷。图 5-16 所示为采用 M 型中位机能的电液换向阀卸荷回路。这种回路切换时压力冲击小，但回路中必须设置单向阀，以使系统能保持 0.3MPa 左右的压力，供控制油路用。

2）先导式溢流阀卸荷回路：如图 5-17 所示，使先导式溢流阀的远程控制口通过二位二通电磁阀直接与油箱相连，便构成一种用先导式溢流阀的卸荷回路，这种卸荷回路切换时冲击小。

3）采用二位二通电磁换向阀的卸荷回路：图 5-18 所示为采用二位二通电磁换向阀的卸荷回路，主换向阀 1 为中位机能是 O 型的三位四通电磁换向阀，利用与液压泵和溢流阀 3 同时并联的二位二通电磁换向阀 2 的通与断，实现系统的卸荷与保压功能。当二位二通电磁换向阀 2 的电磁铁得电时，阀口接通，泵出的油直接通过二位二通电磁换向阀流进油箱，实现卸荷；当二位二通电磁换向阀的电磁铁失电时，阀口断开，泵的出口压力由溢流阀调节，泵不卸荷。

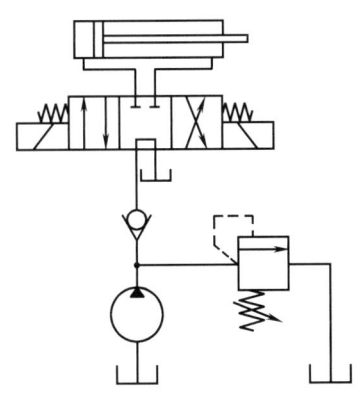

图 5-16　电液换向阀卸荷回路

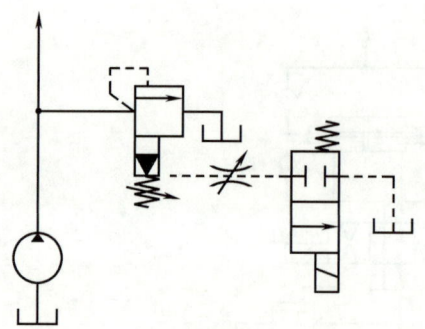

图 5-17 先导式溢流阀卸荷回路

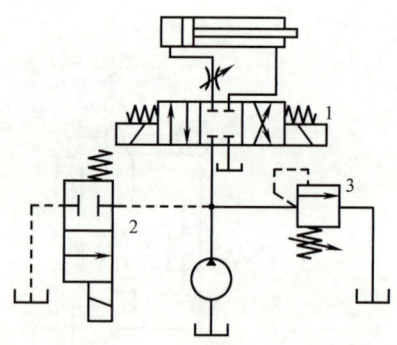

图 5-18 采用二位二通电磁换向阀的卸荷回路
1—主换向阀　2—二位二通电磁换向阀　3—溢流阀

5. 保压回路

保压回路就是在执行元件停止工作或仅有工件变形所产生的微小位移的情况下使系统压力基本上保持不变的回路。保压性能的主要指标为保压时间和压力稳定性。常用的保压回路有以下几种。

1) 利用蓄能器的保压回路：如图 5-19a 所示，当三位四通电磁换向阀 5 左位接入工作时，液压缸 6 活塞向右运动，到达工作位置后，进油路压力升高至调定值，压力继电器 3 发出信号使二位二通电磁换向阀 7 通电，液压泵 1 即卸荷，单向阀 2 自动关闭，液压缸则由蓄能器 4 保压。液压缸中压力不足时，压力继电器复位使液压泵重新工作。保压时间的长短取决于蓄能器的容量和压力继电器的通断调节区间，而压力继电器的通断调节区间决定了液压缸中压力的最高值和最低值。图 5-19b 所示为多个执行元件系统中的保压回路，支路需保压。液压泵 1 通过单向阀 2 向支路输油，当支路压力升高到压力继电器 3 的调定值时，单向阀关闭，支路由蓄能器 4 保压并补偿泄漏，与此同时，压力继电器发出信号，控制换向阀，

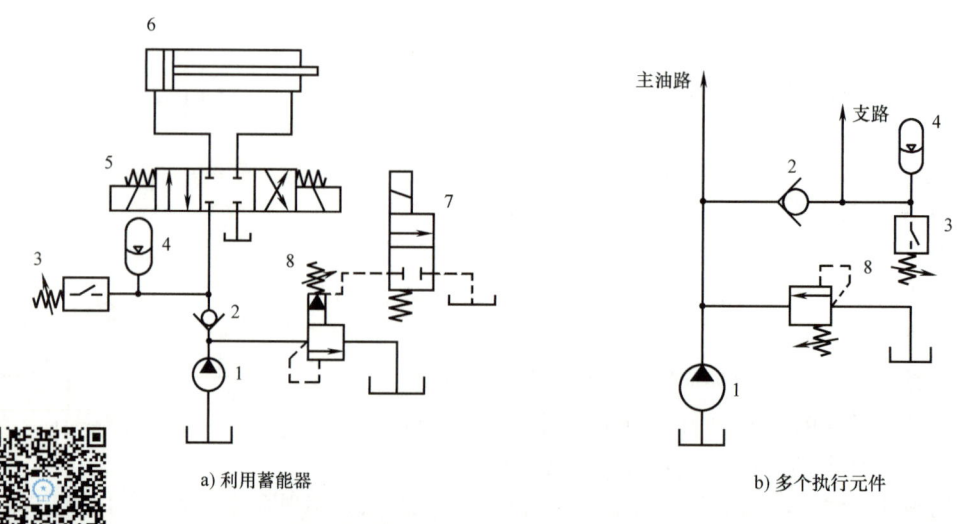

a) 利用蓄能器　　　　　　　　b) 多个执行元件

图 5-19 利用蓄能器的保压回路
1—液压泵　2—单向阀　3—压力继电器　4—蓄能器　5—三位四通电磁换向阀
6—液压缸　7—二位二通电磁换向阀　8—溢流阀

蓄能器保压回路工作原理

使泵向主油路输油，另一个执行元件开始动作。

2）利用液控单向阀的保压回路：图 5-20 所示为采用液控单向阀和电接点压力表的自动补油保压回路。当 1YA 通电，换向阀右位接入回路，液压缸上腔压力上升至电接点压力表的上限值时，压力表触点通电，使电磁铁 1YA 断电，换向阀处于中位，液压泵卸荷，液压缸由液控单向阀保压。当液压缸上腔压力下降到电接点压力表调定下限值时，压力表又发出信号，使 1YA 通电，液压泵再次向系统供油，使压力上升。因此，这一回路能自动地补充压力油液，使液压缸的压力能长期保持在所需范围内。

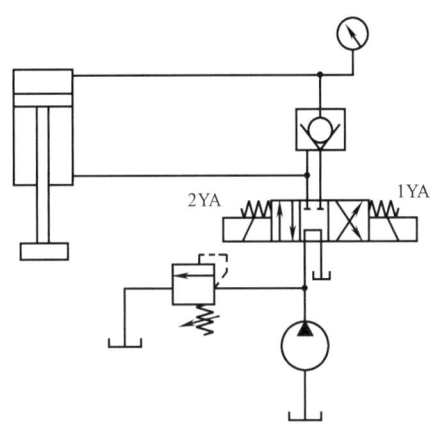

图 5-20 自动补油保压回路

6. 平衡回路

平衡回路的功用是负载在下降工况时，在液压缸或液压马达的回路上设置能产生一定背压的元件，以阻止负载因自重而自行下落，并起限速作用。

图 5-21a 所示为采用单向顺序阀（也称内控式平衡阀）的平衡回路。单向顺序阀的调定压力应稍大于由工作部件自重而在液压缸下腔形成的压力。液压缸不工作时，单向顺序阀关闭，而工作部件不会自行下行。当 1YA 通电后，液压缸上腔通压力油，当下腔背压大于顺序阀的调定压力时，顺序阀开启。由于自重得到平衡，活塞可以平稳地下落，不会产生超速现象。当 2YA 通电后，活塞上行。当活塞下行时，这种回路的功率损失大。活塞停止时，由于单向顺序阀的泄漏而使运动部件缓慢下降，因此它适用于工作部件自重不大、活塞锁住时定位要求不高的场合。

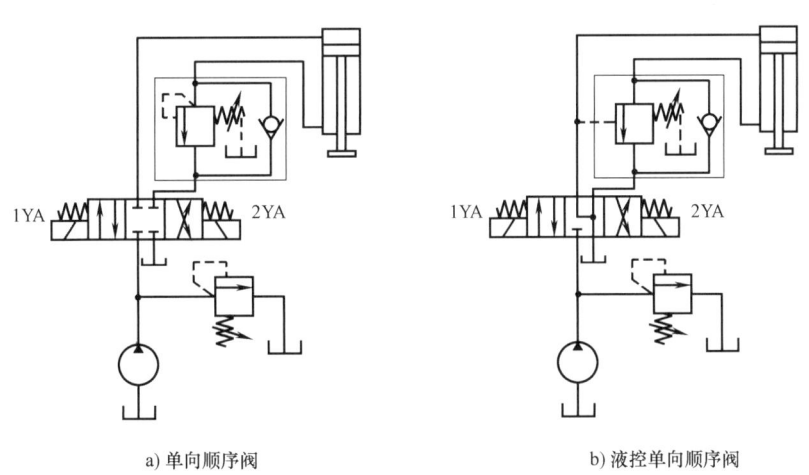

a) 单向顺序阀　　　　　　b) 液控单向顺序阀

图 5-21 采用顺序阀的平衡回路

图 5-21b 所示为采用液控单向顺序阀（也称外控式平衡阀）的平衡回路。当换向阀处于中位时，液控顺序阀关闭，使工作部件停止运动并能防止因自重而下落。当 2YA 通电后，活塞向上运动。当 1YA 通电后，液压油进入液压缸上腔，并进入液控顺序阀的控制口，打

开顺序阀，液压缸下腔回油，背压消失，活塞下行。因此，这种回路效率高，安全可靠，但在活塞下行时，由于自重作用致使运动部件下降过快时，使液压缸上腔的油压随之降低，液控顺序阀的开口关小，阻力增大，从而阻止活塞迅速下降。当液控顺序阀关小时，使液压缸下腔的背压上升，上腔油压也上升，又使液控顺序阀的开口开大。因此，液控顺序阀的开口处于不稳定状态，系统平稳性较差（严重时会出现断续运动的现象）。由上述可知，这种回路适用于运动部件的自重有变化，但自重不太大、停留时间较短的液压系统中。起重机中就是采用这种回路。为了提高系统的平稳性，可在控制油路上装一个节流阀，使液控顺序阀的启闭动作减慢，也可在液压缸和液控顺序阀之间加一单向节流阀。

二、气动压力控制回路

在气动系统中，压力控制回路的功用是使系统或某些回路中的压力保持在一定范围内，以提高气动系统工作的安全性，给气动装置提供稳定的工作压力，常用的有一次压力控制回路、二次压力控制回路、高低压转换回路和增压回路等。

1. 一次压力控制回路

图 5-22 所示为一次压力控制回路。此回路主要用于把空气压缩机的输出压力控制在一定压力范围内，既不超过调定的最高压力值，也不低于调定的最低压力值，防止因系统中压力过高，增加压缩空气输送过程中的压力损失和泄漏，以及使管道或元件破裂而发生危险。

如图 5-22 所示，压缩空气由空气压缩机 1 输出，经单向阀 2 向储气罐 4 内送气，当罐内压力上升到调定值时，溢流阀 5 打开，空气压缩机输出的压缩空气经溢流阀排入大气；当压力下降到调定值以下时，溢流阀关闭，空气压缩机向储气罐供气，使储气罐电触点压力始终保持在规定范围内。当压力表 3 为电触点压力表时，则可根据罐内压力直接控制电动机的停止或运转，此时回路中的溢流阀 5 作为安全阀用，仅当电触点压力表或电路发生故障而失灵后，才打开溢流阀，使压力稳定在安全范围内。

采用溢流阀控制，结构简单，工作可靠，但压缩空气的气量浪费大；采用电触点压力表控制，耗能小，效率高，但对电动机及控制要求较高，一般用于给小型空气压缩机供气。

2. 二次压力控制回路

二次压力控制回路的主要作用是对气动装置的气源入口处压力进行调节，为后续的气动装置提供稳定的工作压力，如图 5-23 所示。二次压力控制回路一般由空气过滤器 1、减压阀

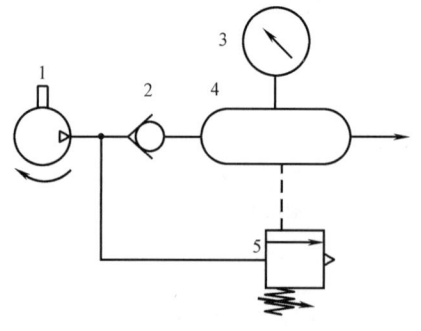

图 5-22 一次压力控制回路
1—空气压缩机 2—单向阀 3—压力表
4—储气罐 5—溢流阀

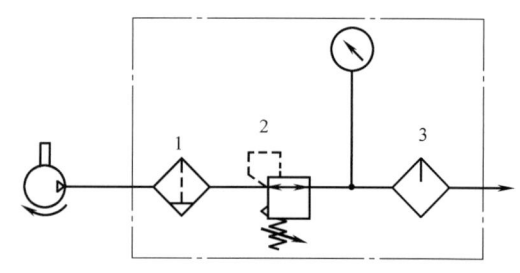

图 5-23 二次压力控制回路
1—空气过滤器 2—减压阀 3—油雾器

2和油雾器3组成，通常称为气源处理装置，是气动系统的重要组件。其中，空气过滤器除去压缩空气中的灰尘、水分等杂质，减压阀调节压力并使其稳定，油雾器使清洁的润滑油雾化后注入空气流中，对需要润滑的气动部件进行润滑。

3. 高低压转换回路

高低压转换回路主要用于某些气动设备时而需要高压、时而需要低压的气动系统中，如图 5-24 所示。该回路用两个减压阀 2 和 3 调出两种不同的压力 p_1 和 p_2，再利用二位三通换向阀 4 实现高低压转换。

4. 增压回路

增压回路的作用是当压缩空气的压力较低时，使系统某一部分或某个执行元件得到所需的较高压力。增压回路的核心元件是增压器，常用由气液增压器组成的增压回路。气液增压器的高压侧用液压油，以实现从低压空气到高压油的转换。

图 5-25 所示为采用气液增压器的增压回路。电磁换向阀 1 电磁铁通电时，压缩空气进入气液增压器 3 左腔，在增压器右腔输出高压油，进入气液缸 4 左侧推动活塞动作。单向节流阀 2 用来调节输出运动速度。换向阀右位工作时实现气液缸及气液增压器的快速返回。

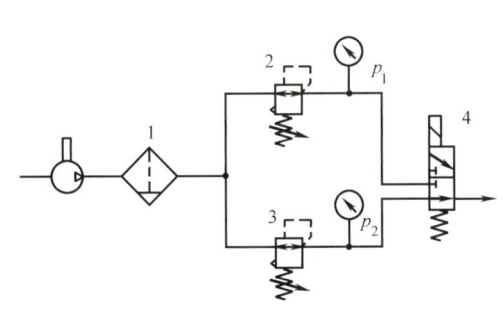

图 5-24 高低压转换回路
1—空气过滤器 2、3—减压阀 4—二位三通换向阀

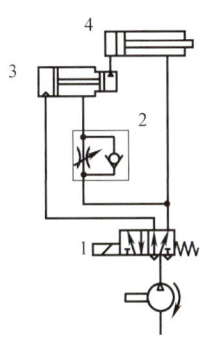

图 5-25 增压回路
1—电磁换向阀 2—单向节流阀
3—气液增压器 4—气液缸

任务实施

构建控制回路

1. 任务组织

以小组为单位，小组规模一般为 3~5 人，每小组选举 1 名小组长协调小组的各项工作，教师提出必要的指导和建议，任务完成后以小组为单位组织学生进行汇报、讨论和交流，并针对共性问题在课堂上组织讨论和专门讲解。

2. 任务内容

（1）准备工作 液压缸两个、单向顺序阀一个、二位四通换向阀一个、压力表一个、油管若干、液压实训台、装有 FluidSIM 仿真软件的计算机。

（2）任务要求 某机床的工作台上装有一套夹具，该夹具的定位和夹紧由两个液压缸实现，要求工作时先进行工件的定位再进行工件的夹紧，加工结束后，夹紧和定位同时解除。

选用单向顺序阀实现夹具的先定位后夹紧的顺序控制。机床夹具液压回路如图 5-26 所示。

1）分析液压回路，理解液压回路的工作原理；
2）利用 FluidSIM 仿真软件构建回路，并进行仿真；
3）选择合适的液压元件；
4）根据回路图，将液压元件合理地布置安装在液压实训台上，用油管连接各个液压元件构建液压回路。
5）检查回路搭建是否正确，组内检查无误后请教师检查确认。
6）开启实训台的液压泵，使执行元件完成规定动作。
7）拆卸液压系统，整理液压元件和油管等。

任务评价

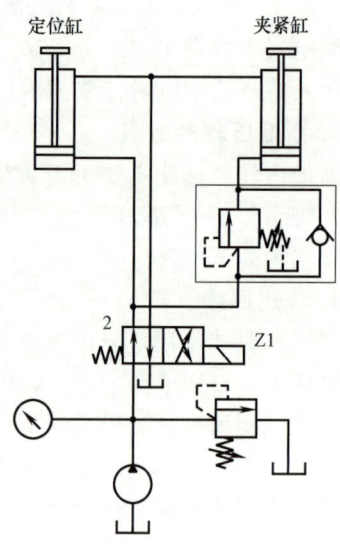

图 5-26 机床夹具液压回路

教师在巡视中观察学生的表现，根据学生在小组内承担的任务及小组整体的完成情况给每个同学评定成绩。

构建控制回路考核表见表 5-4。

表 5-4 构建控制回路考核表

考 核 项 目	考 核 内 容	分 数	得 分
工作态度	按时完成任务	5 分	
	知识掌握牢靠、学习主动性强	10 分	
任务内容	FluidSIM 仿真软件使用正确	25 分	
	液压元件选择正确、布局合理	20 分	
	液压回路功能实现	20 分	
团队合作精神	团队分工科学、凝聚力强	5 分	
	团队成员间有良好的协作精神	5 分	
团队成员间互评	认为该同学较好地完成了本任务,对团队帮助很大	10 分	
总分		100 分	

课后练习

一、填空题

1. 压力控制阀主要是通过_____和_____平衡原理来工作的。
2. 压力控制阀按用途分为_____、_____、_____和_____四类。
3. 溢流阀在液压系统中可作为_____、_____、_____和_____使用。

4. 先导式溢流阀有一个_____控制口，可实现远程_____或_____（与油箱相通）。

5. 顺序阀的作用是利用油路中_____的变化控制阀口启闭来控制液压系统中各执行元件动作的_____。依控制压力的不同，顺序阀可分为_____和_____两种。

6. 卸荷回路的功用是_____，液压泵的驱动电动机不频繁启闭，且使液压泵在接近零压的情况下运转，以减少_____和_____，延长泵和电动机的使用寿命。

7. 二次压力控制回路的主要作用是对气动装置的_____进行调节，为后面的气动装置提供稳定的_____。

二、思考题

1. 溢流阀在液压系统中起什么作用？它通常安装在系统的什么位置？
2. 比较溢流阀、减压阀和顺序阀的异同之处。
3. 现有两个压力阀，由于铭牌脱落，分不清哪个是溢流阀，哪个是减压阀，又不希望把阀拆开，如何根据其特点做出正确判断？

三、分析题

1. 如图 5-27 所示，一先导式溢流阀遥控口和二位二通电磁阀之间的管路上接一压力表，试确定在不同工况时，压力表所指示的压力值：

（1）二位二通电磁阀断电，溢流阀无溢流。
（2）二位二通电磁阀断电，溢流阀有溢流。
（3）二位二通电磁阀通电。

2. 如图 5-28 所示，若溢流阀和减压阀的调定压力分别为 5.0MPa 和 2.0MPa，试分析活塞在运动期间和碰到固定挡铁后，溢流阀进油口 A 处、减压阀出油口 B 处的压力各为多少？（主油路关闭不通，活塞在运动期间液压缸负载为零，不考虑能量损失）

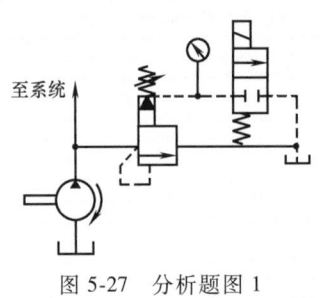

图 5-27 分析题图 1

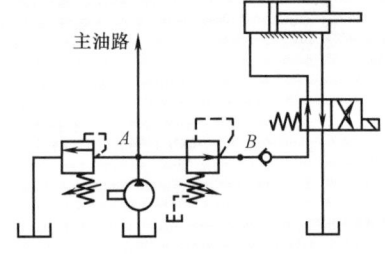

图 5-28 分析题图 2

项目六　调速回路的设计与构建

项目分析

液压与气动系统在使用过程中，通过回路的设计来调节运动速度，从而完成回路对速度的控制功能。本项目通过流量控制阀的选择，基本调速回路的设计、分析与仿真来了解各种调速回路的原理和功能。本项目具体分为三个工作任务和一个实训任务，即"流量控制阀的结构与维护""常用速度控制回路的设计""液压与气动回路的电气控制线路设计"，以达到掌握调速回路的设计与构建的目的。

项目目标

知识与技能目标：
1. 熟悉调速阀的性能、图形符号和应用。
2. 掌握液压与气动速度控制回路的构建。
3. 会拆装、更换节流阀和调速阀。
4. 会在教师的指导下构建液压与气动速度控制回路。

素质目标：
1. 培养严谨规范、遵章守规的职业素养。
2. 培养创新意识及创新能力。
3. 训练资源检索及筛选能力。

任务一　流量控制阀的结构与维护

任务分析

基本上使用液压系统或气动系统的机械装置都使用速度控制回路。图6-1所示为伸缩臂式自行走高空作业车（以下简称高空作业车）是近年来发展起来的一种高空作业设备，广泛应用于船厂、机场、市政等高空作业领域。

典型的伸缩臂式自行走高空作业车的液压系统多为多泵系统，上车臂架伸缩、变幅与平台回转、车轮转向、车桥扩张由一个齿轮泵负责，下车行走由一个泵负责，工作篮动作由一个泵负责。该装置的速度控制采用了变量泵和变量马达实现速度的改变，即容积调速回路。

项目六 调速回路的设计与构建

图 6-1 伸缩臂式自行走高空作业车实物图

任务重点

1. 熟悉节流阀的性能、图形符号和应用。
2. 了解气动流量控制阀的性能、图形符号和应用。
3. 能正确辨认节流阀、调速阀的安装方向。
4. 能在教师的指导下正确拆装气动流量控制阀,会更换损坏件。

知识链接

一、各种液压速度控制阀的选用

1. 概述

液压系统中执行元件运动速度的大小由输入执行元件的油液流量的大小来确定。流量控制阀就是通过改变阀口通流面积(节流口局部阻力)的大小或通流通道的长短来控制流量的液压阀。常用的流量控制阀有节流阀、调速阀、溢流节流阀和分流集流阀,其中调速阀、溢流节流阀和分流集流阀也可归为流量调节阀。

2. 节流阀

(1) 节流阀的工作原理与结构 图 6-2 所示为一种普通节流阀。这种节流阀的孔口形状为轴向三角槽式。油液从进油口 P_1 进入,经阀芯上的三角槽节流口从出油口 P_2 流出。转动调节螺母 1 可通过推杆 2 推动阀芯 3 做轴向移动,可通过改变节流口的过流面积来调节流量。

这种节流阀的结构简单、体积小,但负载和温度的变化对流量的稳定性影响较大,因此只适用于负载和温度变化不大或速度稳定性要求不高的液压系统中。

(2) 节流阀的流量特性和影响稳定的因素 节流阀的输出流量与节流口的结构形式有

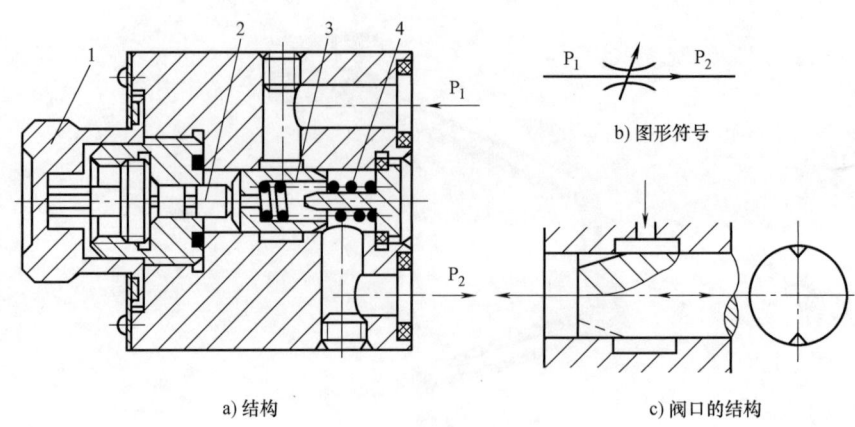

图 6-2 普通节流阀
1—调节螺母 2—推杆 3—阀芯 4—弹簧

关,实用的节流口都介于理想薄壁小孔和细长孔之间,故其流量特性可用小孔流量计算通用公式 $q=KA_T\Delta p^m$ 来描述,其特性曲线如图 6-3 所示。

在工作中最好是节流阀阀口面积 A_T 一经调定,通过流量 q 即不变化,以使执行元件速度稳定,但实际上做不到,其主要原因如下:

1) 负载变化的影响。液压系统负载常常为非定值,负载变化后,执行元件工作压力随之变化,与执行元件相连的节流阀前后压差 Δp 即发生变化,流量也就随之变化。薄壁小孔 m 值最小,故负载变化对薄壁小孔流量的影响也最小。

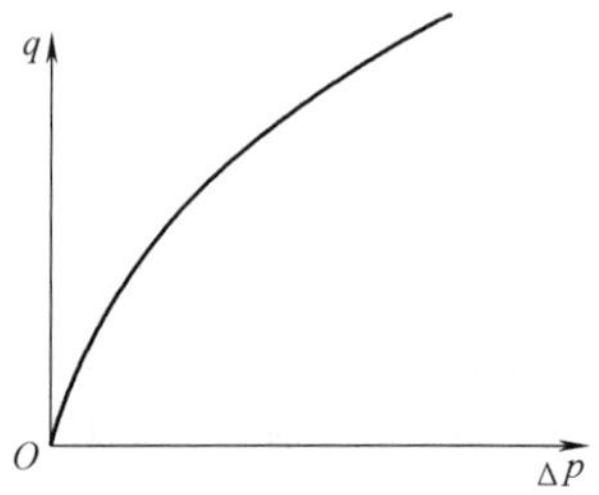

2) 温度变化的影响。油温变化引起油的黏度变化,小孔流量计算通用公式中的系数 K 值就发生变化,从而使流量发生变化。显然,节流孔越长,则影响越大;薄壁小孔长度短,对温度变化最不敏感。

图 6-3 节流阀的特性曲线

(3) 节流阀的阻塞和最小稳定流量 试验表明,在压差、油温和黏度等因素不变的情况下,当节流阀开度很小时,流量会出现不稳定现象,甚至断流,这种现象称为阻塞。产生阻塞的主要原因:节流口处高速液流产生局部高温,致使油液氧化生成胶质沉淀,这些生成物和油中原有杂质结合,在节流口表面逐步形成附着层,它不断堆积又不断被高速液流冲掉,流量就不断地发生波动,当附着层堵死节流口时则出现断流。

阻塞造成系统执行元件速度不均,因此节流阀有一个能正常工作(指无断流且流量变化率不大于 10%)的最小流量限制值,称为节流阀的最小稳定流量。轴向三角槽式节流口的最小稳定流量为 30~50mL/min,薄壁小孔则可低至 10~15mL/min(因流道短和水力直径大,减少了污染物附着的可能性)。

在实际应用中,防止节流阀阻塞的措施如下:

1) 油液要精密过滤。实践证明,5~10μm 的过滤精度能显著改善阻塞现象。为除去铁质污染,采用带磁性的过滤器效果更好。

2) 节流阀两端压差要适当。压差大,节流口能量损失大,温度高;对同等流量,压差大对应的过流面积小,易引起阻塞。设计时一般取压差 $\Delta p=0.2$~0.3MPa。

综上所述,为保证流量稳定,节流口的形式以薄壁小孔较为理想。

3. 调速阀

(1) 调速阀的工作原理和结构　调速阀是由定差减压阀与节流阀串联而成的组合阀。节流阀用来调节通过的流量,定差减压阀则自动补偿负载变化的影响,使节流阀前后的压差为定值,消除了负载变化对流量的影响。

调速阀的工作原理如图 6-4a 所示,其中 1 为定差减压阀,2 为节流阀。调速阀的进油口压力 p_1 由溢流阀调定,工作时基本保持恒定,压力为 p_1 的液压油进入调速阀后,先经减压阀的阀口(开度为 h)后压力降至 p_2,然后经节流阀流出,其压力为 p_3。进入节流阀前的压力为 p_2 的液压油,经通道 e 和 f 被引入定差减压阀的 b 腔和 c 腔;而经过节流阀后的压力为 p_3 的液压油,经通道 g 被引入 a 腔。

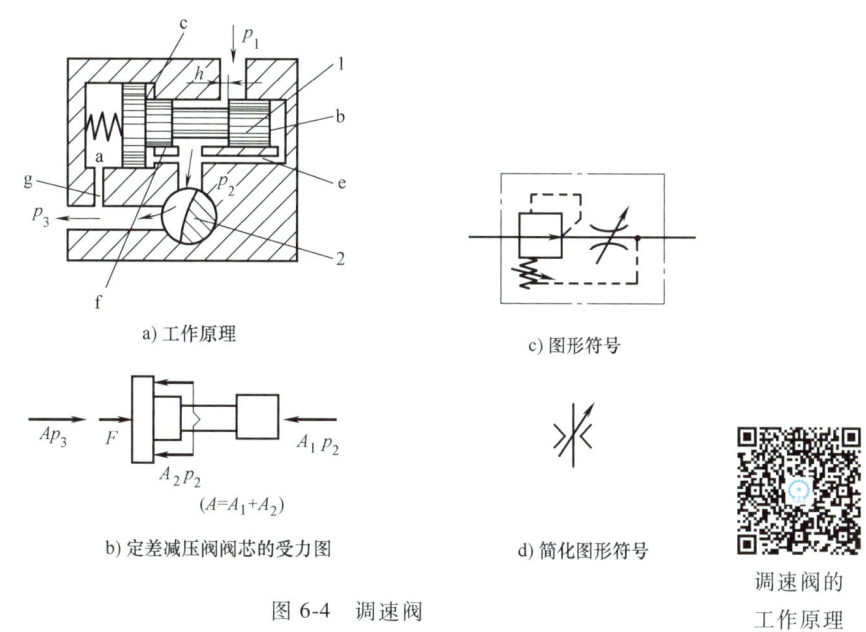

图 6-4　调速阀
1—定差减压阀　2—节流阀

如图 6-4b 所示,当定差减压阀减压处于稳定工作时,若不计阀芯摩擦力,作用于减压阀阀芯上的力平衡方程为

$$p_3 A + F = p_2 A_1 + p_2 A_2 \tag{6-1}$$

或

$$p_2 A - p_3 A = F$$

则

$$p_2 - p_3 = \Delta p = \frac{F}{A} \tag{6-2}$$

式中　p_2——节流阀进口压力(Pa);
　　　p_3——节流阀出口压力(Pa);
　　　Δp——节流阀节流口前、后两端压差(Pa);
　　　F——定差减压阀 a 腔内弹簧的压紧力(N);

A_1、A_2——定差减压阀的 b 腔和 c 腔内液压油作用于减压阀阀芯的有效面积（m^2）；

A——定差减压阀的 a 腔内液压油作用于减压阀阀芯的有效面积（m^2），且 $A_1+A_2=A$。

因弹簧刚度较低，且工作过程中减压阀阀芯位移较小，可以认为弹簧力 F 基本保持不变，故节流阀两端压差 $\Delta p=p_2-p_3$ 也基本保持不变，从而保证了通过节流阀的流量稳定。若调速阀的进、出口压力由于某种原因发生变化，由于定差减压阀的自动调节作用，仍能使节流阀两端压差 $\Delta p=p_2-p_3$ 保持不变，其自动调节过程如下所述。

若调速阀出口处油压 p_3 由于负载变化而增加，则作用在阀芯左端的力也随之增加，阀芯失去平衡而右移，于是阀口开度 h 增大，液阻减小（即减压阀的减压作用减小），使 p_2 也随之增加，直到阀芯在新的位置上达到平衡为止。因此，当 p_3 增加时，p_2 也增加，其差值 $\Delta p=p_2-p_3$ 基本保持不变。当 p_3 减小时，情况也一样。同理，当调速阀进口压力 p_1 增加时，定差减压阀阀芯因失去平衡而左移，使阀口开度 h 减小，液阻增加，又使 p_2 减小，故 $\Delta p=p_2-p_3$ 仍保持不变。由于定差减压阀自动调节液阻，使节流阀前后的压差保持不变，从而保持了流量的稳定。

（2）调速阀的工作性能　调速阀与节流阀的性能比较如图 6-5 所示。由图 6-5 可看出，节流阀的流量随压差变化较大，而调速阀在压差大到一定值后，减压阀处于工作状态，流量基本保持恒定。当压差很小时，由于减压阀芯被弹簧推至最下端，减压阀口开度 h 为最大值，不起减压作用，此时调速阀的性能和节流阀相同，所以要使调速阀正常工作就必须保证调速阀有一个最小压差 Δp_{min}（中低压调速阀为 0.5MPa，高压调速阀为 1MPa）。

二、各种气动速度控制阀的选用

在气动系统中，经常要求控制气动执行元件的运动速度，这就要靠调节压缩空气的流量来实现。流量控制阀就是通过改变阀的通流面积来实现流量控制的元件，它包括节流阀、单向节流阀、排气节流阀和柔性节流阀等。应用气动流量控制阀对气动执行元件进行调速，比用液压流量控制阀调速要困难，因为气体有可压缩性。

1. 节流阀

节流阀原理很简单，它通过改变阀的通流面积来调节流量。节流口的形式有多种，常用的有针阀型、三角沟槽型和圆柱斜切型等。图 6-6 所示为针阀型阀口结构的节流阀，两个方向都能作为进气口或出气口。

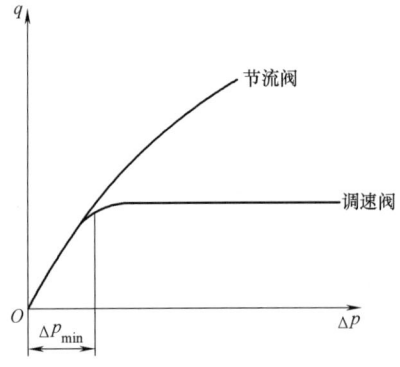

图 6-5　调速阀与节流阀的性能比较

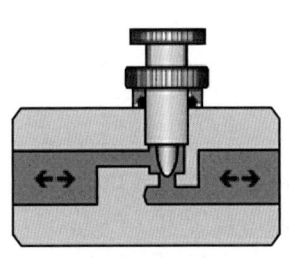

图 6-6　针阀型阀口结构的节流阀

2. 单向节流阀

单向节流阀是由单向阀和节流阀并联组合而成的组合式控制阀,如图 6-7 所示。

3. 排气节流阀

排气节流阀是通过对气缸排气量的调节来达到控制气缸速度的流量调节阀。排气节流阀安装在系统的排气口处限制气流的流量,它不仅能调节执行元件的运动速度,还因为它常带有消声器件,所以也起降低排气噪声的作用。排气节流阀如图 6-8 所示。节流口的排气经过由消声材料制成的消声套,在节流的同时可减小排气噪声,排出的气体一般直接通入大气。

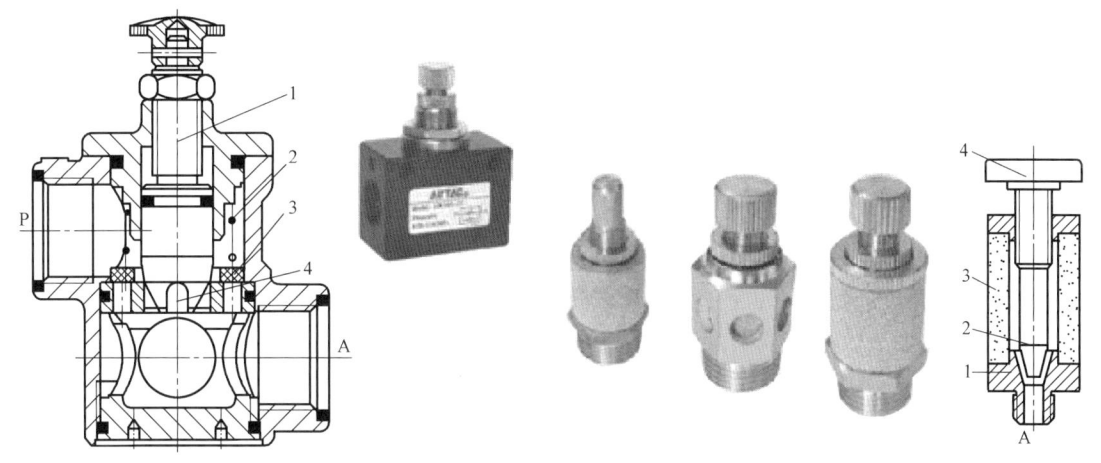

图 6-7 单向节流阀
1—调节杆 2—弹簧 3—单向阀 4—节流口

图 6-8 排气节流阀
1—阀座 2—阀芯 3—消声套 4—旋钮

4. 柔性节流阀

柔性节流阀如图 6-9 所示,依靠阀杆 1 夹紧柔韧的橡胶管 2 产生变形来减小通道的口径实现节流调速作用的,也可以利用气体压力来代替阀杆压缩橡胶管。柔性节流阀结构简单,压降小,动作可靠性好,对污染不敏感,通常工作压力范围为 0.3~0.63MPa。

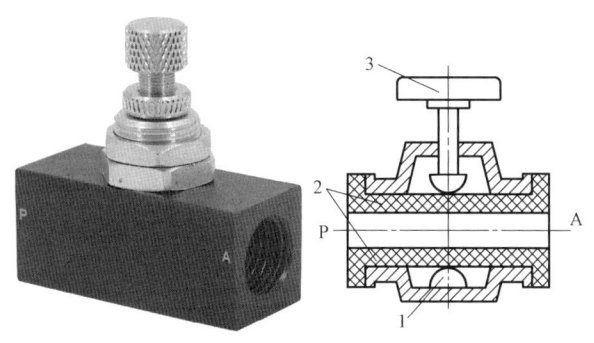

图 6-9 柔性节流阀
1—阀杆 2—橡胶管 3—调节螺母

任务实施

流量控制阀的拆装与维护

1. 任务组织

以小组为单位,小组规模一般为 3~5 人,每小组选举 1 名小组长协调小组的各项工作,教师提出必要的指导和建议,任务完成后以小组为单位组织学生进行汇报、讨论和交流,并针对共性问题在课堂上组织讨论和专门讲解。

2. 任务内容

流量控制阀是通过改变阀口通流面积来调节阀口流量,从而控制执行元件运动速度的液压控制阀。常用的流量阀有节流阀和调速阀两种。本任务对节流阀、调速阀进行拆装。

3. 任务目的

按规范拆装节流阀和调速阀,通过对节流阀和调速阀的拆装,掌握流量控制阀的拆装方法及步骤,熟悉流量控制阀的组成结构,能够正确说出各主要零件的名称,同时培养学生的团队合作意识。

4. 操作过程

步骤一:松开节流阀部分手轮与推杆的定位螺栓,取下手轮。

步骤二:松开节流阀阀芯左端的定位杆,取出定位杆及密封圈等。

步骤三:从阀体中取出节流阀弹簧及节流阀阀芯。

步骤四:松开定差减压阀阀芯左端的定位螺钉,依次取出弹簧及定差减压阀阀芯。(调速阀)阀芯取出后,观察节流阀阀芯与减压阀阀芯的结构。

步骤五:指出节流阀、调速阀各主要零件的名称(标注在图 6-10 中数字序号旁边)。

步骤六:比较节流阀、调速阀结构和原理的异同。

步骤七:按拆卸的相反顺序装配节流阀、调速阀,即后拆的零件先装配,先拆的零件后装配。装配时,如有零件弄脏,应该用煤油清洗干净后方可装配。装配阀芯时,可在其台肩上涂抹液压油,以防止阀芯卡住。装配时严禁遗漏零件。

步骤八:将节流阀、调速阀外表面擦拭干净,整理工作台。

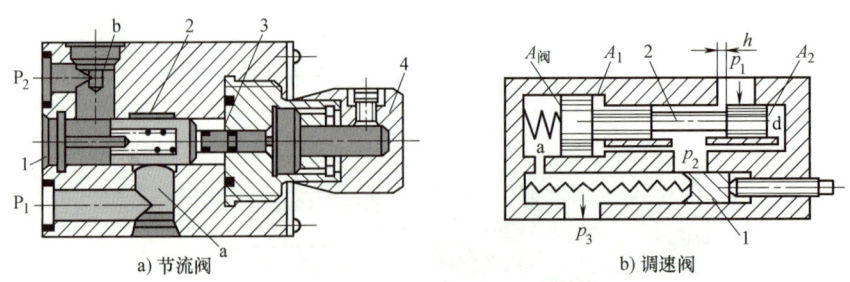

图 6-10 节流阀和调速阀的结构

5. 拆装注意事项

1)在拆装阀时,拆装工具不要碰坏阀芯部分。

2）如果阀芯稍卡，可用铜棒轻轻敲击出来，禁止猛力敲打，以免损坏阀芯台肩。

3）所有拆卸件经过煤油清洗后，更换损坏件和易损件（密封环）后按逆向顺序完成组装过程。

4）装配阀芯时，可在其台肩上涂抹液压油，以防止阀芯卡住。

5）在节流阀、调速阀的安装过程中，一定注意进、出油口的连接。

知识拓展

工作实践常见问题解析

问题1 液压流量控制阀故障如何排除？

解答 液压流量控制阀的常见故障、产生原因及排除方法见表6-1。

表6-1 液压流量控制阀的常见故障、产生原因及排除方法

故障	产生原因	排除方法
压力补正装置不动作	1. 阀芯中附有灰尘 2. 套筒内的小孔附有灰尘 3. 液压油进、出口的压力小	1. 分解清洗 2. 分解清洗 3. 最低10MPa
流量调整轴回转时太紧	1. 调整轴上附有灰尘 2. 二次压力高时 3. 起流点过低，一次压力过高	1. 分解清扫 2. 降低压力后调整 3. 降低压力后调整

问题2 气动流量控制阀的维护注意事项有哪些？

解答 用流量控制阀控制气缸的速度比较平稳，但气压控制比液压控制困难，这是由于空气具有可压缩性，一般气缸的运动速度不得低于30mm/s。在气缸的速度控制中，若能充分注意以下各点，则在多数场合可以达到比较满意的效果。

1）彻底防止管路中的气体泄漏，包括各元件连接处的泄漏。

2）要注意减小气缸运动的摩擦阻力，以保持气缸运动的平衡。为此需注意气缸缸筒的加工质量，使用中要保持良好的润滑状态。要注意正确、合理地安装气缸。超长行程的气缸应安装导向支架。

3）流量控制阀应尽量靠近气缸安装。

4）加在气缸活塞杆上的载荷必须稳定。若这种载荷在行程中途有变化，则速度调节相当困难，甚至不可能。在不能消除载荷变化的情况下，必须借助于液压力，有时也使用平衡锤或连杆等，这样能得到某种程度上的补偿。

5）必须注意调速阀的安装位置，原则上调速阀应设在气缸管接口附近。

任务评价

教师根据同学或小组任务实施情况给予表扬或指正，并视完成情况给予每个同学成绩。流量控制阀的拆装与维护考核表见表6-2。

表 6-2 流量控制阀的拆装与维护考核表

考核项目	考核内容	分 数	得 分
工作态度	按时完成任务	5 分	
	遵守纪律,服从管理	10 分	
任务内容	拆卸顺序正确,操作规范	15 分	
	安装顺序正确,操作规范	15 分	
	会正确使用拆装工具	10 分	
	节流阀和调速阀的结构及功能分析到位	20 分	
团队合作精神	团队有较强的凝聚力	5 分	
	团队成员间有良好的协作精神	5 分	
	团队成员间有相互的服务意识	5 分	
团队成员间互评	认为该团队较好地完成了本任务	10 分	
	总分	100 分	

任务二 常用速度控制回路的设计

任务分析

速度控制回路可以采用多种方式进行连接,可以根据使用的具体情况采用不同的速度控制回路或速度换接回路。在如图 6-11 所示的工件分类装置中,金属工件放在随机的位置上,要求被分类后放入另一个传送带上。单作用缸(1A)的活塞杆前进行程的时间 $t=0.4s$。当松开按钮时,活塞杆缩回到初始位置;压力表要安装在单向节流阀的前方或后方;同时,根据被加工金属工件的重量,可采用不同的速度控制完成工件的分类。通过该回路的要求综合分析:回路设计中需采用节流调速方式,并且由于是气动回路,因此在回路组建中要求选用排气节流方式进行速度控制。

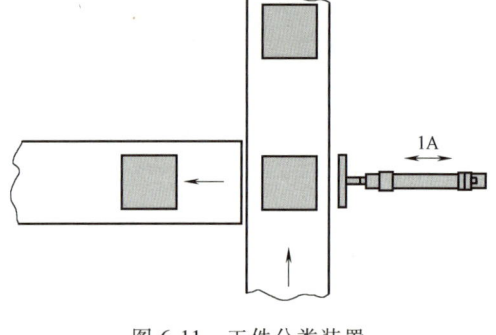

图 6-11 工件分类装置

任务重点

1. 熟悉调速回路的原理和应用。
2. 掌握节流调速回路和容积调速回路的特性和应用。
3. 掌握常用的快速运动回路和速度换接回路的设计和应用。
4. 理解气液联动调速回路的应用。

任务难点

节流调速回路的特性。

一、设计各种液压速度控制回路

1. 调速回路

调速是为了满足液压执行元件对工作速度的要求,不考虑液压油的压缩性和泄漏,改变输入液压执行元件的流量 q、液压缸的有效面积 A 或液压马达的排量 V_M 均可以达到改变速度的目的。但改变液压缸的工作面积在实际中是很困难的,因此只能用改变进入液压执行元件的流量或改变变量液压马达排量的方法来调速。液压系统的调速方法有节流调速、容积调速、容积节流(联合)调速。

(1)节流调速回路 节流调速回路的工作原理是通过改变回路中流量控制元件(节流阀和调速阀)通流面积的大小来控制流入执行元件或自执行元件流出的流量,从而实现调节其运动速度。根据流量阀在回路中的位置不同,分为进油节流调速回路、回油节流调速回路和旁路节流调速回路三种。前两种调速回路由于在工作中回路的供油压力不随负载变化而变化,故又称为定压式节流调速回路;而旁路节流调速回路中,由于回路的供油压力随负载的变化而变化,故又称为变压式节流调速回路。

1)进油节流调速回路。如图 6-12a 所示,节流阀串联在液压泵和液压缸之间。液压泵输出的油液一部分经节流阀进入液压缸工作腔,推动活塞运动,多余的油液经溢流阀流回油箱。溢流阀的溢流是这种调速回路能够正常工作的必要条件。由于溢流阀的溢流,泵的出口压力 p_P 就是溢流阀的调整压力,其值基本保持恒定。调节节流阀的通流面积,即可调节通过节流阀的流量,从而调节液压缸的运动速度。

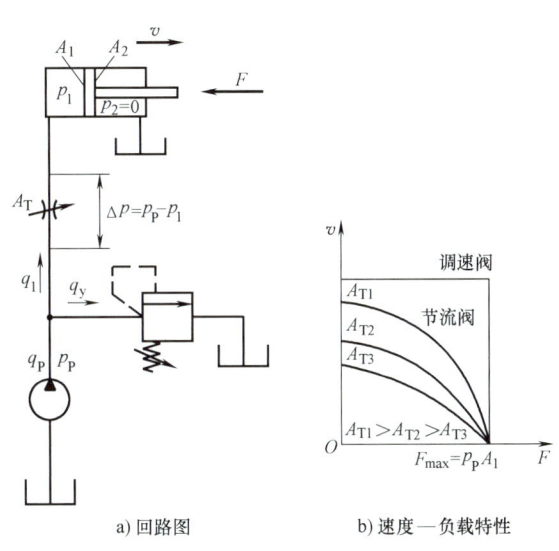

a)回路图　　b)速度—负载特性

图 6-12　进油节流调速回路

液压缸在稳定运动时,其活塞受力平衡方程式为

$$p_1 A_1 = F + p_2 A_2 \tag{6-3}$$

式中　p_1、p_2——液压缸进油腔和回油腔的压力,由于回油腔通油箱,故 $p_2 \approx 0$;
　　　F——液压缸的负载;
　　　A_1、A_2——液压缸无杆腔和有杆腔的有效作用面积。

所以得到

$$p_1 = \frac{F}{A_1} \tag{6-4}$$

因为液压泵的供油压力 p_P 为定值,故节流阀两端的压差为

$$\Delta p = p_P - p_1 = p_P - \frac{F}{A_1} \tag{6-5}$$

经节流阀进入液压缸的流量为

$$q_1 = KA_T \Delta p^m = KA_T \left(p_P - \frac{F}{A_1} \right)^m \tag{6-6}$$

式中 A_T——节流阀的通流面积。

故液压缸的运动速度为

$$v = \frac{q}{A_1} = \frac{KA_T}{A_1} \left(p_P - \frac{F}{A_1} \right)^m \tag{6-7}$$

式（6-7）即为进油节流调速回路的速度—负载特性方程。由式（6-7）可知，液压缸的运动速度 v 和节流阀通流面积 A_T 成正比。调节 A_T 可实现无级调速，这种回路的特点是调速范围较大（速比最高可达 100）。当 A_T 调定后，液压缸的速度随负载的增大而减小，故这种调速回路的速度—负载特性较软。由式（6-7）和图 6-12b 还可看出，当 A_T 一定时，重载区域比轻载区域的速度刚性差；在相同负载条件下，A_T 大的比小的速度刚性差，即速度高时速度刚性差。所以这种调速回路适用于低速轻载的场合。

由于存在两部分功率损失，故这种调速回路的效率较低。

2）回油节流调速回路。如图 6-13 所示，把节流阀串联在液压缸的回油路上，利用节流阀控制液压缸的排油量 q_2 来实现速度调节。由于进入液压缸的流量 q_1 受到回油路上 q_2 的限制，因此调节 q_2，也就调节了进油量 q_1，定量泵输出的多余油液仍经溢流阀流回油箱，溢流阀调整压力 p_P 基本保持稳定。

类似于式（6-7）的推导过程，由液压缸的力平衡方程（$p_2 \neq 0$）和流量阀的流量方程（$\Delta p = p_2$），可得液压缸的速度—负载特性为

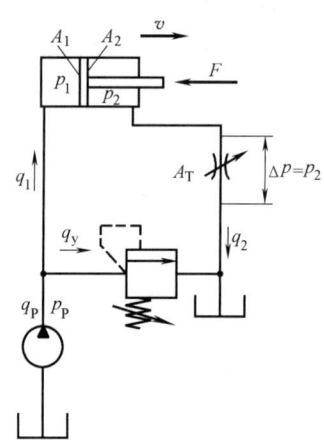

图 6-13　回油节流调速回路

$$v = \frac{q_2}{A_2} = \frac{KA_T \left(p_P \frac{A_1}{A_2} - \frac{F}{A_2} \right)^m}{A_2} \tag{6-8}$$

比较式（6-8）和式（6-7）可以发现，回油节流调速和进油节流调速的速度负载特性以及速度刚性基本相同，若液压缸两腔有效作用面积相同（双出杆液压缸），那么两种节流调速回路的速度负载特性和速度刚度就完全一样。因此，对进油节流调速回路的分析完全适用于回油节流调速回路。

回油节流调速加大泄漏，节流功率损失大大提高，因而其效率实际上比进油调速回路的效率要低。

由以上分析可知，进油、回油节流调速回路之间有许多相同之处，但是它们也有不同之处：

① 承受负值负载的能力。回油节流调速回路的节流阀使液压缸回油腔形成一定的背压，在负值负载时，背压能阻止工作部件的前冲，即能在负值负载下工作。

② 实现压力控制的方便性。在回油节流调速回路中，只有回油腔的压力才会随负载而变化，当工作部件碰到固定挡块后，其压力将降至零，故一般很少利用这一压力变化来实现

压力控制。

③ 发热及泄漏的影响。在进油节流调速回路中，经过节流阀发热后的液压油直接进入液压缸的进油腔；而在回油节流调速回路中，经过节流阀发热后的液压油流回油箱冷却。因此，发热和泄漏对进油节流调速的影响均大于回油节流调速。

④ 运动平稳性。在回油节流调速回路中，由于回油路上节流阀小孔对液压缸的运动有阻尼作用，同时空气也不易渗入，因此可获得更为稳定的运动。而在进油节流调速回路中，回油路的油液没有节流阀的阻尼作用，故运动平稳性稍差。

3) 旁路节流调速回路。图 6-14a 所示为采用节流阀的旁路节流调速回路图。节流阀调节液压泵溢回油箱的流量，从而控制了进入液压缸的流量。改变节流阀的通流面积，即可实现调速。由于溢流已由节流阀承担，故溢流阀实际上是安全阀，常态时关闭，过载时打开，其调定压力为最大工作压力的 1.1~1.2 倍。

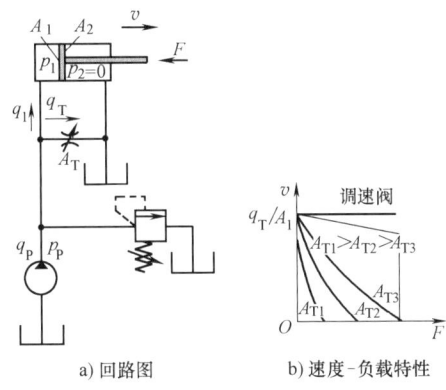

图 6-14 采用节流阀的旁路节流调速回路

按照式 (6-7) 的推导过程，可得到旁路节流调速的速度—负载特性方程。与前述不同之处主要是进入液压缸的流量 q_1 为泵的流量 q_P 与节流阀溢流流量 q_T 之差。由于在回路中泵的工作压力随负载而变化，正比于压力的泄漏量（在前两种回路中为常量，在此回路中为变量），对速度产生了附加影响，因而泵的流量中要计入泵的泄漏流量 Δq_P，所以液压缸的速度负载特性为

$$v = \frac{q_1}{A_1} = \frac{q_1 - k_1\left(\frac{F}{A_1}\right) - KA_T\left(\frac{F}{A_1}\right)^m}{A_1} \tag{6-9}$$

根据式 (6-9)，选取不同的 A_T 值可画出一组速度-负载特性曲线，如图 6-14b 所示。由曲线可见，当 A_T 一定而负载增加时，速度显著下降，即特性很软；当 A_T 一定时，负载越大，速度刚度越大；当负载一定时，A_T 越小，活塞运动速度越高，速度刚度越大。

由于旁路节流调速回路负载特性很软，低速承载能力又差，故其应用比前两种回路少，只用于高速、负载变化较小、对速度平稳性要求不高且要求功率损失较小的系统中。

(2) 容积调速回路　容积调速回路是用改变液压泵或液压马达的排量来实现调速的。其主要优点是没有节流损失和溢流损失，因而效率高，油液温升小，适用于高速、大功率调速系统；缺点是变量液压泵和变量液压马达的结构较复杂，成本较高。

根据油路的循环方式，容积调速回路可以分为开式回路和闭式回路。在开式回路中，液压泵从油箱吸油，执行元件的回油直接回油箱。这种回路结构简单，油液在油箱中能得到充分冷却，但油箱体积较大，空气和杂物易进入回路。在闭式回路中，执行元件的回油直接与液压泵的吸油腔相连，结构紧凑，只需很小的补油箱，空气和脏物不易进入回路，但油液的冷却条件差，需附设辅助液压泵（补油、换油），以及冷却装置等。补油液压泵的流量一般为主液压泵流量的 10%~15%，压力通常为 0.3~1.0MPa。

1) 变量液压泵和定量液压执行元件容积调速回路。图 6-15 所示为变量液压泵和定量液

压执行元件组成的容积调速回路。其中，图 6-15a 中的执行元件为液压缸，为开式回路；图 6-15b 中的执行元件为液压马达，且是闭式回路。两图中的安全阀 2 起安全作用，用以防止系统过载。图 6-15b 中，为了补充液压泵和液压马达的泄漏，增加了补油液压泵 4，同时置换部分已发热的油液，降低系统的温升。溢流阀 5 用来调节补油液压泵的压力。

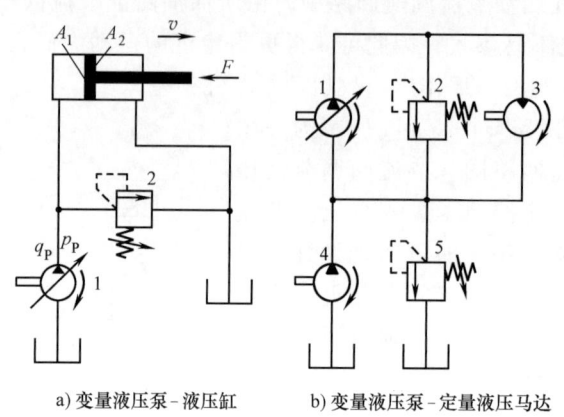

a) 变量液压泵 - 液压缸   b) 变量液压泵 - 定量液压马达

图 6-15 变量液压泵和定量液压执行元件组成的容积调速回路
1—变量液压泵 2—安全阀 3—定量液压马达 4—补油液压泵 5—溢流阀

在图 6-15a 中，改变变量液压泵的排量即可调节活塞的运动速度 v。若不考虑液压泵以外的元件和管道的泄漏，这种回路的活塞运动速度为

$$v=\frac{q_P}{A_1}=\frac{q_t-k_1\dfrac{F}{A_1}}{A_1} \qquad (6\text{-}10)$$

式中 q_t——变量泵的理论流量；
  k_1——变量泵的泄漏系数；
  F——液压缸的负载；
  A_1——液压缸的有效工作面积。

将式（6-10）按不同的 q_t 值作图，可得一组平行直线，如图 6-16a 所示。由图 6-16a 可见，由于变量泵有泄漏，活塞运动速度会随负载 F 的加大而减小。F 增大至某值时，在低速下会出现活塞停止运动的现象，这时变量泵的理论流量等于其泄漏量，可见这种回路在低速

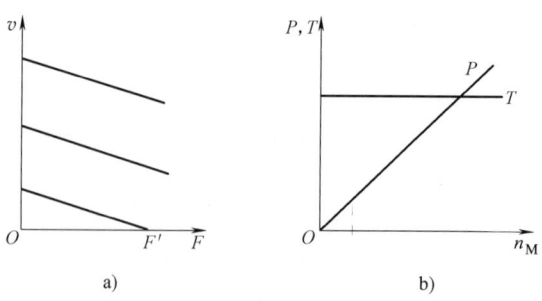

图 6-16 变量液压泵 - 定量液压执行元件的调速特性

下的承载能力是很差的。

在图 6-15b 所示的变量液压泵-定量液压马达的调速回路中，若不计流量损失，马达的转速 $n_M = q_P/V_M$。因为液压马达排量为定值，所以调节变量液压泵的流量 q_P 即可对液压马达的转速 n_M 进行调节，速比可达 40。当负载转矩恒定时，液压马达的输出转矩 $T = \Delta p_M V_M / (2\pi)$ 和回路工作压力 p 都恒定不变，液压马达的输出功率 $P = \Delta p_M V_M n_M$ 与转速 n_M 成正比，故此调速方式又称为恒转矩调速。

2）定量液压泵和变量液压马达容积调速回路。图 6-17a 所示为由定量液压泵和变量液压马达组成的容积调速回路图。定量液压泵 1 输出流量不变，改变变量液压马达 3 的排量 V_M 就可以改变液压马达的转速。在这种调速回路中，由于液压泵的转速和排量均为常值，当负载功率恒定时，液压马达输出功率 P 和回路工作压力 p 都恒定不变，而液压马达的输出转矩与 V_M 成正比，输出转速与 V_M 成反比。所以这种回路称为恒功率调速回路，其调速特性如图 6-17b 所示。

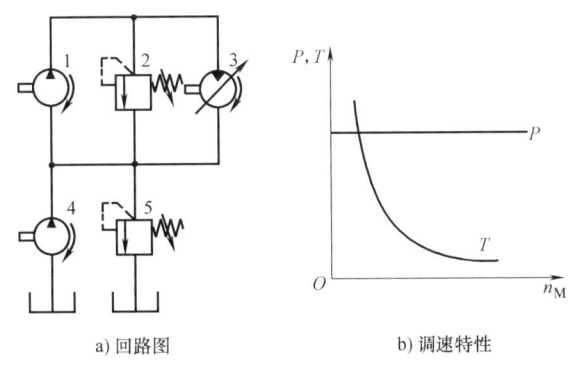

a) 回路图　　　　b) 调速特性

图 6-17　定量液压泵和变量液压马达组成的容积调速回路
1—定量液压泵　2—安全阀　3—变量液压马达　4—补油液压泵　5—溢流阀

这种回路调速范围很小，为 3~4，若用液压马达来换向，要经过排量很小的区域，这时转速很高，易出故障，所以这种回路很少单独使用。

3）变量液压泵和变量液压马达容积调速回路。图 6-18a 所示为采用双向变量液压泵和双向变量液压马达组成的容积调速回路图。单向阀 6 和 8 用于使补油液压泵 4 能双向补油，单向阀 7 和 9 使安全阀 3 在两个方向都能起过载保护作用。

这种调速回路是前两种调速回路的组合。由于液压泵和液压马达的排量均可改变，故增大了调速范围（可达 100），并扩大了液压马达输出转矩和功率的选择余地，其调速特性曲线如图 6-18b 所示。

一般工作部件都在低速时要求有较大的转矩，因此这种系统在低速范围内调速时，先将液压马达的排量调得最大，使液压马达获得最大输出转矩，由小到大改变液压泵的排量，直至达到最大值，液压马达转速随之升高，输出功率线性增加，此时液压回路处于恒转矩输出状态；若要进一步加大液压马达的转速，则可由大到小改变变量液压马达的排量，此时输出转矩随之降低，而液压泵则处于最大功率输出状态不变，这时液压回路处于恒功率输出状态。

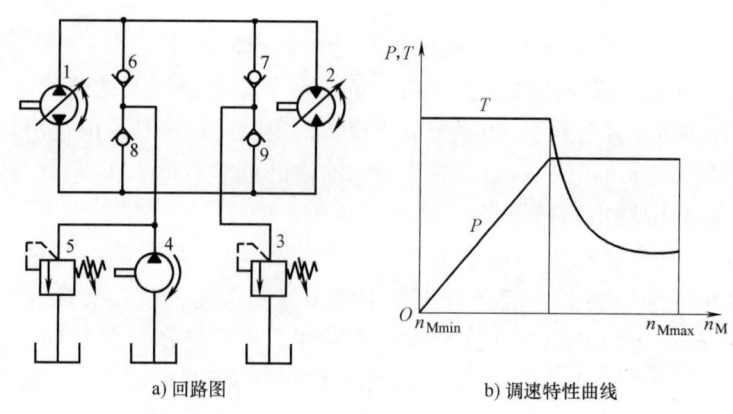

图 6-18 双向变量液压泵和双向变量液压马达组成的容积调速回路
1—变量液压泵 2—变量液压马达 3—安全阀 4—补油液压泵 5—溢流阀 6~9—单向阀

2. 快速运动回路

快速运动回路的功用在于使液压执行元件获得所需的高速,缩短机械空程运动时间,以提高系统的工作效率或充分利用功率。

1) 液压缸差动连接回路:图 6-19 所示为利用二位三通电磁换向阀实现的液压缸差动连接回路。当阀 1 和阀 3 左位接入时,液压缸差动连接做快进运动。当阀 3 电磁铁通电,差动连接即被切断,液压缸回油经过单向调速阀实现工进。当阀 1 右位接入后,缸快退。这种连接方式可在不增加液压泵流量的情况下提高执行元件的运动速度。必须注意,液压泵的流量和有杆腔排出的流量合在一起流过的阀和管路应按合成流量来选择,否则会使压力损失增大,液压泵的供油压力过高,致使液压泵的部分液压油从溢流阀溢回油箱而达不到差动快进的目的。液压缸的差动连接也可用 P 型中位机能的三位换向阀来实现。

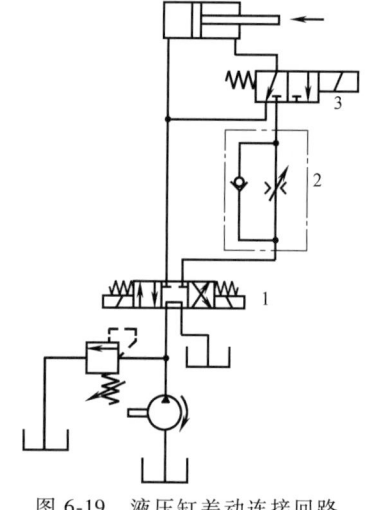

图 6-19 液压缸差动连接回路
1~3—阀

2) 采用蓄能器的快速运动回路:图 6-20 所示为采用蓄能器的快速运动回路。采用蓄能器的目的是可以用流量较小的液压泵。当系统中短期需要大流量时,液压泵 1 和蓄能器 4 共同向液压缸 6 供油;当系统停止工作时,换向阀 5 处在中位,液压泵 1 便经单向阀 3 向蓄能器供油,蓄能器压力升高后,控制液控顺序阀 2,使液压泵卸荷。

3) 双液压泵供油快速运动回路:双液压泵供油快速运动回路如图 6-21 所示。高压小流量液压泵 1 和低压大流量液压泵 2 组成的双联液压泵作为动力源。外控顺序阀 3(卸荷阀)和溢流阀 7 分别调定双液压泵供油和高压小流量液压泵 1 供油时系统的最高工作压力。当主换向阀 4 在左位或右位工作时,换向阀 6 电磁铁通电,这时系统压力低于外控顺序阀 3 的调定压力,两个液压泵同时向液压缸供油,液压缸快速向左(或向右)运动。当快进完成后,换

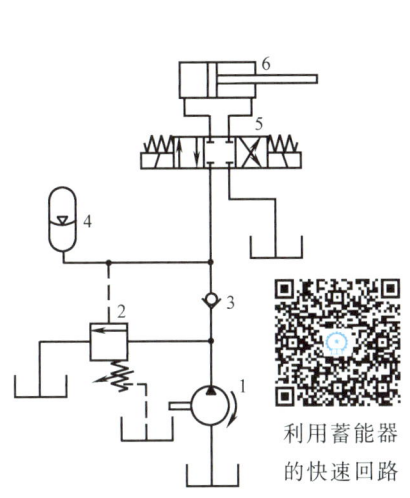
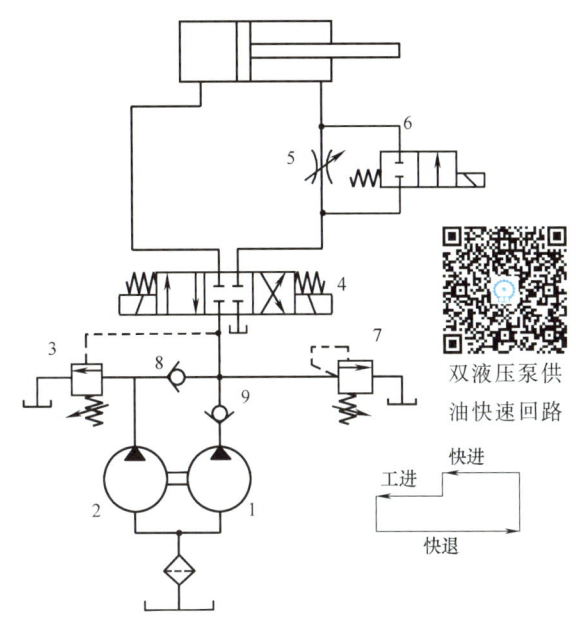

图 6-20 采用蓄能器的快速运动回路
1—液压泵 2—液控顺序阀 3—单向阀
4—蓄能器 5—换向阀 6—液压缸

图 6-21 双液压泵供油快速运动回路
1—高压小流量液压泵 2—低压大流量液压泵
3—外控顺序阀 4—主换向阀 5—节流阀
6—换向阀 7—溢流阀 8、9—单向阀

向阀 6 断电,液压缸的回油经过节流阀 5,因流动阻力增大而引起系统压力升高。当外控顺序阀 3 的外控油路压力达到或超过其调定压力时,低压大流量液压泵 2 通过外控顺序阀 3 卸荷,单向阀 8 自动关闭,只有高压小流量液压泵 1 向系统供油,液压缸慢速运动。外控顺序阀的调定压力至少应比溢流阀的调定压力低 10%~20%。双液压泵供油回路的优点是双液压泵回路简单合理,功率损耗小,回路效率较高,常用在执行元件快进和工进速度相差较大的场合。

4)采用增速缸的快速运动回路:图 6-22 所示为采用增速缸的快速运动回路。当三位四通换向阀左位接入系统时,液压油经增速缸中的柱塞 1 的通孔进入 B 腔,使活塞 2 快速伸出,速度为 $v = 4q_P/(\pi d^2)$(d 为柱塞外径),A 腔中所需油液经液控单向阀 3 从辅助油箱吸入。活塞 2 伸出到工作位置时,由于负载加大,压力升高,打开顺序阀 4,高压油进入 A 腔,同时关闭液控单向阀 3。此时活塞杆 2 在液压油作用下继续外伸,但因有效工作面积加大,速度变慢而推力加大。这种回路常功率利用较合理,但液压缸结构复杂,常用于液压机的液压系统中。

3. 速度换接回路

速度换接回路用来实现运动速度的变换,即在原来设计或调节好的几种运动速度中,从一种速度换成另一种速度。对这种回路的要求是速度换接要平稳,即不允许在速度变换的过程中有前冲(速度突然增加)现象。下面介绍几种回路的换接方法及特点。

1)快速运动与慢速度换接回路:图 6-23 所示为用行程节流阀换接快速运动(简称快进)和工作进给运动(简称工进)的速度换接回路。在图示位置,液压缸 3 右腔的回油可经行程阀 4 和换向阀 2 流回油箱,使活塞快速向右运动。当快速运动到达所需位置时,活塞上挡块压下行程阀 4,将其通路关闭,这时液压缸 3 右腔的回油就必须经过调速阀 6 流回油箱,活塞的运动转换为工作进给运动。当操纵换向阀 2 使活塞换向后,液压油可经换向阀 2 和单向阀 5 进入液压缸 3 右腔,使活塞快速向左退回。

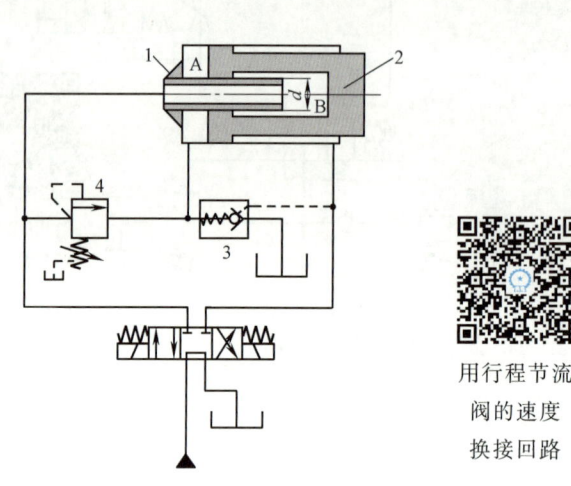
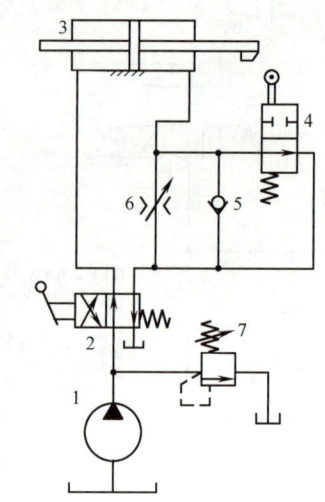

图 6-22　采用增速缸的快速运动回路
1—柱塞　2—活塞
3—液控单向阀　4—顺序阀

图 6-23　用行程节流阀的速度换接回路
1—液压泵　2—换向阀　3—液压缸　4—行程阀
5—单向阀　6—调速阀　7—溢流阀

这种速度换接回路换接时的位置精度高,冲出量小,运动速度的变换也比较平稳。这种回路在机床液压系统中应用较多,其缺点是行程阀的安装位置受一定限制(要由挡铁压下),所以有时管路连接稍复杂。行程阀也可以用电磁换向阀来代替,这时电磁阀的安装位置不受限制(挡铁只需要压下行程开关),但其换接精度及速度变换的平稳性较差。

2)两种工作进给速度的换接回路:对于某些自动机床、注塑机等,需要在自动工作循环中变换两种以上的工作进给速度,这时需要采用两种(或多种)工作进给速度的换接回路。

图 6-24 所示为两个调速阀串联的速度换接回路。图中液压泵 1 输出的液压油经调速阀 3 和电磁换向阀 5 进入液压缸,这时的流量由调速阀 3 控制。当需要第二种工作进给速度时,换向阀 5 通电,其右位接入回路,则液压泵输出的液压油先经调速阀 3,再经调速阀 4 进入液压缸,这时的流量应由调速阀 4 控制,所以这种两个调速阀串联式回路中调速阀 4 的节流口应调得比调速阀 3 小,否则调速阀 4 将不起作用。这种回路在工作时调速阀 3 一直工作,它限制进入液压缸或调速阀 4 的流量,因此在速度换接时不会使液压缸产生前冲现象,换接平稳性较好。在调速阀 4 工作时,油液需经两个调速阀,故能量损失较大。

图 6-25 所示为两个调速阀并联的速度换接回路。在图 6-25a 中,液压泵输出的液压油经调速阀 3 和电磁换向阀 5 进入液压缸。当需要第二种工作进给速度时,电磁换向阀 5 通电,其右位接入回路,液压泵输出的液压油经调速阀 4 和电磁换向阀 5 进入液压缸。这种回路中两个调速阀的节流口可以单独调节,互不影响,即第一种工作进给速度和第二种工作进给速度互相间没有什么限制。但一个调速阀工作时,另一个调速阀中没有油液通过,它的减压阀则处于完全

项目六 调速回路的设计与构建

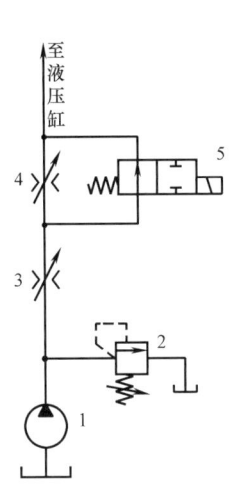

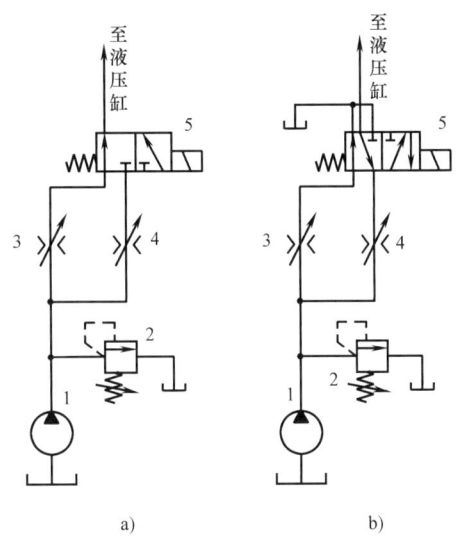

图 6-24 两个调速阀串联的速度换接回路
1—液压泵 2—溢流阀 3、4—调速阀 5—电磁换向阀

图 6-25 两个调速阀并联的速度换接回路
1—液压泵 2—溢流阀 3、4—调速阀 5—电磁换向阀

打开的位置,在速度换接开始的瞬间不能起减压作用,容易出现部件突然前冲的现象。

图 6-25b 所示为另一种用两个调速阀并联的速度换接回路。在这个回路中,两个调速阀始终处于工作状态,在由一种工作进给速度转换为另一种工作进给速度时,不会出现工作部件突然前冲的现象,因而工作可靠;但这种液压系统在工作中总有一定量的油液通过不起调速作用的那个调速阀流回油箱,造成能量损失,使系统发热。

二、设计各种气压速度控制回路

气动系统所使用的功率一般都不大,所以速度调节的方法主要是节流调速。与液压传动系统相似,有进口、出口节流调速。在气动系统中常称供气节流调速和排气节流调速。

1. 节流调速回路

1) 单作用气缸的节流调速回路:单作用气缸的节流调速回路如图 6-26 所示。图 6-26a 所示为由两个相对安装的单向节流阀来分别控制活塞杆的伸出与缩回速度;图 6-26b 所示则为活塞杆伸出时可调速,缩回时缸内气体经快速排气阀排气,活塞杆快速退回。

2) 双作用气缸的节流调速回路:图 6-27 所示为双作用气缸的节流调速回路。图 6-27a 所示为采用单向节流阀,图 6-27b 所示为采用排气节流阀。这些调速回路适用于负载变化不大的场合。当负载突然增大时,由于气体的可压缩性,将迫使缸内的气体压缩,活塞运动速度减慢;反之,当负载

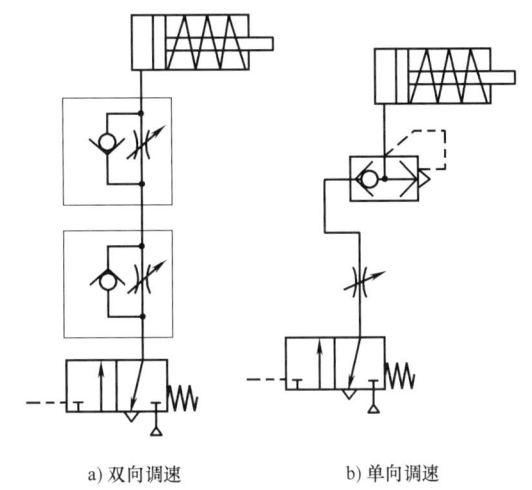

a) 双向调速   b) 单向调速

图 6-26 单作用气缸的节流调速回路

突然减小时，缸内原来被压缩的气体将膨胀，活塞运动速度加快，称为气缸的"自走"现象。因此，要求气缸具有准确而平稳的运动速度时，可以采用比例流量阀加反馈来改善调控性能，或者采用气液相结合的调速方式。

2. 排气节流调速回路

图 6-28 所示为排气节流调速回路。图 6-28a 所示为利用两个单向节流阀来实现气缸活塞杆伸出和退回两个方向的速度控制，气流经单向阀进气，通过节流阀节流排气。图 6-28b 所示为由带有消声器的排气节流阀实现排气节流的速度控制，排气节流阀安装在主控阀的排气口处。

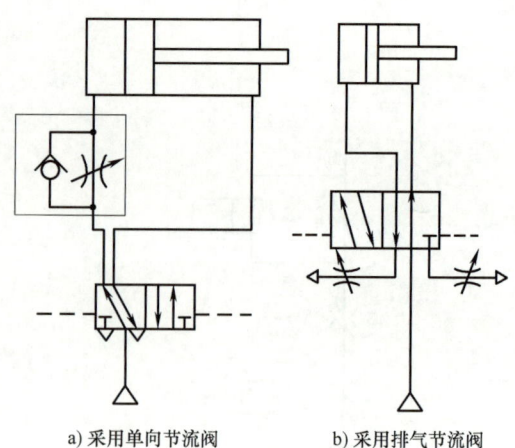

a) 采用单向节流阀　　　b) 采用排气节流阀

图 6-27　双作用气缸的节流调速回路

3. 气液联动调速回路

图 6-29 所示为利用气液转换器的调速回路，回路中执行元件是低压液压缸，其活塞杆伸出或退回的速度通过调节节流阀的流量来控制。这种速度控制方法在气压传动中应用广泛。它以气压作为动力，利用气液转换器或气液阻尼缸把气压传动变为液压传动，控制执行机构的速度。

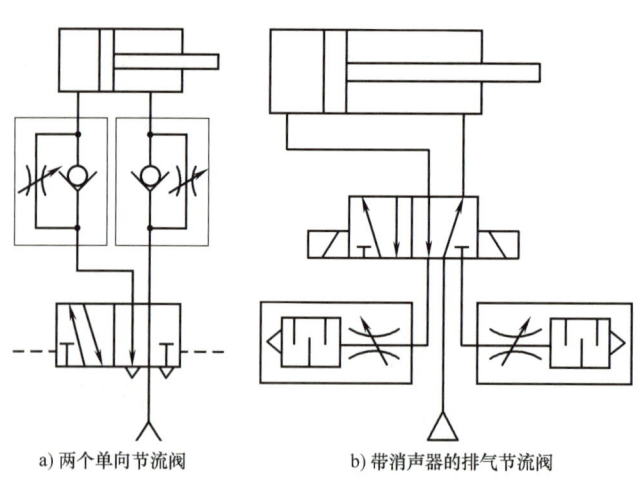

a) 两个单向节流阀　　b) 带消声器的排气节流阀

图 6-28　排气节流调速回路

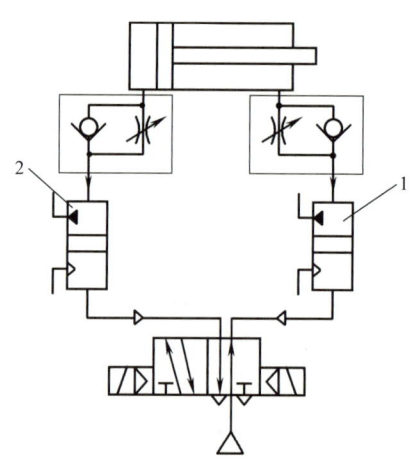

图 6-29　利用气液转换器的调速回路
1、2—气液转换器

任务实施

根据工件任务循环的要求进行速度控制回路的设计

1. 任务组织

以小组为单位，小组规模一般为 3~5 人，每小组选举 1 名小组长协调小组的各项工作，教师提出必要的指导和建议，任务完成后以小组为单位组织学生进行汇报、讨论和交流，并

针对共性问题在课堂上组织讨论和专门讲解。

2. 任务内容

用 FluidSIM 软件设计一个能够完成往返工作任务的液压回路系统，并在综合实训台上构建回路。

3. 任务目的

通过用 FluidSIM 软件设计液压回路系统，使学生掌握 FluidSIM 软件的用法，熟悉液压速度控制回路的组成，能够分析各种简单的液压速度控制回路，并通过在综合实训台上构建系统，学会元件的选择、连接与排布，同时培养学生的团队合作意识。

4. 操作过程

步骤一：分组分析工件分类装置工作任务，通过用 FluidSIM 软件设计图 6-11 所示工件分类装置系统。

步骤二：在综合实训台上选择需要的液压元件。

步骤三：根据系统图在实训台上排布各液压元件，连接、构建工件分类装置回路。

步骤四：学生先互检构建的液压系统，然后由教师进行检查。

步骤五：开启实训台的液压泵，使执行元件完成规定动作。观察运行情况，对使用中遇到的问题进行分析和解决。

步骤六：完成实训经教师检查评估后，关闭液压泵，拆下管线，将元件放回原来的位置。

任务评价

教师根据同学或小组任务实施情况给予表扬或指正，并视完成情况给予每个同学成绩。速度控制回路的设计考核表见表 6-3。

表 6-3　速度控制回路的设计考核表

考核项目	考核内容	分数	得分
工作态度	按时完成任务	5 分	
	遵守纪律，服从管理	10 分	
任务内容	速度控制回路设计正确，模拟规范	15 分	
	实训安装顺序正确，操作规范	15 分	
	会正确使用液压与气动仿真软件	10 分	
	速度控制回路的组成及功用分析到位	20 分	
团队合作精神	团队有较强的凝聚力	5 分	
	团队成员间有良好的协作精神	5 分	
	团队成员间有相互的服务意识	5 分	
团队成员间互评	认为该团队较好地完成了本任务	10 分	
总分		100 分	

任务三　液压与气动回路的电气控制线路设计

任务分析

如图 6-30 所示的推送装置，气缸将送料导轨中传送过来的工件推向下一个工位，当气缸的活塞杆到达前端终点后，活塞杆头部碰到一个电限位开关，使气缸能自动返回。要求气缸活塞杆的伸出速度可进行无级调速。

根据本回路设计要求，选用一个双作用气缸作为执行元件来完成推送任务；采用一个电限位开关来完成气缸自动返回要求；再用一个带弹簧复位的（5/2）二位五通电磁换向阀作为主控元件；选择一个软管型的单向节流阀来实现对气缸活塞杆伸出进行排气节流方式的无级调速。

根据以上分析画出推送装置的功能图，如图 6-31 所示。

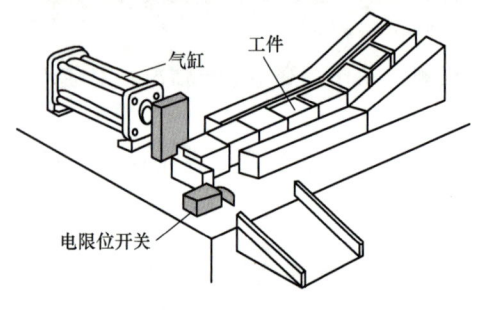

图 6-30　推送装置示意图

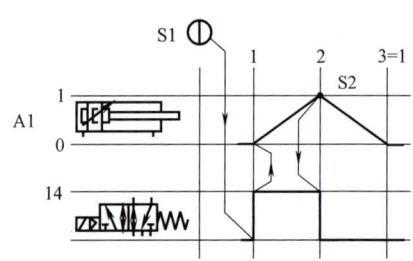

图 6-31　推送装置的功能图

设计的推送装置气动回路与电气参考图如图 6-32 所示。

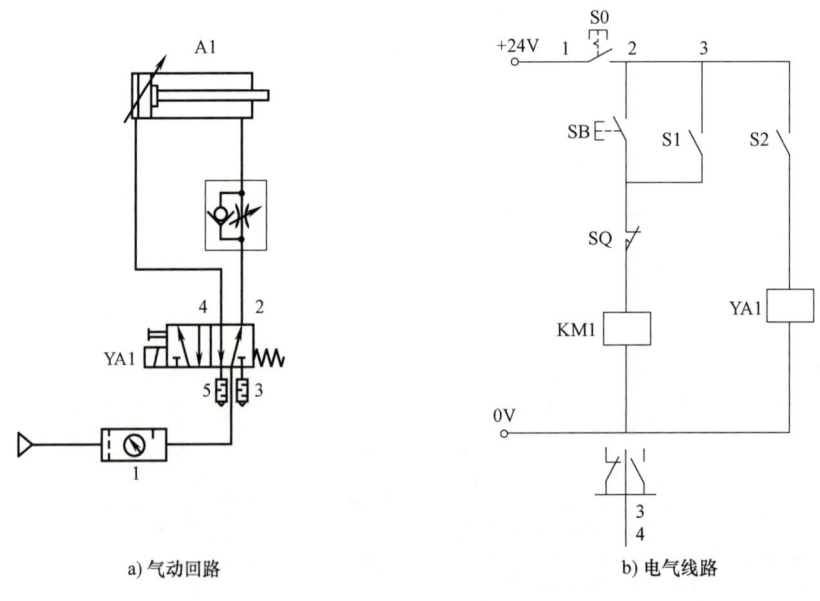

a) 气动回路　　　　b) 电气线路

图 6-32　推送装置气动回路与电气线路参考图

项目六 调速回路的设计与构建

> 任务重点

1. 熟悉电磁阀、控制按钮、继电器的性能、图形符号和应用。
2. 了解电气控制线路的设计原理。
3. 能正确辨认和选择电气控制线路元件。

> 任务难点

电气控制回路元件的性能和原理。

> 知识链接

电气控制回路主要由按钮开关、行程开关、继电器及其触点、电磁铁线圈等组成。通过按钮或行程开关使电磁铁通电或断电,控制触点接通或断开被控制的主电路,这种电路也称为继电器控制电路,电路中的触点有常开触点和常闭触点。

一、主要电气元件

1. 控制继电器

控制继电器是一种当输入量变化到一定值时,电磁铁线圈通电励磁,吸合或断开触点,接通或断开交、直流小容量控制电路中的自动化电器。它被广泛应用于电力拖动、程序控制、自动调节与自动检测系统中。控制继电器种类繁多,常用的有电压继电器、电流继电器、中间继电器、时间继电器、热继电器、温度继电器等。在电气控制系统中常用的是中间继电器和时间继电器。

2. 中间继电器

图 6-33 所示为中间继电器的外形。图 6-34 所示为中间继电器的结构原理。

图 6-33 中间继电器的外形

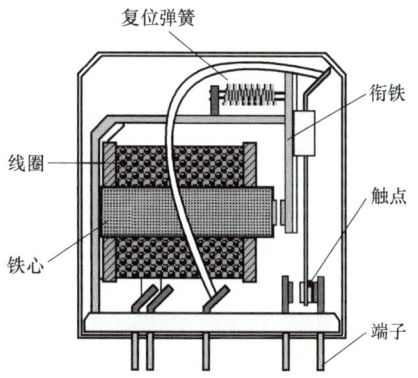

图 6-34 中间继电器的结构原理

中间继电器由一个线圈、一个铁心、衔铁、复位弹簧、一组触点及端子组成,由线圈产生的磁场来接通或断开触点。当继电器线圈流过电流时,衔铁就会在电磁吸力的作用下克服弹簧压力,使常闭触点断开、常开触点闭合;当继电器线圈无电流时,电磁力消失,衔铁在复位弹簧的作用下复位,使常闭触点闭合、常开触点打开。图 6-35 所示为继电器线圈及触点的图形符号。

173

继电器线圈消耗电能很小，故用很小的电流通过线圈即可使电磁铁励磁，而其控制的触点可通过相当大的电压和电流，这就是所谓的继电器触点容量放大机能。

3. 时间继电器

时间继电器目前在电气控制回路中应用非常广泛。它与中间继电器的相同之处是由线圈和触点构成，而不同的是当输入信号时，电路中的触点经过一定时间后才闭合或断开。

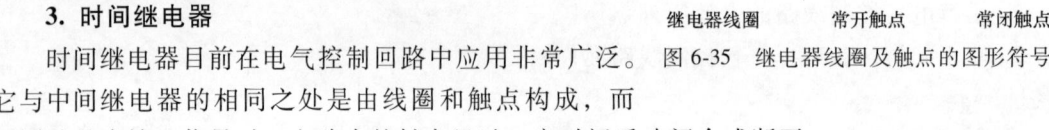

图 6-35　继电器线圈及触点的图形符号

按照其输出触点的动作形式分为延时闭合继电器（图 6-36）和延时断开继电器（图 6-37）两种。

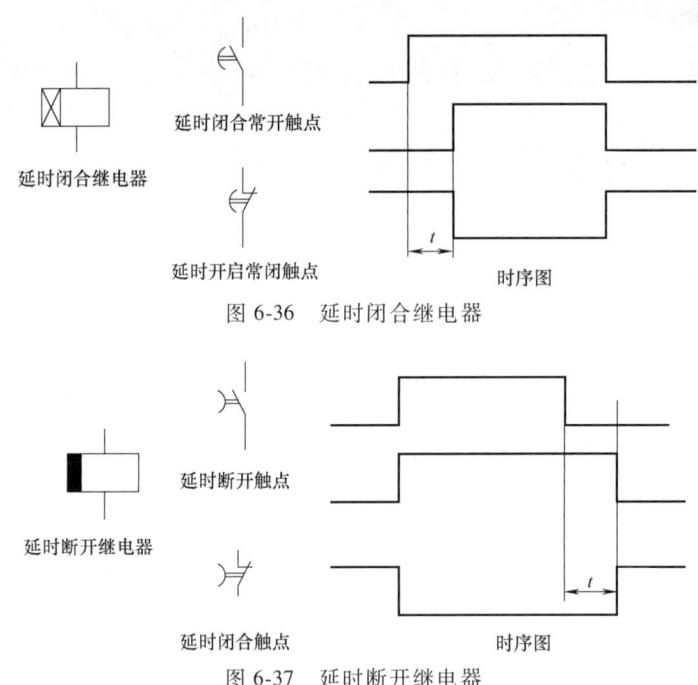

图 6-36　延时闭合继电器

图 6-37　延时断开继电器

4. 电磁阀

电气技术与气压技术的结合点是电磁阀。电磁阀的核心部分是电磁铁。电磁铁的工作原理是基于带电的线圈产生磁场的原理。该磁场会对在其中的铁心（衔铁）产生一个作用力，通过线圈的结构措施可以将衔铁吸引过来或推斥过去。通过该运动可以实现控制过程，例如使电磁换向阀换向。流过线圈的电流越大，电磁铁对衔铁的吸力就越强。线圈励磁对电磁铁的位移运动情况如图 6-38 所示。

电磁铁有直流电磁铁和交流电磁铁两种形式可供选择。直流电磁铁的优点是不会被烧穿，开关频率高，开关过程柔和，对线路超载不敏感；其缺点是动作慢，价格较高，控制成本高。交流电磁铁优点是开关时间短，价格便宜；其缺点是会被烧穿，开关

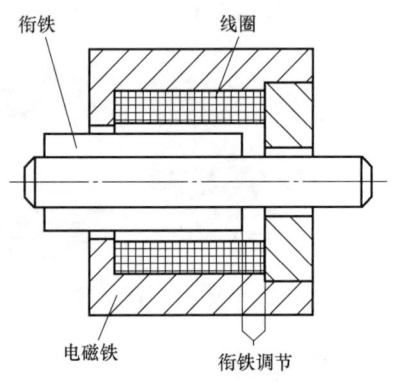

图 6-38　线圈励磁时电磁铁的位移运动情况

频率低。

为了在发生故障时更换换向阀上的电磁铁，将电磁铁拧在换向阀上。电磁铁上凸出有三个插头销：两个电磁线圈接线销（相对的插头销）和一个接地销。它可以将整个阀体与大地的电势相连。当使用 24V 电压时，不需要连接。

二、液压与气动回路的电气控制设计

1. 基本电气线路图

（1）绘图原则　电气线路图通常以一种层次分明的梯形法表示，也称梯形图。它是利用电气元件符号进行顺序控制系统设计的最常用的一种方法。梯形图表示法可分为水平梯形电路图及垂直梯形电路图两种。

图 6-39 所示为水平型电路图，图形上下两平行线代表控制线路图的电源线，称为母线。

梯形图的绘图原则如下：

1）图形上端为相线，下端为接地线。

2）电路图的构成是由左而右进行的。为便于读图，接线上要加上线号。

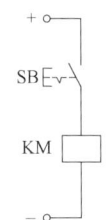

图 6-39　水平型电路图

3）控制元件的连接线接于电源母线之间，且应力求为直线。

4）连接线与实际的元件配置无关，其由上而下依照动作的顺序来决定。

5）连接线所连接的元件均以电气符号表示，且均为未操作时的状态。

6）在连接线上，所有的开关、继电器等的触点位置由水平电路上侧的电源母线开始连接。

7）一个梯形图网络由多个梯级组成，每个输出元素（继电器线圈等）可构成一个梯级。

8）在连接线上，各种负载，如继电器、电磁线圈、指示灯等的位置通常是输出元素，要放在水平电路的下侧。

9）在以上各元件的电气符号旁注上文字符号。

（2）是门电路（YES）　是门电路是一种简单的通断电路，能实现是门逻辑。图 6-40 所示为是门电路，按下按钮 SB，电路 1 导通，继电器 KM 线圈励磁，其常开触点闭合，电路 2 导通，指示灯亮。若放开按钮，则指示灯熄灭。是门电路的逻辑方程为 $Y = A$。

（3）或门电路（OR）　如图 6-41 所示的或门电路也称为并联电路。只要按下三个手动按钮中的任何一个开关，都能使电路 1 导通，继电器 KM 线圈励磁，其常开触点闭合，电路 4 导通，指示灯亮。例如，要求在一条自动生产线上的多个操作点可以进行操作作业，就可采用这个电回路。或门电路的逻辑方程为 $Y = A + B + C$。

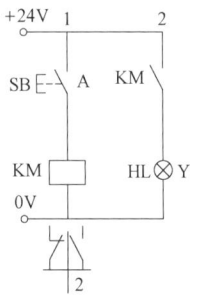

图 6-40　是门电路

（4）与门电路（AND）　如图 6-42 所示的与门电路也称为串联电路。只有将按钮 A、B、C 同时按下，使电路 1 导通，继电器 KM 线圈励磁，其常开触点闭合，电路 2 导通，指示灯亮。例如，一台设备为防止误操作，保证安全生产，安装了两个不同位置的起动按钮，只有操作者双手操作，将两个操作按钮同时按下时，设备才能开始运行。与门电路的逻辑方程为 $Y = A \cdot B \cdot C$。

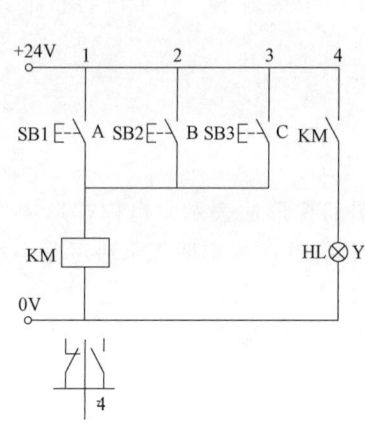
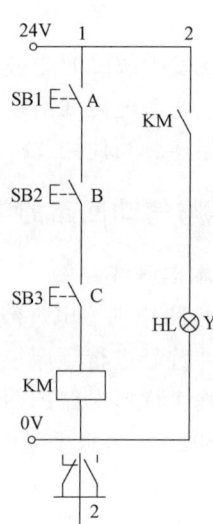

图 6-41 或门电路　　　　　　图 6-42 与门电路

2. 基本电气线路

(1) 自保持电路　自保持电路又称为自锁电路，如图 6-43 所示，在各种液压与气压装置的控制电路中很常用，尤其是使用单电控电磁换向阀控制液压缸、气压缸的运动时，必须采用自保持电路。但使用了这种电路就还需要具有使其断开的装置，只有这样才能使电路完整。

从图 6-43 所示的电路图可看出，当按下按钮 SB1，电路 1 导通，继电器 KM 线圈励磁，其常开触点闭合；电路 2 导通，放开 SB1 后，电路 1 继续导通（回路自动保持）；同时电路 3 也导通，指示灯亮。若按下按钮 SB2，继电器 KM 线圈失电，则指示灯熄灭。

(2) 互锁电路　互锁电路用于防止错误动作的发生，以保护设备、人员安全。如电动机的正转与反转，气缸的伸出与缩回，为防止同时输入相互矛盾的动作信号，使电路短路或线圈烧坏，控制电路应加互锁功能。如图 6-44 所示，按下按钮 SB1，继电器 KM1 线圈得电，

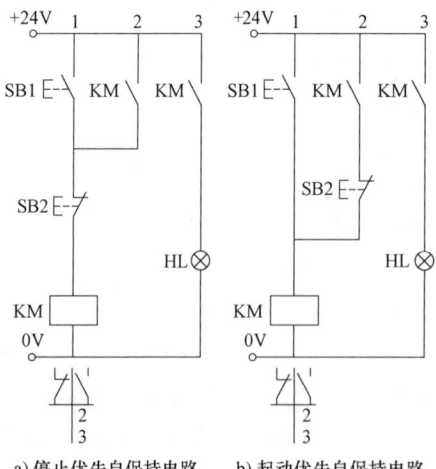

a) 停止优先自保持电路　　b) 起动优先自保持电路

图 6-43 自保持电路

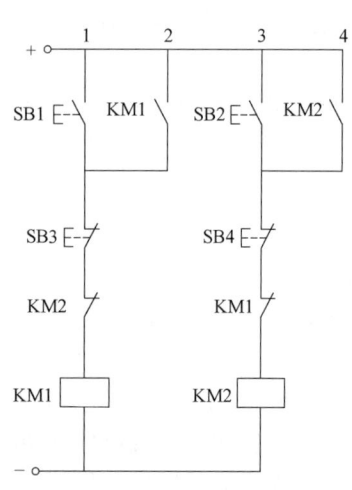

图 6-44 互锁电路

第 2 条线上 KM1 的常开触点闭合,继电器 KM1 形成自保持,第 3 条线上 KM1 的常闭触点断开,此时若再按下按钮 SB2,继电器 KM2 线圈一定不会得电。同理,若先按按钮 SB2,继电器 KM2 线圈得电,继电器 KM1 线圈也一定不会得电。

(3) 应用于双向控制回路的互锁电路 双作用气缸的双向控制回路采用了一个二位五通电磁脉冲换向阀,只要线圈得到一个电脉冲信号,换向阀就能进行换向操作,使气缸改变运行方向。但在使用中一定要注意:不能同时让线圈 YA1 和 YA2 得电吸合,否则线圈将烧坏,造成直接经济损失。所以必须设计使用互锁电路,使 YA1 和 YA2 不能同时吸合。完成后的双作用气缸的双向控制气动回路与互锁电路如图 6-45 所示。

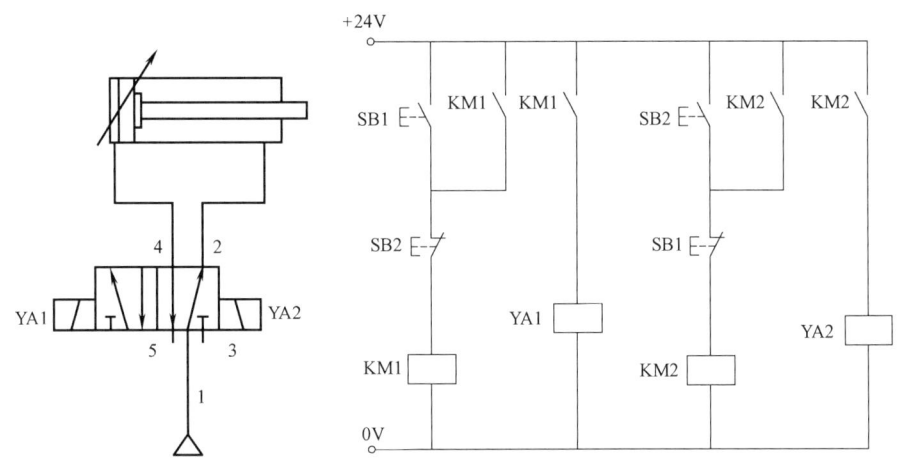

图 6-45 双作用气缸的双向控制气动回路与互锁电路

其运动过程:按下按钮 SB1,YA1 吸合,气缸活塞杆伸出;按下按钮 SB2,气缸活塞杆回缩。

(4) 往复循环回路的互锁电路 双作用气缸的往复循环控制回路采用了一个二位五通电磁脉冲换向阀,只要线圈得到一个电脉冲信号,换向阀就能进行换向操作,使气缸改变运行方向。由于需要往复自动循环,因此使用了两个电限位开关来完成这一任务。完成后的双作用气缸的往复循环控制气动回路与互锁电路如图 6-46 所示。

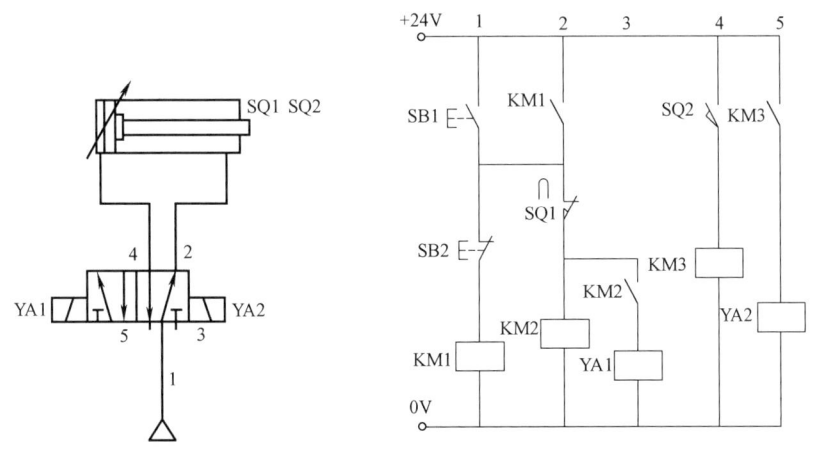

图 6-46 双作用气缸的往复循环控制气动回路与互锁电路

其运动过程：按下按钮 SB1，回路 1 闭合，继电器 KM1 得电，使回路 2 上的 KM1 的常开触点闭合，自锁回路 1；同时回路 2 上的继电器 KM2 与 SQ1 得电（此时活塞杆在 SQ1 处，所以此处的 SQ1 是闭合的），使回路 3 上的 KM2 的常开触点闭合，电磁线圈 YA1 得电，双作用气缸活塞杆伸出。气缸活塞杆一旦伸出，SQ1 就断开了 KM2 的电流，YA1 就将失电，所以采用了二位五通电磁脉冲换向阀，它具有记忆功能，只要线圈得到一个电脉冲信号即可。

当双作用气缸活塞杆完全伸出后，活塞杆压下 SQ2，使回路 4 闭合，继电器 KM3 得电，回路 5 上的 KM3 的常开触点闭合，电磁线圈 YA2 得电，气缸活塞杆回缩。

活塞杆回缩到位后，继续往复循环，直到按下按钮 SB2，气缸活塞杆停止在回缩到位的位置。

（5）延时电路　随着自动化设备的功能和工序越来越复杂，各工序之间需要按一定的时间紧密巧妙地配合，要求各工序时间可在一定时间内调节，这需要利用延时电路来加以实现。延时控制分为两种，即延时闭合和延时断开。

图 6-47a 所示为延时闭合电路，当按下按钮 SB1 后，延时继电器 KT 开始计时，经过设定的时间后，时间继电器触点闭合，电灯点亮。放开后，继电器 KT 立即断开，电灯熄灭。图 6-47b 所示为延时断开电路，当按下按钮 SB1 后，时间继电器 KT 的触点也同时接通，电灯点亮，当放开按钮 SB1 后，延时断开继电器开始计时，到规定时间后，时间继电器触点 KT 才断开，电灯熄灭。

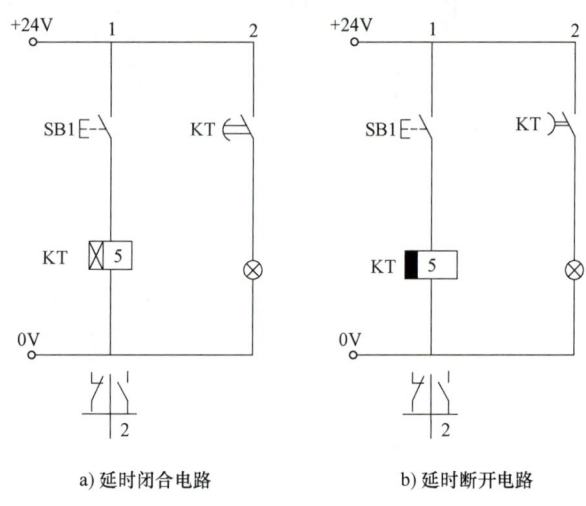

a）延时闭合电路　　　b）延时断开电路

图 6-47　延时电路

想一想

以上是利用手动按钮控制单电控二位五通电磁阀来操纵单气缸实现单个循环的，若将其改变为单气缸自动连续往复回路，此时应该如何对其进行设计？

任务实施

防火门启闭机构电控气动回路的设计与构建

1. 任务组织

以小组为单位，小组规模一般为 3~5 人，每小组选举 1 名小组长协调小组的各项工作，教师提出必要的指导和建议，任务完成后以小组为单位组织学生进行汇报、讨论和交流，并

项目六 调速回路的设计与构建

针对共性问题在课堂上组织讨论和专门讲解。

2. 任务内容

用 FluidSIM 软件设计一个能够完成防火门启闭机构的电控气动系统,并在综合实训台上构建回路。

3. 任务目的

通过用 FluidSIM 软件设计电控气动系统,使学生初步学会用 FluidSIM 软件设计电控气动回路的方法,熟悉电控气动回路的组成,能够分析各种简单的电控气动回路,并通过在综合实训台上构建电控气动系统,学会气动元件与电控元件的选择、连接与排布,同时培养学生的团队合作意识。

4. 操作过程

防火门启闭机构电控气动回路如图 6-48 所示。

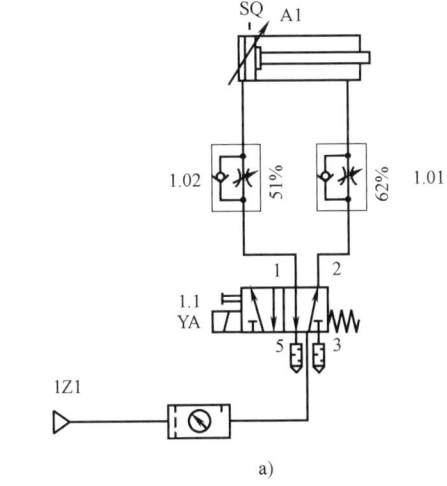

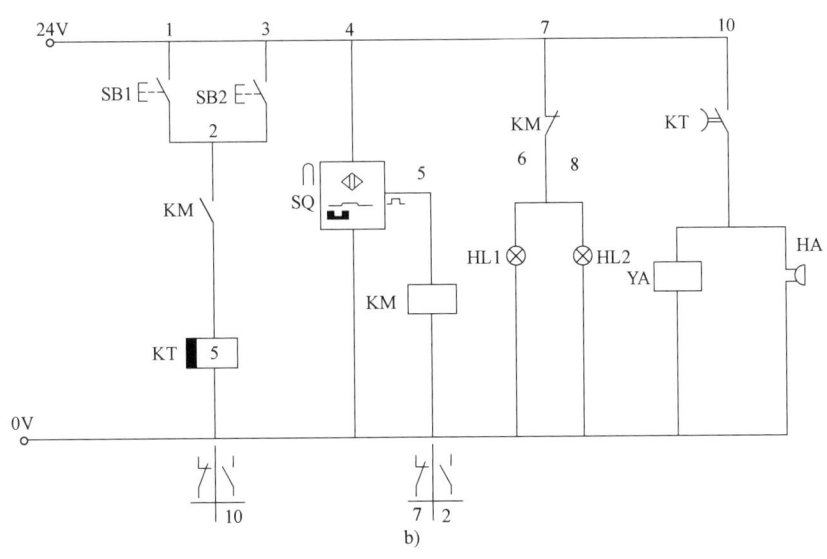

图 6-48 防火门启闭机构电控气动回路

步骤一：气动回路控制分析（图 6-48a）

气动控制回路的双作用气缸活塞杆为回缩的初始状态，伸出或返回由一个带弹簧复位的 (5/2) 二位五通电磁换向阀 1.1 控制，该换向阀是气缸的主控元件。气源通过气源处理装置（二联件）的过滤和减压传送到运动系统。

当带弹簧复位的 (5/2) 二位五通电磁换向阀 1.1 的电磁铁 YA 带电时，双作用气缸 A1 的活塞杆伸出。

当电磁铁断电时，双作用气缸 A1 的活塞杆退回到它的后端终点位置上并且压下气缸开关 SQ。

双作用气缸 A1 活塞杆的伸出和回缩速度用单向节流阀进行排气节流形式的无级调节。

步骤二：电气线路控制分析（图 6-48b）

限位开关 SQ（气缸开关，常开触点）被感应并使第 5 条控制回路上的继电器 KM 带电。

指示灯 HL1 和 HL2 通过第 7 条控制回路上的常闭触点 KM 来接通。

当点动按钮 SB1 或 SB2 时（两个均为常开触点），电压通过闭合的触点 KM 加到时间继电器 KT 上。

时间继电器 KT 带电并且接通第 10 条控制回路上延时断开的动合触点。换向阀的电磁铁 YA 带电（气缸 A1 的活塞杆伸出），同时蜂鸣器 HA 发出声响。

延时时间到了以后，第 10 条控制回路上的触点 KT 断开，气缸的活塞杆退回并感应限位开关 SB，指示灯 HL1 和 HL2 熄灭。

步骤三：回路构建

1) 根据防火门启闭机构的工作要求设计气动回路与电气图，选择元件和构建回路，如图 6-48 所示。将元件安装在试验底板上或电气元件安装架上。

2) 安装并调节限位开关。

3) 压缩空气经过压缩空气预处理单元（分水过滤器、调压阀、单向阀）和分配器向系统供气。

4) 根据气动回路，用塑料软管和附件将气动元件连接起来。

5) 断开电源，使用实验室用导线将电气元件连接起来并按照下列步骤进行：

① 所有阀的电磁铁、继电器线圈和所有指示灯（耗能单元）与下面的 0V 接线端子相连。

② 将线路上的所有触点与耗能单元相连，起始端与 DC24V 接线端子相连。

6) 打开压缩空气，热能电源并按照功能图检查动作是否正确。

7) 分析和解决在试验中出现的不正常情况，根据要求记录下试验结果。

8) 注意事项：

① 元件在试验板上安装的位置应与示意图所示的安装位置相一致。

② 根据气动回路图，用塑料软管将元件连接起来。

③ 连接电气元件时，断开电源。

④ 安装气缸开关并调节精度。

⑤ 接通压缩空气；按动按钮 1Z1，检查控制系统顺序的正确性。

⑥ 设置断电延时时间为 18s。

⑦ 连接电路时注意电源的正负极性。

5. 拆装注意事项

1) 断电延时继电器有 4 个端口；这种时间继电器通过 A1 和 A2 与工作电压相连。控制触点与另外的两个端口 B1 和 B2 相连。

2) 当连接限位开关触点或继电器的触点时，要了解相关的标准符号以及常用符号 NO、NC、COM（常开、常闭、公共接点）的知识。

3) 打开气源时，手握气源开关观察一段时间，防止因管路没接好被打出。

4) 打开气源，观察、记录运行情况，检查气缸动作顺序的正确性。对使用中出现的问题进行分析和解决。

5) 完成试验后，关闭气源，拆下管线和元件并放回原位，对破损、老化管线应及时处理。

任务评价

教师根据同学或小组任务实施情况给予表扬或指正，并视完成情况给予每个同学成绩。防火门启闭机构电控气动回路的设计与构建考核表见表 6-4。

表 6-4 防火门启闭机构电控气动回路的设计与构建考核表

考 核 项 目	考 核 内 容	分 数	得 分
工作态度	按时完成任务	5 分	
	遵守纪律，服从管理	10 分	
任务内容	控制回路设计正确，模拟规范	15 分	
	实训安装顺序正确，操作规范	15 分	
	会正确使用液压与气动仿真软件	10 分	
	控制回路的组成及功用分析到位	20 分	
团队合作精神	团队有较强的凝聚力	5 分	
	团队成员间有良好的协作精神	5 分	
	团队成员间有相互的服务意识	5 分	
团队成员间互评	认为该团队较好地完成了本任务	10 分	
	总分	100 分	

课后练习

一、填空题

1. 流量控制阀就是依靠改变阀口通流面积的_____或通流通道的_____来控制流量的液压阀类。

2. 调速阀是_____阀串接一个定差减压阀组合而成的。

3. 排气节流阀安装在_____处，调节排入大气的流量，以此来调节执行机构的运动速度。

4. 气动逻辑元件是用_____为介质，通过元件的可动部件在气控信号作用下动作，改变气流方向，以实现一定逻辑功能的气体控制元件。

5. 在继电器控制电路中，需要用_____来"置位"或"接通"自锁回路。需要用_____来"复位"或"断开"自锁回路。

6. 机械式电限位开关通常是一种_____结构。

二、操作题（采用 FluidSIM 仿真软件对下列回路进行仿真构建；模拟完成后方可进行以下操作）

1. 分组在液压实训台上构建应用节流阀的液压调速回路。要求执行元件（液压缸）能实现快进→工进→停止（任意位置）的动作。

2. 分组在气动实训台上构建采用单向节流阀的客车车门气动控制回路。其工作循环是对客车车门进行开启和关闭，为方便起见，要求在驾驶员位置和售票员位置都能进行控制。

项目七 多缸动作回路的设计与构建

项目分析

在液压与气动系统中，除用方向控制阀、压力控制阀、流量控制阀等构成的方向控制回路、压力控制回路和速度控制回路控制执行元件的方向、速度、输出力外，还有插装阀、叠加阀、电液比例控制阀、电液伺服阀、数字控制阀、气动逻辑元件等新型元件，用于现代液压与气动系统中。还有一些控制回路如多缸动作回路，也广泛用于各种机械设备中。

项目目标

知识与技能目标：
1. 熟悉插装阀的结构性能和图形符号。
2. 了解叠加阀的结构性能和图形符号。
3. 熟悉电液比例控制阀的结构性能和图形符号。
4. 了解电液伺服阀的结构性能。
5. 会在教师的指导下构建液压与气动同步回路和多缸动作回路。

素质目标：
1. 培养精益、专注、创新的工匠精神。
2. 培养系统思维。
3. 提升团队协作、思考逻辑、语言表达等职业素养。

任务一 新型控制阀的选用

任务分析

汽车起重机是装在普通汽车底盘或特制汽车底盘上的一种起重机，其实物如图 7-1 所示。这种起重机的优点是机动性好，转移迅速，起重量的范围很大（8～1000t），底盘的车轴数可为 2～10 根，是产量最大、使用最广泛的起重机类型。汽车起重机的液压系统属中高压系统，用一个轴向柱塞液压泵作为动力源，由汽车发

图 7-1 汽车起重机实物

动机通过传动机构驱动工作。整个系统由支腿收放支路、转台回转支路、吊臂伸缩支路、吊臂变幅支路和起重起升支路五个支路组成。其中，支腿收放支路由两个换向阀组成阀组，其他支路由四联多路阀组成。其中位机能为 M 型，液路系统的特点：系统采用平衡回路、锁紧回路和制动回路，保证起重机的工作安全可靠；换向阀串联组合，各机构不仅可以独立进行，轻载时还可以实现回转和起升同时工作；各支路中的阀处于中位时，系统即卸荷，以减少功率损耗。

▷ 任务重点

1. 了解二通插装阀、叠加阀、气动逻辑阀、比例控制阀、电液数字控制阀的性能、图形符号和应用。
2. 了解多缸控制回路的分析方法。

▷ 任务难点

气动逻辑阀和比例控制阀的性能和应用。

▷ 知识链接

一、插装阀

普通液压阀在流量小于 200~300L/min 的系统中性能良好，但用于大流量系统并不具备良好的性能。插装阀也称插装式锥阀或逻辑阀。它是一种结构简单、标准化、通用化程度高，通油能力大，液阻小，密封性能和动态特性好的新型液压控制阀。目前，插装阀在液压压力机、塑料成型机、压铸机等高压大流量系统中广泛应用。

1. 概述

二通插装阀如图 7-2 所示，是一种以二通型单向元件为主体，采用先导控制和插装式连接的新型液压控制元件。由于这种阀是由逻辑信号控制的，因此也称为逻辑阀。图 7-2a 所

插装阀的工作原理

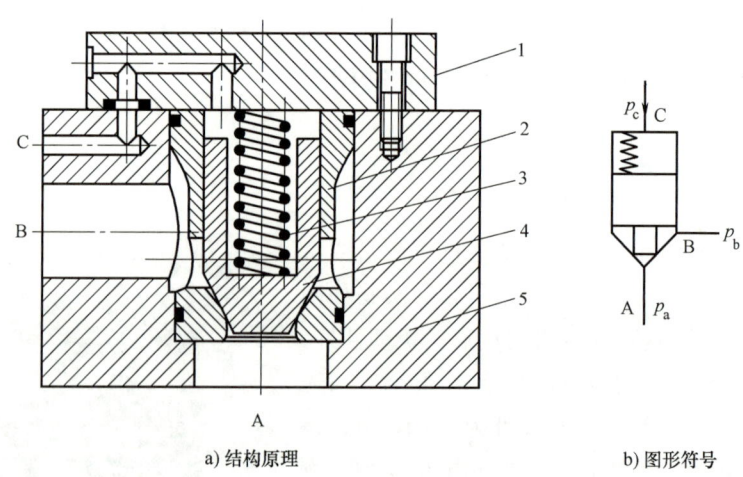

a) 结构原理　　　　　　　　　　b) 图形符号

图 7-2　二通插装阀
1—控制盖板　2—阀套　3—弹簧　4—阀芯　5—阀体

示为二通插装阀的结构原理,它由控制盖板 1、插装主阀（由阀套 2、弹簧 3、阀芯 4 及密封件组成）、插装阀体 5 和先导控制元件（置于控制盖板 1 上,图中未示出）组成。

插装主阀采用插装式连接,阀芯为锥形,根据不同的需要,阀芯的锥端可开阻尼孔或节流三角槽,也可以是圆柱形阀芯。控制盖板将插装主阀封装在阀体内,并通过控制油口 C 沟通先导阀和主阀来控制主阀的启闭,可控制主油路的通断。

使用不同的先导阀可以实现方向控制、压力控制或流量控制,还可以组成复合控制。由若干个不同控制功能的主阀插装在同一阀体内,并配上相应的控制盖板和先导控制元件,就可组成所需的液压回路和系统。

就工作而言,二通插装阀相当于一个液控式单向阀。在图 7-2 中,A、B 为主油路上仅有的两个工作油口（所以称为二通）,C 为控制油口。通过控制油口的启闭和对压力大小的控制,即可控制主阀阀芯的启闭和油口 A、B 的流向和压力。

2. 二通插装方向控制阀

图 7-3 所示为插装阀用作普通式单向阀。设 A、B 两腔的压力分别为 p_A、p_B,当 $p_A > p_B$ 时,锥阀关闭,A 腔和 B 腔不通;当 $p_A < p_B$,且达到一定数值（开启压力）时,便打开锥阀使油液从 B 腔流向 A 腔。若将图 7-3a 改为 B 腔和 C 腔沟通,便构成油液可从 A 腔流向 B 腔的普通式单向阀,如图 7-3b 所示。

图 7-4 所示为插装阀用作二位二通换向阀,由二位三通电磁换向阀作为先导元件控制 C 口的通油方式。在图 7-4 所示状态下,控制腔 C 与油口 B 接通,从 A 口进油可顶开阀芯通油,而 B 口进油则使阀口关闭,相当于油液由 A 流向 B 口的单向阀。当电磁铁通电,二位三通阀右位工作时,控制腔 C 通过二位三通阀和油箱接通,此时,无论 A 口进油还是 B 口进油均可将阀口开启通油,即 A、B 口互通。

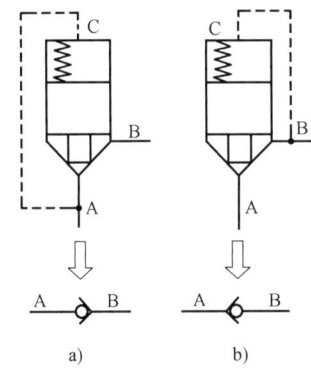

图 7-3 插装阀用作普通式单向阀

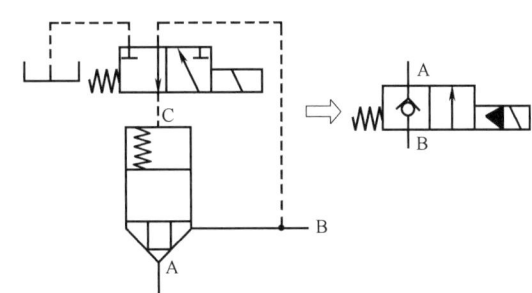

图 7-4 插装阀用作二位二通换向阀

图 7-5 所示为插装阀用作二位三通换向阀,用一个二位四通电磁阀来转换两个插装阀控制腔中的压力。在图 7-5 所示电磁铁断电的状态下,锥阀 1 的控制腔接回油箱,阀口开启,锥阀 2 控制腔接液压油口 P,阀口关闭,即油口 A 与 T 通,与油口 P 不通;若电磁铁通电时,二位四通电磁阀换至左位工作,锥阀 1 的控制腔接压力油口 P,阀口关闭,锥阀 2 的控制腔接回油箱,阀口开启,油口 A 与 P 通,与油口 T 不通。

图 7-6 所示为插装阀用作二位四通换向阀,用一个二位四通电磁先导阀来对四个锥阀进行控制。在图 7-6 所示状态下,锥阀 1 和 3 因其控制腔通油箱而开启,锥阀 2 和 4 因其控制

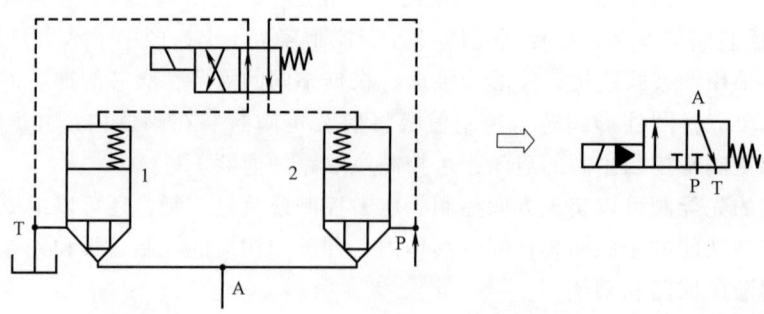

图 7-5 插装阀用作二位三通换向阀
1、2—锥阀

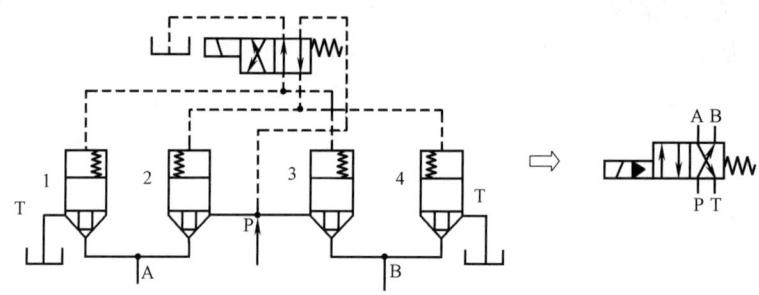

图 7-6 插装阀用作二位四通换向阀
1~4—锥阀

腔通液压油而关闭,此时,主油路液压油油口 P 与 B 相通,A 与 T 相通;当电磁阀通电换为左位工作时,锥阀 1 和 3 因其控制腔通液压油而关闭,锥阀 2 和 4 因其控制腔通油箱而开启,此时,主油路液压油油口 P 与 A 相通,B 与 T 相通。

用多个先导阀(如上述各电磁阀)和多个二通插装阀相配,可构成复杂的二通插装换向阀,这是普通换向阀做不到的。

3. 二通插装式压力控制阀

采用带有阻尼孔的插装阀芯,并对插装元件的 C 腔进行压力控制,即可构成各种压力控制阀,其结构原理如图 7-7 所示。用直动式溢流阀作为先导阀来控制 C 腔,在不同的油路连接下便构成不同的压力阀。

在图 7-7a 中,B 腔通油箱,当 A 腔油压升高到先导阀调定的压力时,先导阀打开,油液流过主阀阀芯阻尼孔时,造成两端有压差,使主阀阀芯克服弹簧阻力开启,A 腔液压油便通过打开的阀口经 B 腔流回油箱,实现溢流稳压,即成为插装式溢流阀。在图 7-7b 中,若二位二通阀电磁铁通电,便可作为卸荷阀使用。若 B 腔不接油箱,而与负载油路相接,就构成了插装式顺序阀。在图 7-7c 中,主阀采用油口常开的阀芯,B 腔为进油口,A 腔为出油口,A 腔液压油经阻尼小孔后与控制腔 C 相通,并与先导压力阀进口相通,这就构成了插装式减压阀。

4. 插装式流量控制阀

图 7-8a 所示为插装式节流阀。在这种插装阀的阀芯端部开有三角沟槽,用以调节流量。

项目七 多缸动作回路的设计与构建

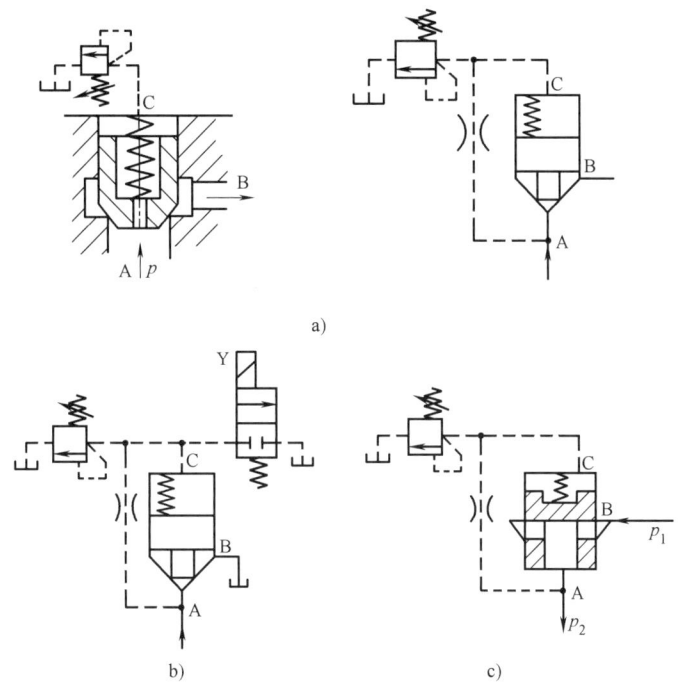

图 7-7 插装式压力控制阀

如果在插装式节流阀前串联一个定差减压阀,减压阀阀芯两端分别与节流阀进、出油口相通,利用减压阀的压力补偿功能来保证节流阀两端压差不随负载的变化而变化,这就构成了插装式调速阀,如图 7-8b 所示。

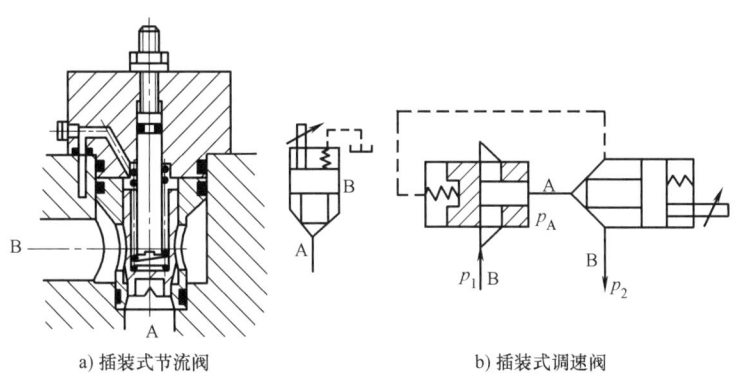

a) 插装式节流阀   b) 插装式调速阀

图 7-8 插装式流量控制阀

总之,插装阀经过适当地连接和组合,可构成各种功能的液压控制阀。

5. 二通插装阀的特点

1) 插装主阀结构简单,通流能力大,最大流量可达 10000L/min。
2) 不同的阀有相同的插装主阀,一阀多能,便于实现标准化。
3) 泄漏小,便于无管连接,先导阀功率又小,具有明显的节能效果。

二通插装阀目前广泛用于冶金机械、船舶、塑料成型机械等大流量的液压系统中。

二、叠加阀

叠加阀是在板式阀集成化基础上发展起来的一种新颖元件。每个叠加阀不仅起到单个阀的功用，还起到通油通道的作用。由叠加阀组成的液压系统，只要将相应的叠加阀叠合在底板与标准板式换向阀之间，用螺栓连接即成。叠加阀的上下两面都是平面，便于叠加安装。

叠加阀在结构和连接上与板式阀不同。如溢流阀，在叠加阀上除了 P 口和 O 口外，还有 A、B 油口，这些油口自阀的底面贯通到顶面，而且同一通径的各类叠加阀的 P、A、B、O 油口间的相对位置都是与相匹配的标准板式换向阀一致的。

图 7-9 所示为叠加阀及其回路示意图的示例。换向阀在最上面，与执行元件连接的底板在最下方，而叠加阀则安装在换向阀与底板之间。

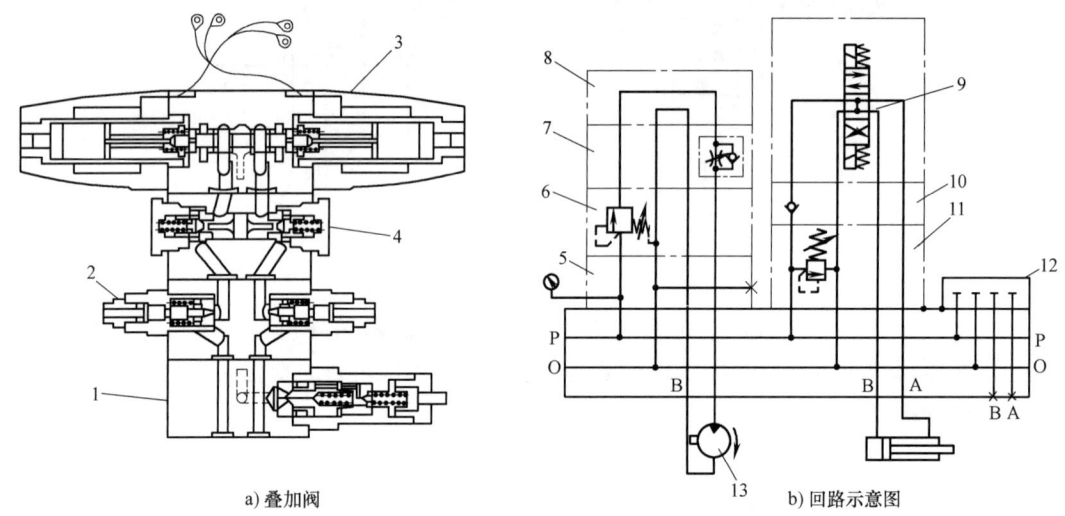

图 7-9 叠加阀及其回路示意图的示例

1—溢流阀 2—流量阀 3—电磁阀 4、10—单向阀 5—安装压力表的板 6—顺序阀 7—单向进油节流阀 8—顶板 9—换向阀 11—溢流阀 12—备用回路盲板 13—液压马达

叠加阀的结构有单功能的，也有复合功能的。

由叠加阀组成的系统有很多优点：结构紧凑，占地面积小，系统的设计、制造周期短，系统更改时增减元件方便迅速，配置灵活，工作可靠。

三、气动逻辑阀

1. 概述

气动逻辑元件是用压缩空气作为工作介质，通过元件的可动部件在气控信号作用下动作，改变气流方向以实现一定逻辑功能的气动控制元件。实际上气动方向控制阀也具有逻辑元件的各种功能，所不同的是它的输出功率较大，尺寸也较大；而气动逻辑元件的尺寸则较小，因此在气动控制线路中广泛采用各种形式的气动逻辑元件（逻辑阀）。

气动逻辑元件的种类很多，一般可按下列方式来分类。

1）按工作压力分，气动逻辑元件可分为高压元件（工作压力为 0.2~0.8MPa）、低压元件（工作压力为 0.02~0.2MPa）及微压元件（工作压力在 0.02MPa 以下）三种。

2）按逻辑功能分，气动逻辑元件可分为"是门"元件、"或门"元件、"与门"元件、"非门"元件、"或非"元件、"双稳"元件等。

3）按结构形式分，气动逻辑元件可分为截止式逻辑元件、膜片式逻辑元件、滑阀式逻辑元件等。

2. 高压截止式逻辑元件

高压截止式逻辑元件是依靠控制气压信号推动阀芯或通过膜片变形推动阀芯动作，改变气流的流动方向以实现一定逻辑功能的逻辑阀。这类元件的特点是行程小、流量大、工作压力高、对气源净化要求低，便于实现集成安装和集中控制，其拆卸也很方便。

1）"是门"元件和"与门"元件：图 7-10 所示为"是门"元件和"与门"元件的结构。图 7-10 中，a 孔为信号输入孔，S 为输出孔，中间孔接气源用作 P 孔时为"是门"元件。在 a 孔无输入信号时，阀片 1 在弹簧及气源压力的作用下处于图示位置，封住 P、S 之间的通道，使输出孔 S 与排气孔相通，S 无输出。在 a 孔有输入信号时，膜片 4 在输入信号作用下将阀芯 3 推动下移，封住输出孔 S 与排气孔间通道，P、S 之间相通，S 有输出。这就是说，无输入信号时无输出，有输入信号时就有输出。元件的输入和输出信号之间始终保持相同状态。

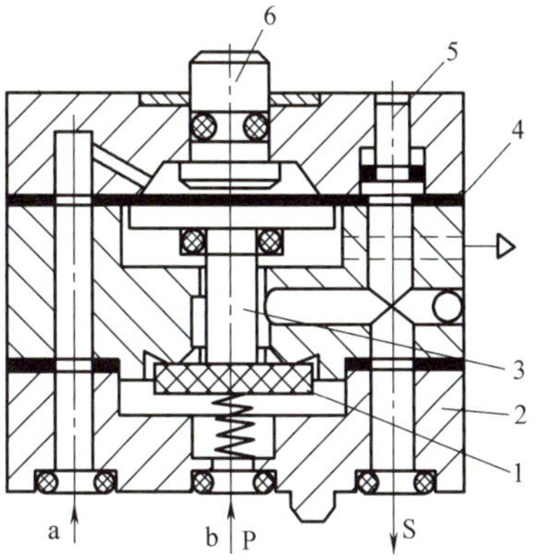

图 7-10 "是门"元件和"与门"元件的结构
1—阀片 2—阀体 3—阀芯
4—膜片 5—显示活塞 6—手动按钮

若将中间孔不接气源而换接另一输入信号，即不用作 P 孔而用作 b 孔时，则成为"与门"元件，也即只有当 a、b 孔同时有输入信号时，S 才有输出。显示活塞 5 用来显示输出的状态，即活塞伸出时表示 S 有输出，反之 S 无输出。手动按钮 6 用于手动发送信号。

"是门"元件和"与门"元件的逻辑关系见表 7-1。

表 7-1 "是门"元件和"与门"元件的逻辑关系

名称	是门			与门		
逻辑函数	$S=a$			$S=a \cdot b$		
真值表	a	S		a	b	S
	0	0		0	0	0
	1	1		0	1	0
				1	0	0
				1	1	1
逻辑符号	⊃			⊃•		

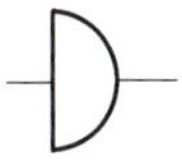

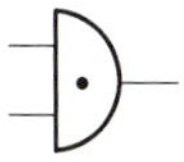

2）"或门"元件：图 7-11 所示为"或门"元件结构。图 7-11 中 a、b 为信号输入孔，S

为信号输出孔。当仅 a 有输入信号时,阀芯 3 就下移而封住信号孔 b,气流经 S 输出;当仅 b 有输入信号时,阀芯 3 就上移而封住信号孔 a,S 也会有输出;当 a、b 均有输入信号时,阀芯在两个信号的作用下或上移,或下移,或暂时保持中位,无论阀芯处于何种状态,S 均会有输出。也就是说,在 a 和 b 两个输入端中,只要有一个输入信号或同时都有输入信号,则输出端 S 就会有输出信号。

"或门"元件的逻辑关系见表 7-2。

表 7-2 "或门"元件的逻辑关系

或门			真值表		
逻辑函数	S = a+b		a	b	S
逻辑符号			0	0	0
			0	1	1
			1	0	1
			1	1	1

3)"非门"元件和"禁门"元件:图 7-12 所示为"非门"元件和"禁门"元件的结构。图 7-12 中,a 为信号输入孔,S 为信号输出孔,中间孔接气源用作 P 孔时为"非门"元件。在 a 孔无输入信号时,阀片 1 在气源压力作用下上移,封住输出孔 S 与排气孔间的通道,S 有输出。当 a 孔有输入信号时,膜片 6 在输入信号作用下,推动阀杆 3 下移,推动阀片 1 封住气源孔 P,S 无输出。即只要 a 孔有输入信号出现时,输出端就是"非"的状态,即没有输出了。

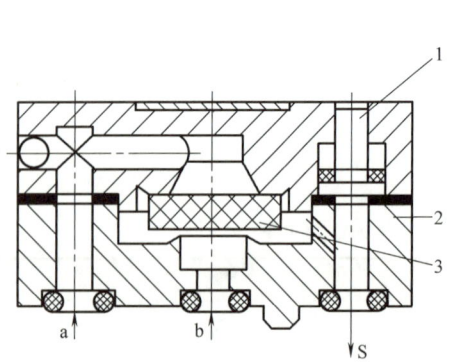

图 7-11 "或门"元件结构
1—显示活塞 2—阀体 3—阀芯

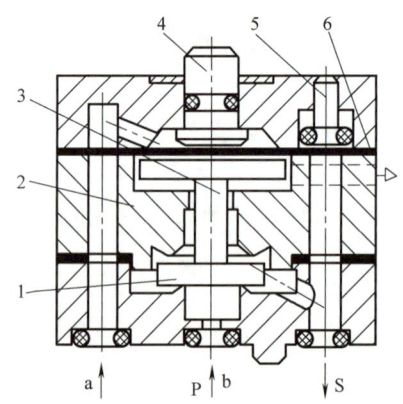

图 7-12 "非门"元件和"禁门"元件的结构
1—阀片 2—阀体 3—阀杆
4—手动按钮 5—显示活塞 6—膜片

若中间孔不用作气源孔 P,而用作另一输入信号孔 b,即成为"禁门"元件。此时,当 a、b 均有输入信号时,阀杆 3 及阀片 1 在 a 孔输入信号作用下封住 b 孔,S 无输出;在 a 无输入信号而 b 有输入信号时,S 就有输出。也就是说,a 的输入信号对 b 的输入信号起"禁止"作用。

"非门"元件和"禁门"元件的逻辑关系见表 7-3。

表 7-3 "非门"元件和"禁门"元件的逻辑关系

名 称	非 门		禁 门		
逻辑函数	$S=\bar{a}$		$S=\bar{a}b$		
真值表	a 0 1	S 1 0	a 0 0 1 1	b 0 1 1 0	S 0 1 0 0
逻辑符号	─▷○─		─+▷·─S		

4)"或非"元件：图 7-13 所示为三输入"或非"元件的结构，它是在"非门"元件的基础上增加两个信号输入端，即具有 a、b、c 三个输入信号端，P 为气源，S 为输出端。三个信号膜片不是刚性连在一起的，而是处于"自由状态"，即阀柱 1、2 和相应的上、下膜片是可以分开的。从图 7-13 中可以看出，只要有一个输入信号出现，输出端就没有输出信号，即完成了"或非"逻辑功能。

"或非"元件是一种多功能逻辑元件，用这种元件可以实现"是门""或门""与门""非门"及记忆等各种逻辑功能。

5)"双稳"元件："双稳"元件属于记忆元件，在逻辑回路中起很重要的作用。

图 7-14 所示为"双稳"元件的结构。图 7-14 中，当 a 有输入信号时，阀芯 2 被推向右端（即图示位置），气源的压缩空气便由 P 至 S_1 输出；而 S_2 与排气口相通；此时"双稳"处于"1"状态。在控制端 b 的输入信号到来之前，a 的信号即使消失，阀芯 2 仍能保持在右端位置，S_1 总有输出。

当 b 有输入信号时，阀芯 2 被推向左端，此时压缩空气由 P 至 S_2 输出，而 S_1 与排气孔相通，于是"双稳"处于"0"状态。在 a 信号未到来之前，即使 b 的信号消失，阀芯 2 仍处于左端位置，S_2 总有输出。

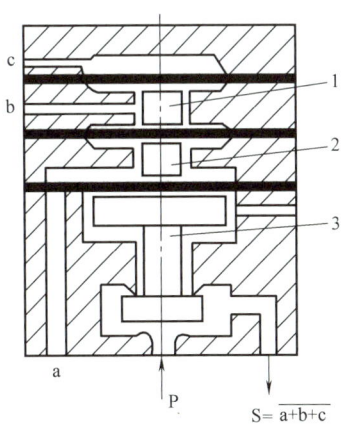

图 7-13 三输入"或非"元件的结构
1、2—阀柱 3—阀芯

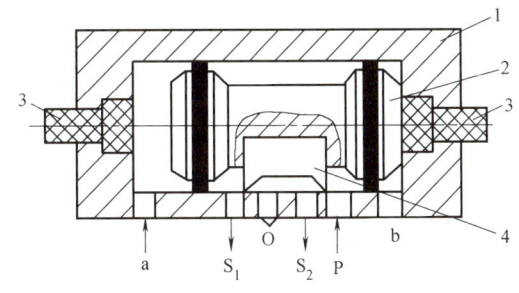

图 7-14 "双稳"元件的结构
1—阀体 2—阀芯 3—手动按钮 4—滑块

"双稳"元件的逻辑关系见表 7-4。

6)气电转换器：气电转换器是把气信号转换成电信号的装置，其输入的是气信号，利用气压信号的变化引起可动部件（如膜片、顶杆等）的位移来接通或断开电路，输出的是电信号。气电转换器按照其可接受的气信号压力的大小，可分为高压气电转换器和低压气电转换器两种。高压气电转换器也叫压力继电器，它可接受较高的气信号压力（≥0.01MPa）；

表 7-4 "双稳"元件的逻辑关系

双稳		真 值 表			
逻辑函数	$S_1=K_b^a$, $S_2=K_a^b$	a	b	S_1	S_2
逻辑符号	（图）	1	0	1	0
		0	0	1	0
		0	1	0	1
		0	0	0	1

低压气电转换器可接受的气信号压力较低（<0.01MPa）。高压气电转换器如图 7-15 所示，图中 2 是微动开关，它有两对金属触头，触点②和③组成一组常开触头，触点①和③组成一组常闭触头。当气压信号进入后，气压力作用在薄膜 5 上，薄膜向上弯曲，克服弹簧力，使顶头 4 向上移动，从而使触点①与③断开，触点②与③闭合。当气压信号消失后，依靠弹簧力作用，膜片恢复原状，顶头也跟着复位，使触点①与③闭合，触点②与③断开。触点的闭合与断开即发出相应的电信号。

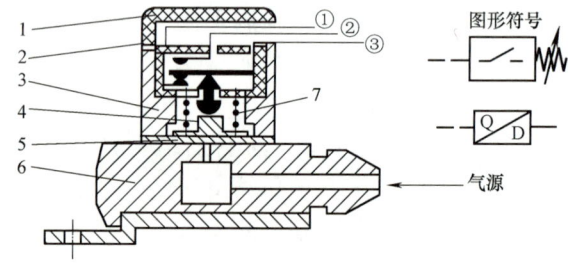

图 7-15 高压气电转换器
1—上盖 2—微动开关 3—本体 4—顶头
5—薄膜 6—底座 7—弹簧

3. 逻辑元件应用实例

某工厂工艺流程中应用了若干个阀门，若其中阀门 A 打开，阀门 B 或 C 再有一个打开，就出现危险，试设计报警气动回路。

根据题意可设计出图 7-16 所示的逻辑框图。按图 7-16 就可直接选用"或门"元件、"与门"元件及气电转换器。

图 7-16 所示的逻辑框图也可以由阀类零件所组成的控制回路来实现，如图 7-17 所示。

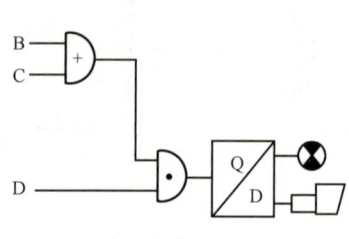

图 7-16 逻辑框图

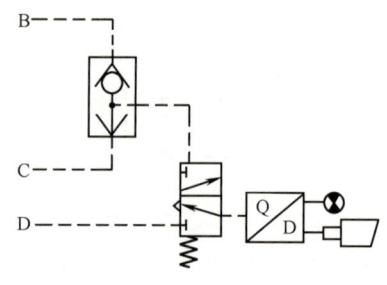

图 7-17 组合逻辑控制回路

四、比例控制阀

普通液压阀只能通过手动预调的方式对液流的压力、流量进行定值控制。但是当设备执行机构在工作过程中要求对液压系统的压力、流量参数进行调节或连续控制时,普通液压阀则实现不了,这时可以用电液比例控制阀对液压系统进行控制。

电液比例控制阀的发展主要有三个途径:①用比例电磁铁取代传统液压阀的手动调节装置或取代普通电磁铁;②简化电液伺服阀结构、降低精度;③通过液压、机械以及电气的各种反馈手段,进一步提高比例阀的性能。因而,出现了多种将比例阀、液压泵、液压马达、传感器、电子放大器和数字显示装置集成在一块的节能的比例容积器件,计算机技术同液压比例技术相结合已是必然趋势。最常用的电液比例控制阀可与普通液压阀互换。比例电磁铁的工作原理与结构如图 7-18 所示。

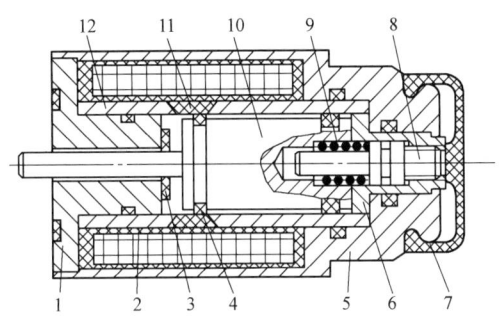

图 7-18 比例电磁铁的工作原理与结构
1—极靴 2—线圈 3—限位环 4—隔磁环
5—壳体 6—内盖 7—盖 8—调节螺钉
9—弹簧 10—衔铁 11—支承环 12—导向管

比例电磁铁是直流电磁铁,但它与普通直流电磁铁不同。后者只有吸合和断开两个工作位置,并且在吸合时磁路中几乎没有气隙。而比例电磁铁要求吸力或位移与给定电流成比例,并在衔铁的全部工作行程上,磁路中保持一定的气隙。其结构主要由极靴 1、线圈 2、壳体 5 和衔铁 10 等组成。线圈 2 中通电后产生磁场,因隔磁环 4 的存在,使磁力线主要部分通过衔铁 10、气隙和极靴 1,形成回路。极靴对衔铁产生吸力。在线圈中电流一定时,吸力的大小因极靴与衔铁间的距离不同而变化,但衔铁在气隙适中的一段行程中,吸力随位置的改变发生的变化很小,比例电磁铁的衔铁就是工作在这段行程中。因此,改变线圈中的电流即可在衔铁上得到与其成正比的吸力。用比例电磁铁代替螺旋手柄来调整液压阀,就能使输出的压力或流量与输入电流成比例地发生变化。比例阀用于模拟控制,是介于普通开关控制与伺服控制之间的控制方式,它在制造精度、价格、使用维护,尤其是对油污敏感性等方面均低于伺服阀,它也特别适宜于设备的革新或改造,使设备自动化控制水平大为提高。它在现代液压系统中所占比例很大。

电液比例控制阀根据用途和工作特点的不同也分为比例压力阀、比例流量阀和比例方向阀三大类。近年来又出现了功能复合化的趋势。

1. 比例压力阀

用比例电磁铁代替溢流阀的调压螺旋手柄,构成比例溢流阀。图 7-19 所示为先导式比例溢流阀,其下部为溢流阀,上部为比例先导阀。比例电磁铁的衔铁 4 通过顶杆 6 控制先导锥阀 2,从而控制溢流阀阀芯上腔的压力,使控制压力与比例电磁铁输入电流成比例。其中手动调整的先导阀 9 用来限制比例压力阀的最高压力。远控口可以用来进行远程控制。用同样的方式,也可以组成比例顺序阀和比例减压阀。

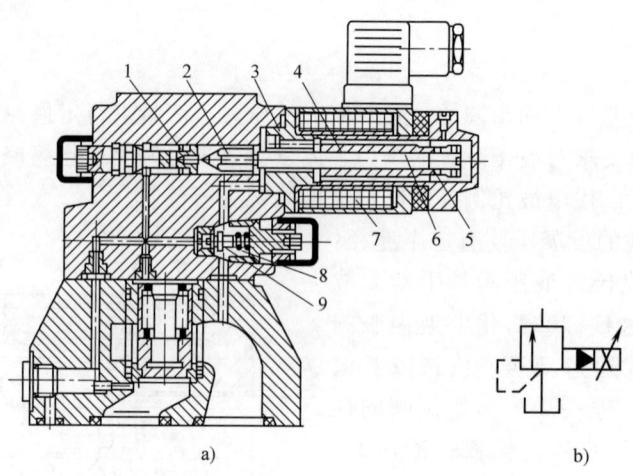

图 7-19 先导式比例溢流阀

1—先导阀座 2—先导锥阀 3—极靴 4—衔铁 5—弹簧 6—顶杆 7—线圈 8—弹簧 9—先导阀

2. 比例流量阀

用比例电磁铁来改变节流阀的开口，就成为比例节流阀。将此阀和定差减压阀组合在一起，就成为比例调速阀，以实现用电信号控制阀口开度，从而控制油液流量，如图 7-20 所示。当有电流输入时，节流阀阀芯 2 在比例电磁铁 3 的磁力作用下，通过推杆 4 与节流阀阀芯 2 左端的弹簧力相平衡，这时对应的节流口开度 h 为一定值。当不同的信号电流输入时，便有不同的节流口开度。由于减压阀阀芯 1 能保证节流阀前后的压差不变，因此通过对应的节流口开度的流量也恒定。若输入信号电流是连续按比例地或按一定程序改变，则比例调速阀所控制的流量也就连续地按比例或按一定程序改变，以连续地实现执行部件的速度调节。

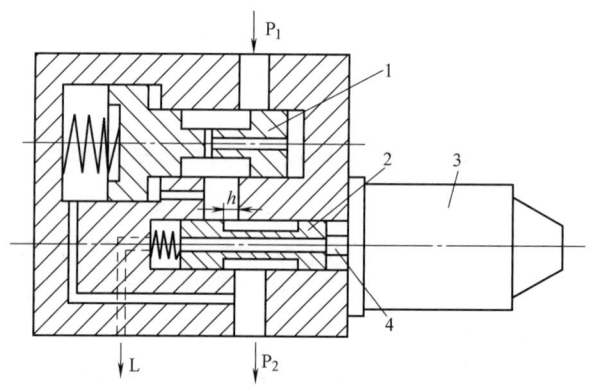

图 7-20 比例调速阀

1—减压阀阀芯 2—节流阀阀芯 3—比例电磁铁 4—推杆

3. 比例方向阀

将普通二位四通电磁换向阀中的电磁铁换成比例电磁铁，并在制造时严格控制阀芯和阀体上轴肩与凸肩的轴向尺寸，便成为比例方向阀。如图 7-21 所示，其阀芯的行程可以与输入电流对应连续或成比例改变。阀芯上的轴肩可以制作出三角形阀口，因而利用比例换向阀不仅能改变执行元件的运动方向，还能通过控制换向阀的阀芯位置来调节阀口的开度，从而控制流量。因此，它同时兼有方向控制和流量控制两种功能。

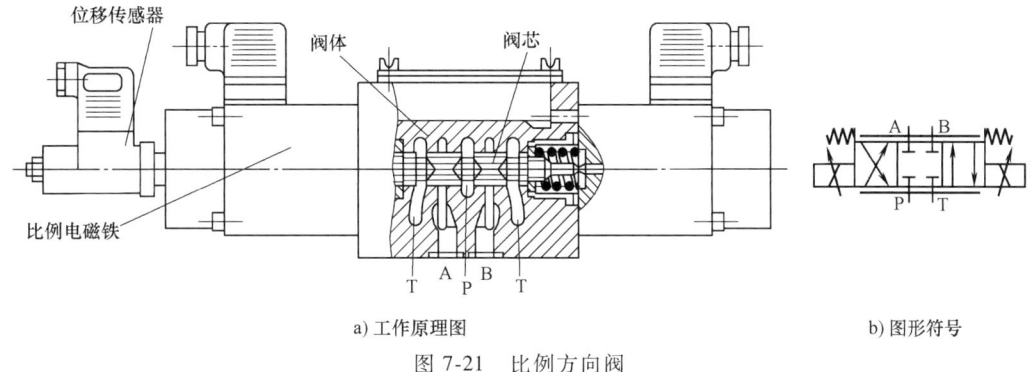

a) 工作原理图　　　　　　　　　　　　　　　b) 图形符号

图 7-21　比例方向阀

五、电液伺服阀

在伺服系统中，用电气作为信号，传递快、线路连接方便、适于远距离控制、易于测量比较和校正；以液压能为动力，输出力大、惯性小、反应快；因此两者结合而成的电液伺服系统是一种控制灵活、精度高、快速性好、输出功率大的系统。这种系统中一定要有一个变电信号为液压信号的转换装置（接口元件），即电液伺服阀。

1. 电液伺服阀的一般构成及分类

图 7-22 所示为一种电液伺服阀的结构，它由电磁和液压两部分组成。电磁部分由永久磁铁 1、两个导磁体 9、线圈 8 和衔铁 2 等组成，它的作用是把输入的电信号转变成力矩，使衔铁偏转，以便控制液压部分，一般称它为力矩马达，力矩马达的磁通变化情况如图 7-23 所示。图 7-22 中液压部分则包含两个喷嘴 4、挡板 5、滑阀 7 以及过滤器 6 等组成件。衔铁 2 与挡板 5 连接在一起，挡板下端为一球头，嵌放在滑阀 7 的凹槽内。

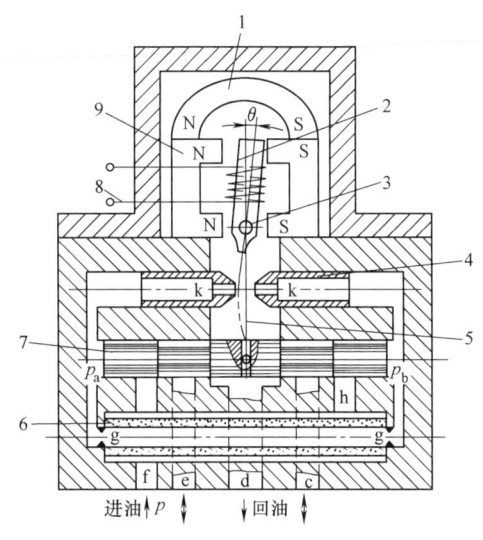

图 7-22　电液伺服阀的结构
1—永久磁铁　2—衔铁　3—扭轴　4—喷嘴
5—挡板　6—过滤器　7—滑阀　8—线圈　9—导磁体

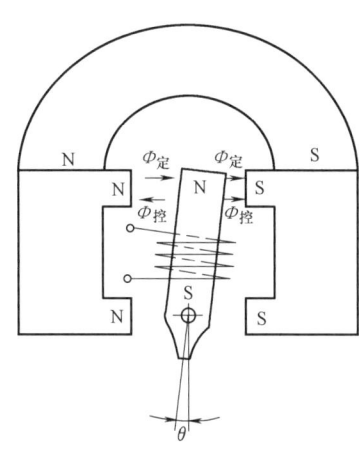

图 7-23　力矩马达的磁通变化情况

2. 电液伺服阀的典型结构及工作原理

电液伺服阀的工作原理如图 7-22 所示。如前所述，它由电磁和液压两部分组成。永久磁铁将两个导磁体磁化为 N 极和 S 极。衔铁由扭轴 3 支承，处于两个导磁体间形成的固定磁场中间。这时，通过导磁体和衔铁间隙处的磁通都是 $\varPhi_{定}$，并且方向相同，因而衔铁处于两个导磁体的中间位置。当有控制电流输入线圈 8 时，衔铁被磁化，如果通入的电流方向使衔铁产生磁力，上端为 N 极，下端为 S 极，则在衔铁和导磁体中间又产生磁通 $\varPhi_{控}$。由图 7-23 可以看出，在右上边的气隙中，磁通 $\varPhi_{定}$ 和 $\varPhi_{控}$ 的方向相同，因此总磁通是两者相加。在左上边的气隙中，磁通 $\varPhi_{定}$ 和 $\varPhi_{控}$ 的方向相反，因此总磁通是两者相减的差值。这样，右上边气隙中的磁通就大于左上边气隙中的磁通，因此在衔铁上产生转矩，使衔铁连同挡板 5 顺时针偏转。衔铁的偏转使得支承它的扭轴 3 产生扭转变形，因而产生一个抵抗衔铁偏转的弹性反转矩，当这一弹性反转矩等于磁通在衔铁上产生的转矩时，衔铁就处于相对平衡位置。由于使衔铁偏转的力矩与输入的控制电流的大小成正比，同时扭轴的反转矩与它的转角也成正比，因此衔铁的转角与输入的控制电流的大小成正比。控制电流越大，衔铁的偏转角度也越大。如果输入控制电流的方向相反，则衔铁偏离中间位置的方向也相反。

这种力矩马达的特点：由于其衔铁很小，因而惯性小，灵敏度较高；同时衔铁由扭轴支承，没有摩擦阻力，所以灵敏区较大。

液压部分是一个两级放大器，第一级是喷嘴挡板式，称为前置放大级；第二级是四边滑阀式，称为功率放大级。

输入的控制电流越大，滑阀的偏移量也越大，输出的流量越多，液压执行元件的运行速度也越高。如果输入的控制电流方向相反，则衔铁做逆时针方向偏转，使 p_b 大于 p_a，滑阀向左偏移，压力油从油路 e 输出，使液压执行元件做反向运行。由此可知，输入控制电流的方向及大小决定了液压执行元件的运行方向及运行速度的大小。

任务实施

液压元件的选用

1. 任务组织

以小组为单位，小组规模一般为 3~5 人，每小组选举 1 名小组长协调小组的各项工作，教师提出必要的指导和建议，任务完成后以小组为单位组织学生进行汇报、讨论和交流，并针对共性问题在课堂上组织讨论和专门讲解。

2. 任务内容

选择半自动专用铣床液压系统的液压元件。

3. 任务目的

通过分析半自动专用铣床液压系统，使学生初步学会根据工作任务要求选择合适的液压元件。

4. 操作过程

半自动专用铣床的液压系统中，采用电磁阀进行换向，液压泵通过的流量为 16L/min，换向阀通过的流量为 9.2L/min，根据以上要求请选择合适的液压泵、过滤器、溢流阀、单向阀、三位四通换向阀和二位二通换向阀等液压元件的型号填写入表 7-5。

表 7-5　液压元件的型号选择

序号	元件名称	型　　号	通过流量/(L/min)
1	过滤器		16
2	液压泵		16
3	三位四通换向阀		9.2
4	二位二通换向阀		9.2
5	溢流阀		9.2
6	单向阀		9.2

任务评价

教师根据同学或小组任务实施情况给予表扬或指正，并视完成情况给予每个同学成绩。液压元件的选用考核表见表 7-6。

表 7-6　液压元件的选用考核表

考核项目	考核内容	分　数	得　分
工作态度	按时完成任务	5 分	
	遵守纪律，服从管理	10 分	
任务内容	过滤器选取	10 分	
	液压泵选取	15 分	
	换向阀选取	15 分	
	溢流阀选取	10 分	
	单向阀选取	10 分	
团队合作精神	团队有较强的凝聚力	5 分	
	团队成员间有良好的协作精神	5 分	
	团队成员间有相互的服务意识	5 分	
团队成员间互评	认为该团队较好地完成了本任务	10 分	
	总分	100 分	

任务二　多缸动作控制回路的设计

任务分析

图 7-24 所示为垃圾集装压实机，要求在最大工作压力 $p=3\text{MPa}$ 的工况下，它装有预压实机 1，包括玻璃破碎机以及主压实机 2。主压实机的最大工作压力 $F=2200\text{N}$。当压下启动开关按钮，预压实机前向运动，然后主压实机前向运动。两个气缸的回程运动是同步的。

当垃圾箱装满时，主压实机的气缸不能达到前端位置，这时两气缸的回程则由压力顺序阀来控制。压力顺序阀设置在 $p=2.8\text{MPa}$ 时动作。

这是一个多缸控制顺序回路，而且根据垃圾集装压实机的实际工作情况，还要求主压实机2在碰到垃圾中有硬物而不能向下压实时，能根据设定压力自动返回。

▶ **任务重点**

1. 掌握液压与气动多缸控制回路的分析方法。
2. 掌握气动延时控制回路、气动安全保护回路的设计方法。
3. 能设计简单的液压与气动多缸控制回路。
4. 能在教师的指导下完成多缸控制回路的构建。

▶ **任务难点**

多缸顺序控制回路和气动延时控制回路。

▶ **知识链接**

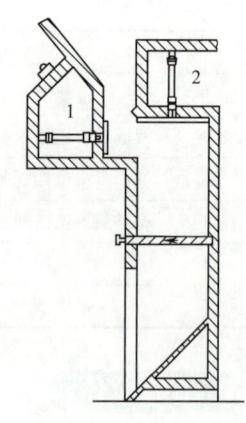

图 7-24　垃圾集装压实机
1—预压实机　2—主压实机

一、液压多缸动作控制回路

在液压系统中，如果由一个动力源向多个液压执行元件输送液压油，须用一些特殊的回路才能实现预定的动作要求。常见的这类回路主要有以下三种：

1. 顺序动作回路

顺序动作回路的功能是使液压系统中的各个执行元件严格地按规定的顺序动作。按控制方式不同，可分为行程控制和压力控制两大类。

1) 行程控制顺序动作回路：图 7-25a 所示为由行程阀控制的顺序动作回路。在图示状态下，A、B 两液压缸活塞均在右端。当推动手柄，使阀 C 左位接入，缸 A 的活塞左行，完成动作①；挡块压下行程阀 D 后，缸 B 的活塞左行，完成动作②；阀 C 复位后，缸 A 的活塞先退回，实现动作③；随着挡块右移，阀 D 复位，缸 B 的活塞退回，实现动作④。至此，顺序动作全部完成。这种回路工作可靠，但动作顺序一经确定，再改变就比较困难，同时管路长，布置较麻烦。图 7-25b 所示为由行程开关控制的顺序动作回路，当阀 E 通电换向时，缸 A 的活塞左行完成动作①后，触动行程开关 S_1，使阀 F 通电换向，控制缸 B 的活塞左行完成动作②。当缸 B 的活塞左行至触动行程开关 S_2，使阀 E 断电，缸 A 的活塞返回，实现

行程阀控制的顺序动作回路

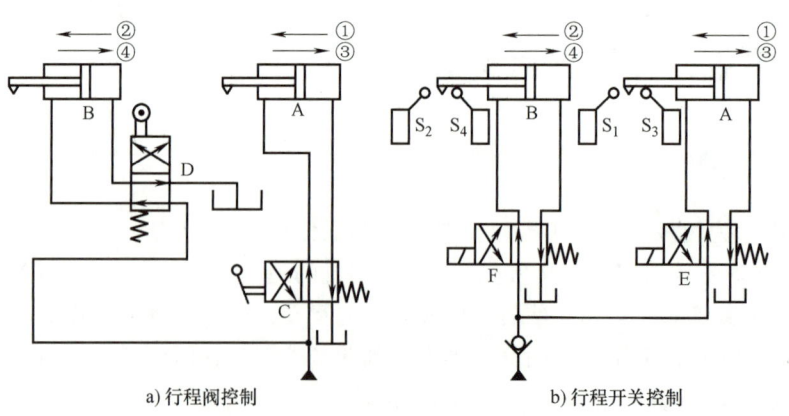

a) 行程阀控制　　　　b) 行程开关控制

图 7-25　行程控制顺序动作回路

行程开关控制的顺序动作回路

动作③后，触动S_3使阀F断电，缸B的活塞返回，完成动作④，最后触动S_4，使泵卸荷或引起其他动作，完成一个工作循环。这种回路的优点是控制灵活方便，但其可靠程度主要取决于电气元件的质量。

2）压力控制顺序动作回路：图7-26所示为采用顺序阀顺序控制动作回路。当换向阀左位接入回路且顺序阀D的调定压力大于液压缸A的最大前进工作压力时，液压油先进入液压缸A的左腔，实现动作①；当液压缸行至终点后，压力上升，液压油打开顺序阀D进入液压缸B的左腔，实现动作②；同样地，当换向阀右位接入回路且顺序阀C的调定压力大于液压缸B的最大返回工作压力时，两液压缸则先按③后④的顺序返回。显然这种回路动作的可靠性取决于顺序阀的性能及其压力调定值，一般顺序阀的调定压力应比前一个动作的压力高出0.8~1.0MPa，否则顺序阀易在系统压力波动时误动作。这种回路适用于液压缸数目不多、负载变化不大的场合。

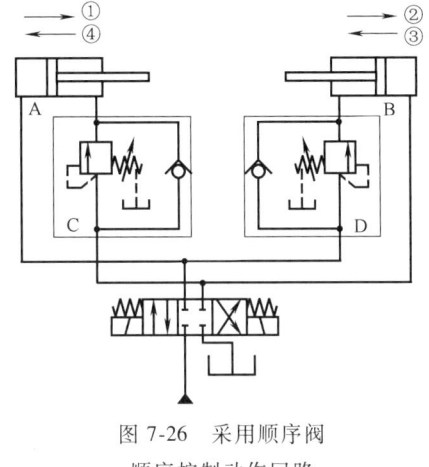

图7-26 采用顺序阀顺序控制动作回路

2. 同步动作回路

同步动作回路的功能是保证系统中的两个或多个液压执行元件在运动中的位移量相同或以相同的速度运动。从理论上讲，对两个工作面积相同的液压缸输入等量的油液即可使两液压缸同步。但泄漏、摩擦阻力、制造精度、外负载、结构弹性变形以及油液中的含气量等因素都会使同步难以保证。为此，同步动作回路要尽量克服或减少这些因素的影响，有时要采取补偿措施，消除累积误差。

1）带补偿措施的串联液压缸同步回路：图7-27所示为两液压缸串联同步回路，在这个回路中，液压缸1有杆腔A的有效面积与液压缸2无杆腔B的有效面积相等，因而A腔排出的油液进入B腔后，两液压缸的升降便得到同步。通过补偿措施使同步误差在每一次下行运动中都得到消除，避免误差的积累。其补偿原理：当三位四通电磁换向阀6右位接入时，两液压缸活塞同时下行，若液压缸1的活塞先运动到底，它就触动行程开关a，使二位三通电磁换向阀5通电，液压油经二位三通电磁换向阀5和液控单向阀3向液压缸2的B腔补油，推动活塞继续运动到底，误差即被消除。若液压缸2先到底，则触动行程开关b使二位三通电磁换向阀4通电，控制液压油使液控单向阀反向通道打开，使液压缸1的A腔通过液控单向阀回油，活塞可继续运动到底。这种串联式同步回路只适用于负载较小的液压系统。

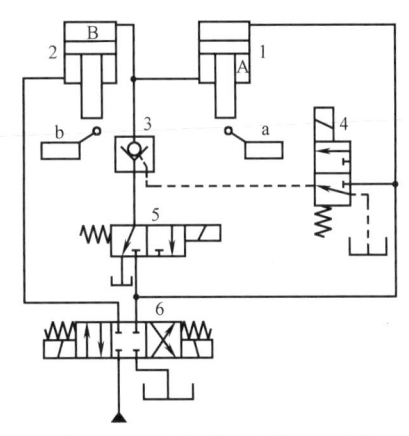

图7-27 两液压缸串联同步回路
1、2—液压缸 3—液控单向阀
4、5—二位三通电磁换向阀
6—三位四通电磁换向阀 a、b—行程开关

2）用同步液压缸或同步液压马达的同步回路：图7-28a所示为采用同步液压缸的同步回路，同步液压缸A、B两腔的有效工作面积相等，且两工作液压缸1、2的有效工作面积

也相等,则液压缸1、2实现同步运动。这种同步回路的同步精度取决于液压缸和同步液压缸的加工精度和密封性,一般精度可达到98%~99%。由于同步液压缸一般不宜做得过大,因此这种回路仅适用于小容量的场合。

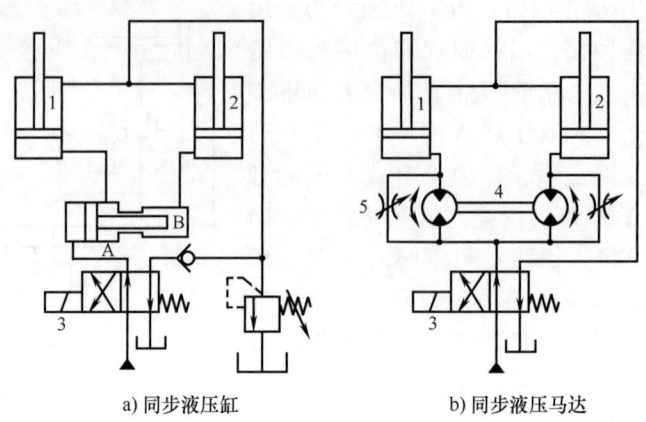

a) 同步液压缸　　　　　b) 同步液压马达

图 7-28　用同步液压缸和同步液压马达的同步回路
1、2—液压缸　3—二位四通电磁换向阀　4—液压马达　5—节流阀

图 7-28b 所示为采用同步液压马达的同步回路。两个液压马达 4 的轴刚性连接,它把等量的油液分别输入两个尺寸相同的液压缸中,使两液压缸同步运动。图中与液压马达并联的节流阀 5 用于修正同步误差。这种回路的同步精度比节流控制的要高。对于同步精度要求较高的场合,可以采用由比例阀和电液伺服阀组成的同步回路。

3. 多执行元件互不干扰回路

多执行元件互不干扰回路的功用是防止液压系统中的几个液压执行元件因速度快慢的不同而在动作上的相互干扰。

图 7-29 所示为双液压泵供油来实现多液压缸快慢速互不干扰回路。图中的液压缸 A 和 B 各自要完成"快进→工进→快退"的自动工作循环。当二位五通电磁换向阀 5、二位五通电磁换向阀 6 的电磁铁均通电时,各液压缸均由双液压泵中的大流量液压泵 2 供油并做差动快进。这时如液压缸 A 先完成快进动作,由挡块和行程开关使二位五通电磁换向阀 7 电磁铁通电,二位五通电磁换向阀 6 电磁铁断电,此时大流量液压泵 2 进入液压缸 A 的油路被切断,而双联液压泵中的高压小流量液压泵 1 经调速阀 8、二位五通电磁换向阀 7、单向阀、二位五通电磁换向阀 6 进入液压缸 A 左腔,而液压缸 A 右腔油经二位五通电磁换向阀 6、二位五通电磁换向阀 7 回油箱,液压缸 A 的速度由调速阀 8 调节。但此时液压缸 B 仍做快进运动,互不影响。当两液压缸都

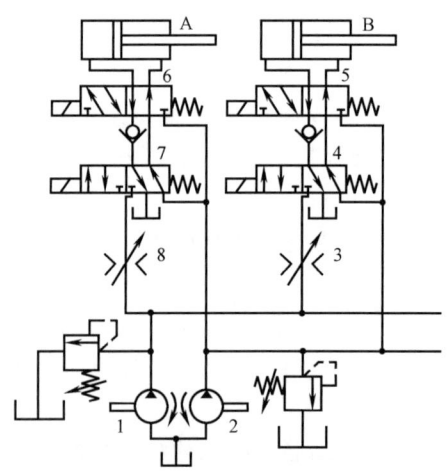

图 7-29　双液压泵供油来实现多液压缸快慢速互不干扰回路
1—高压小流量液压泵　2—大流量液压泵
3、8—调速阀　4~7—二位五通电磁换向阀

转为工进后，它们全由高压小流量液压泵 1 供油。此后，若液压缸 A 又率先完成工进，行程开关使二位五通电磁换向阀 7 和二位五通电磁换向阀 6 的电磁铁均通电，液压缸 A 由大流量液压泵 2 供油快退，当电磁铁均断电时，各液压缸都停止运动，并被锁在所在的位置上。由此可见，这种回路之所以能够防止多液压缸的快慢速运动互不干扰，是由于相应的电磁铁进行控制，快速和慢速各由一个液压泵分别供油。

二、气动连续往返动作控制回路

1. 单往复运动回路

图 7-30 所示为利用双控阀的记忆功能控制气缸单往复运动的回路。图 7-30a 所示回路的复位信号是由机动控制阀发出的，图 7-30b 所示回路的复位信号是由常断式延时阀输出的，图 7-30c 所示回路的复位信号是由顺序阀控制的。因此，这三种单往复回路分别称为位置控制式单往复运动回路、时间控制式单往复运动回路和压力控制式单往复运动回路。

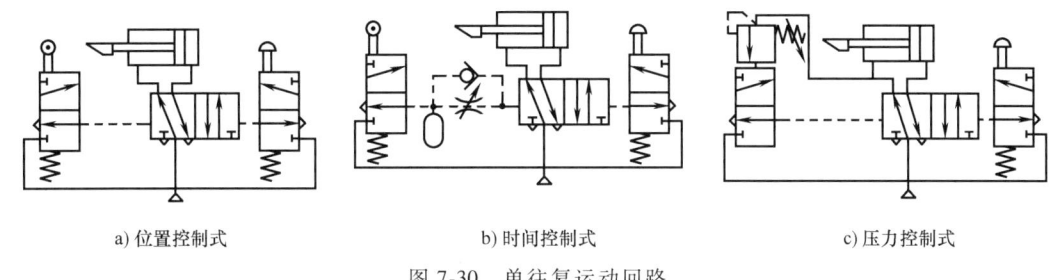

a) 位置控制式 b) 时间控制式 c) 压力控制式

图 7-30 单往复运动回路

2. 多往复运动回路

图 7-31 所示为多往复运动回路。其中，图 7-31a 所示为采用机动控制阀发信的位置控制式多往复运动回路；图 7-31b 所示为采用两个延时阀发信的时间控制式多往复运动回路。

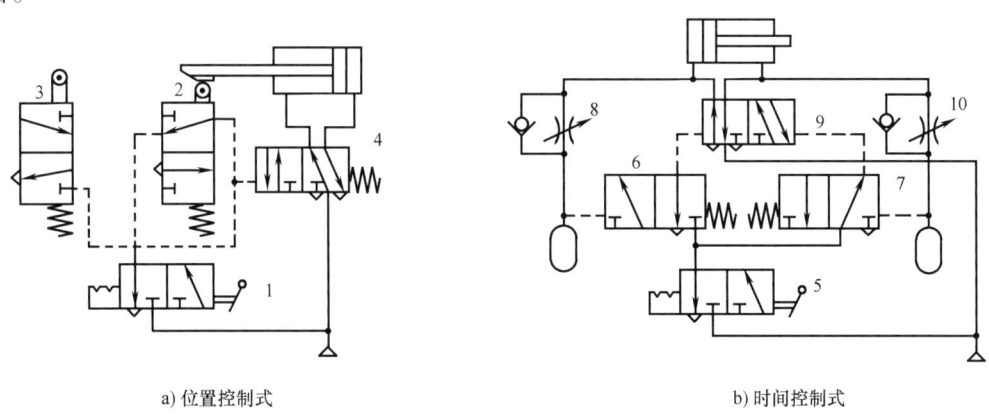

a) 位置控制式 b) 时间控制式

图 7-31 多往复运动回路

1、5—手动换向阀 2、3—行程阀 4、9—液控换向阀 6、7—单气控阀 8、10—单向节流阀

3. 气动延时控制回路

1）延时断开回路：图 7-32 所示为延时断开回路。当按下手动阀 A 后，阀 B 立即换向，活塞杆伸出，同时压缩空气经节流阀流入储气罐 C 中。经一定时间后，储气罐中压力升高

到一定值，阀 B 自动换向，活塞杆返回。调节节流阀开度可获得不同的延时时间。

2) 延时接通回路：图 7-33 所示为延时接通回路。按下阀 A，压缩空气经阀 A 和节流阀进入储气罐 C，一段时间后储气罐中的气压达到一定数值，使阀 B 换向，气路接通。向上拉出阀 A，储气罐 C 中的压缩空气经单向阀快速排出，阀 B 换向，气路排气。

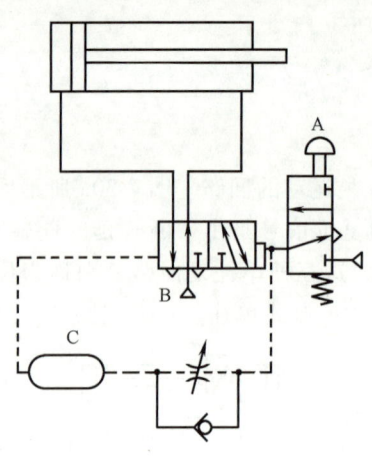

图 7-32　延时断开回路

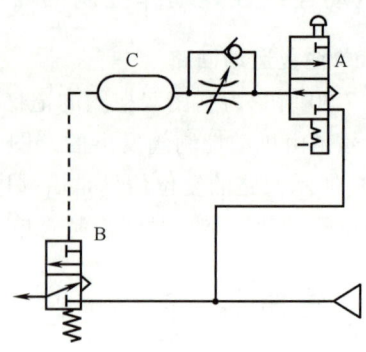

图 7-33　延时接通回路

任务实施

一、参考垃圾集装压实机——要求构建液压回路

1. 任务组织

以小组为单位，小组规模一般为 3~5 人，每小组选举 1 名小组长协调小组的各项工作，教师提出必要的指导和建议，任务完成后以小组为单位组织学生进行汇报、讨论和交流，并针对共性问题在课堂上组织讨论和专门讲解。

2. 任务内容

根据垃圾集装压实机的要求进行回路设计及在 FluidSIM 软件上模拟仿真，成功后进行回路搭建。

3. 任务目的

通过用 FluidSIM 软件设计换向系统，使学生掌握 FluidSIM 软件的用法，熟悉液压回路的组成，能够分析典型的液压控制回路，并通过在综合实训台上构建液压系统，学会液压元件的选择、连接与排布，同时培养学生的团队合作意识。

4. 操作过程

步骤一：分组分析液压系统的工作任务，通过用 FluidSIM 软件设计垃圾集装压实机参考液压回路，如图 7-34 所示。

步骤二：在综合实训台上选择需要的液压元件。

步骤三：根据液压回路在实训台上排布各液压元件，连接、构建垃圾集装压实机液压回路。

步骤四：观察运行情况，对使用中遇到的问题进行分析和解决，然后由教师进行检查。

步骤五：开启实训台的液压泵，使执行元件完成规定动作。

项目七 多缸动作回路的设计与构建

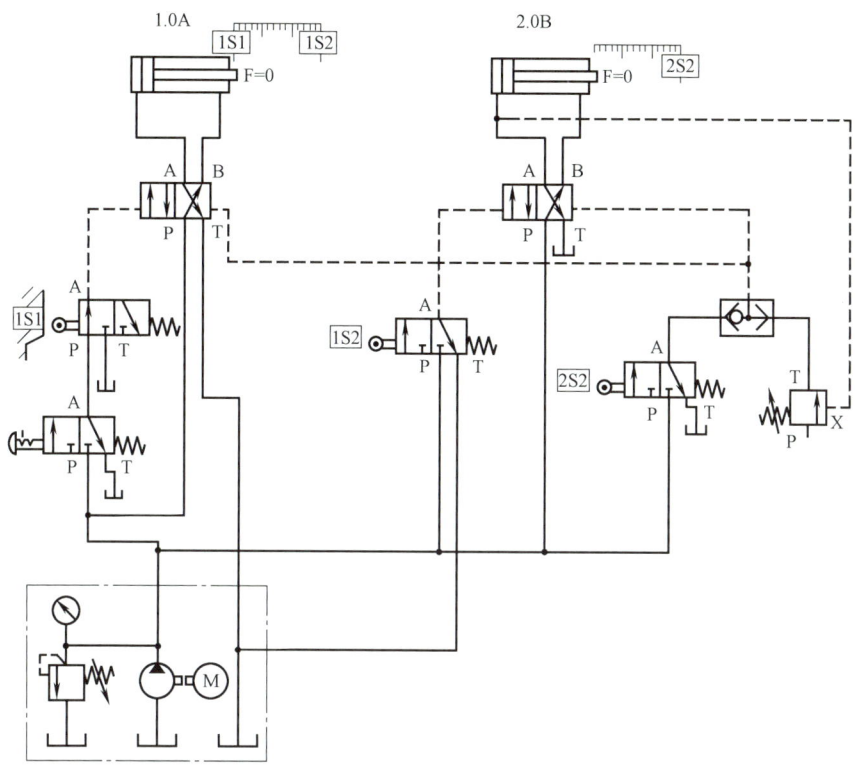

图 7-34 垃圾集装压实机参考液压回路

步骤六：关闭液压泵，拆卸液压回路，整理液压元件和油管等。

任务评价

根据表 7-7，对垃圾集装压实机液压回路构建完成情况进行评价。

表 7-7 垃圾集装压实机液压回路构建任务评价表

序号	评价项目	评价内容	参考分	评分标准	得分
1	分析回路	能正确分析整体回路由哪些基本回路组成	15 分	全面、准确讲解回路中的基本回路	
2	原理说明	准确识读回路,对回路陈述清晰,言简意赅	10 分	全面、准确讲解回路中各元件的名称及作用,正确解读回路的作用	
3	特点分析	正确分析此回路的特点	10 分	全面、准确地分析此回路的特点	
4	回路构建	能将设计的回路进行正确构建	20 分	回路构建正确,无泄漏现象,各阀初始位置调整正确,气缸速度合理	
5	故障排除	故障分析、排除与改进	10 分	能进行常见故障的排除	
6	系统调试过程	能解决系统调试中出现的问题	15 分	能采用正确的方法解决系统调试中出现的问题	
7	劳动保护及安全文明	爱护设备及工具;遵守安全文明生产规程;具有成本及环保意识	10 分	着装整洁;保持工作环境清洁;执行安全操作规程;具有节约意识	

(续)

序 号	评价项目	评价内容	参考分	评分标准	得 分
8	团队合作	与他人的协作精神	10 分	能自我调控好学习情绪,善于与人沟通,积极参与小组活动,与他人合作态度好	
9	时间	45min		提前正确完成,每 5min 加 2 分;超过规定时间,每 5min 减 2 分	

二、参考切割机自动送料与夹紧装置要求构建气动多缸动作回路

1. 任务组织

以小组为单位,小组规模一般为 3~5 人,每小组选举 1 名小组长协调小组的各项工作,教师提出必要的指导和建议,任务完成后以小组为单位组织学生进行汇报、讨论和交流,并针对共性问题在课堂上组织讨论和专门讲解。

2. 任务内容

用 FluidSIM 软件设计一个能够实现顺序动作的气动多缸顺序控制系统,并在综合实训台上构建回路。

如图 7-35 所示,切割机自动送料与夹紧装置将厚度为 0.6mm 的不锈钢工件放在输入站上。按下开始按钮后,送料气缸(2A)缩回;同时夹紧缸(1A)前进。两个气缸运动的循环时间 $t_1 = 0.5s$。调节夹紧时间 $t_2 = 5s$,激光切割机进行工作。工作结束后,夹紧缸缩回,送料气缸将工件送出。

换向阀的压力 p_1 和 p_2 通过两个压力表进行监测。

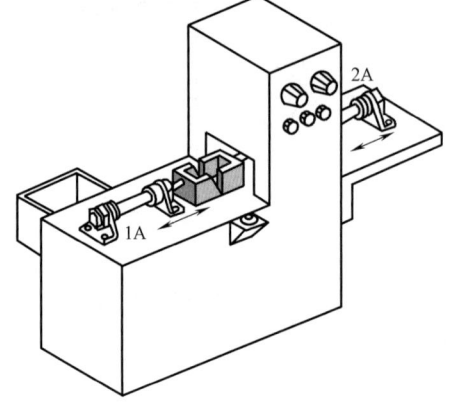

图 7-35 切割机自动送料与夹紧装置

3. 任务目的

通过用 FluidSIM 软件设计气动顺序动作系统,使学生掌握 FluidSIM 软件的用法,熟悉气动回路的组成,会用顺序阀或行程开关实现顺序动作回路,并通过在综合实训台上构建系统,学会气动元件的选择、连接与排布,同时培养学生的团队合作意识。

4. 操作过程

步骤一:设计气动顺序系统

参照图 7-36 所示的参考控制回路,在 FluidSIM 仿真软件中进行回路的仿真构建并进行回路分析。

步骤二:气动回路控制分析

双作用气缸活塞杆的初始状态为 1A 回缩,2A 伸出;位置伸出或返回分别由两个带记忆功能的主控阀(5/2)——二位五通气控换向阀控制。气源通过气动处理装置(二联件)的过滤和减压传送到运动系统。

1)当给手动按钮 S0(3/2) 二位三通换向阀一个信号,控制阀 1.4 换向到左位,给主控

阀 2.1 左端一个信号，使主控阀 2.1 换向至左位，气缸 2A 回缩；同时也给主控阀 1.1 右端一个信号，使主控阀 1.1 换向至右位，气缸 1A 伸出；同时延时阀也开始延时计时。

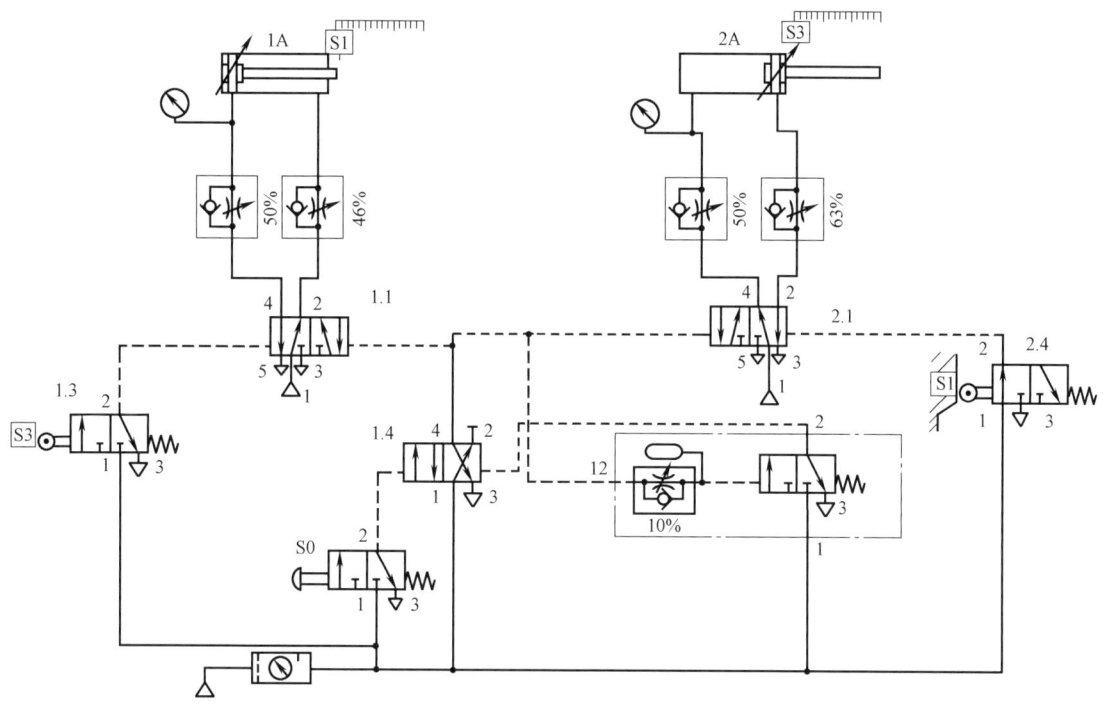

图 7-36 切割机自动送料与夹紧装置参考控制回路

2）气缸 2A 回缩到位后压下行程阀 1.3 的按钮 S3，给主控阀 1.1 左端一个信号，但由于主控阀 1.1 右端也有信号，因此主控阀 1.1 不进行换向；只有当延时阀计时时间到达设置时间，使控制阀 1.4 换向到右位，此时主控阀 1.1 进行换向至右位，气缸 1A 回缩。

3）气缸 1A 回缩至 S1 位置，触发机控行程阀按钮 S1，主阀 2.1 换向至右位，气缸 2A 伸出，将工件送出。

双作用气缸 1A 与 2A 活塞杆的伸出速度是用单向节流阀进行无级调节的排气节流。

换向阀的压力 p_1 和 p_2 通过两个压力表进行监测。

步骤三：回路构建

按照图 7-36 所示切割机自动送料与夹紧装置参考控制回路，选择元件并构建回路。将元件安装在试验底板上或电气元件安装架上。

压缩空气通过压缩空气预处理单元（分水过滤器、调压阀、单向阀）和分配器向系统供气。

按图 7-36 接好管线后，调试与检测气压，调试双作用气缸到位情况与步骤次序等，特别注意延时阀计时时间的调试。

分析和解决在试验中出现的不正常情况，根据要求记录试验结果。

5. 拆装注意事项

1）打开气源时，手握气源开关观察一段时间，防止因管路没接好被打出。

2）打开气源观察、记录运行情况，检查气缸动作顺序的正确性。对使用中出现的问题进行分析和解决。

3）完成试验后，关闭气源，拆下管线和元件并放回原位，对破损、老化管线应及时处理。

任务评价

根据表 7-8，对构建气动多缸动作回路任务完成情况进行评价。

表 7-8 构建气动多缸动作回路任务评价表

序号	评价项目	评价内容	参考分	评分标准	得分
1	分析回路	能正确分析整体回路由哪些基本回路组成	10 分	全面、准确讲解回路中的基本回路	
2	原理说明	准确识读回路，对回路陈述清晰，言简意赅	10 分	全面、准确讲解回路中各元件的名称及作用，正确解读回路的作用	
3	特点分析	正确分析此气动系统的特点	10 分	全面、准确地分析此气动系统的特点	
4	回路构建	能将设计的回路进行正确构建	20 分	回路构建正确，无泄漏现象，各阀初始位置调整正确，气缸速度合理	
5	故障排除	故障分析、排除与改进	10 分	能进行常见故障的排除	
6	系统调试过程	能解决系统调试中出现的问题	15 分	能采用正确的方法解决系统调试中出现的问题	
7	规范化操作	规范化操作实施	5 分	能正确装拆元件，零件放置合理规范	
8	劳动保护及安全文明	爱护设备及工具；遵守安全文明生产规程；具有成本及环保意识	10 分	着装整洁；保持工作环境清洁；执行安全操作规程；具有节约意识	
9	团队合作	与他人的协作精神	10 分	善于与人沟通，积极参与小组活动，合作态度好	
10	时间	45min		提前正确完成，每 5min 加 2 分；超过规定时间，每 5min 减 2 分	

课后练习

一、系统分析题

如图 7-37 所示，组合机床液压系统的工作循环如下：

夹紧缸Ⅱ夹紧→保压→工作缸Ⅰ快进（差动）→工进→快退→夹紧缸Ⅱ松开→停止。已知工作缸Ⅰ无杆腔活塞面积 $A_1 = 50cm^2$，有杆腔有效面积 $A_2 = 25cm^2$，夹紧缸Ⅱ活塞面积 $A_3 = 100cm^2$，夹紧力 $F_4 = 3000N$。工作缸Ⅰ快进时负载 $F_1 = 5000N$，进油路压力损失为 0.6MPa（不计回油路压力损失），快进速度 $v = 6m/min$。工进时，负载 $F_2 = 20000N$，进油路压力损失为 0.6MPa，回油背压为 0.6MPa，工进速度 $v = 0.1m/min$；快退时，负载 $F_3 = 5000N$，进油路压力损失为 0.4MPa，回油背压为 0.4MPa，快退速度 $v = 6m/min$。完成以下题目：

1. 按电磁铁动作表完成电磁铁得电情况分析。

2. 写出工作缸快进、工进、快退时通路情况及泵的工作压力。

3. 计算各工作阶段系统的工作压力。写出阀 A、B 的调整压力范围及阀 C、压力继电器 DP 的压力调整范围。写出蓄能器 E 及阀 D 的作用。

4. 计算两泵的流量（如溢流阀的最小流量为 3L/min，且不计系统泄漏损失）。

5. 若泵的总效率均为 $\eta=0.8$，计算电动机的功率。

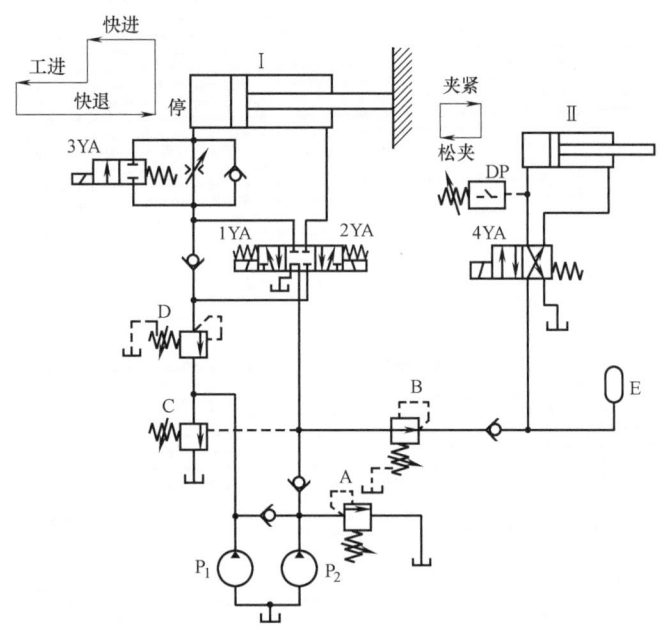

图 7-37　组合机床液压系统

二、操作题

在气动实训台上，分组构建"包裹提升装置"的双气缸的顺序控制回路，目标要求：

包裹由一条滚动传送带输送，气缸 A 将到达的包裹举起；接着，气缸 B 将包裹推出，然后两个气缸回到输出位置。包裹提升装置示意图如图 7-38 所示。试：

1. 画出气动回路图。
2. 组成气动回路并运行。
3. 检查运行过程。
4. 对所用元件进行编号，写出回路运行步骤。

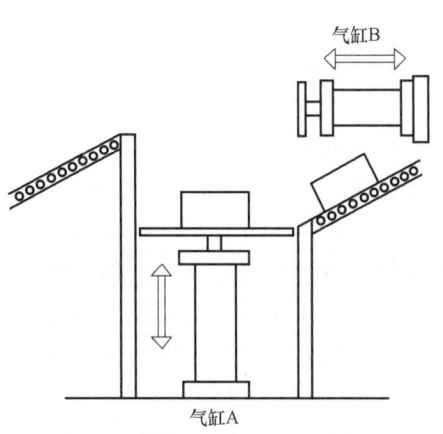

图 7-38　包裹提升装置示意图

项目八 典型液压与气动系统

项目分析

本项目通过几个典型的液压与气动系统，介绍液压与气动技术在各行各业的应用，熟悉各种液压与气动元件在液压与气动系统中的作用和各种基本回路的组成，进而了解分析液压与气动系统的步骤与方法，最后介绍液压与气动系统故障诊断的方法与步骤。

项目目标

知识与技能目标：
1. 掌握识读液压与气动系统的方法和步骤，能识读一般复杂程度的液压与气动系统。
2. 掌握液压与气动系统故障诊断的方法与步骤，能调整和维修一般复杂程度的液压与气动系统。

素质目标：
1. 培养精益、专注、严谨、创新的工匠精神。
2. 培养全局思维
3. 培养团队协作及表达能力。

任务一 熟悉组合机床动力滑台液压系统

任务分析

组合机床要完成的工作循环：快进→第一次工作进给（简称一工进）→第二次工作进给（简称二工进）→止挡块停留→快退→原位停止，要达到动力滑台工作时的性能要求，就必须将各液压元件有机地组合，形成完整有效的液压控制回路。在动力滑台中，进给运动其实是由液压缸带动主轴头从而完成整个进给运动的。因此，组合机床液压回路的核心问题是如何来控制液压缸的动作。本任务先分析动力滑台工作循环以及对液压系统的要求，然后介绍动力滑台液压系统的工作原理，最后对动力滑台液压系统的特点进行总结。

任务重点

1. 掌握阅读和正确分析复杂液压系统的方法。
2. 熟悉组合机床动力滑台液压系统的工作原理及特点。

任务难点

阅读和正确分析复杂液压系统的方法。

知识链接

一、概述

组合机床是由通用部件和某些专用部件所组成的高效率和自动化程度较高的专用机床。它能完成钻、扩、镗、铰、铣、刮端面、倒角、攻螺纹等加工工序和工件的转位、定位、夹紧、输送等动作，广泛应用在机械制造业的成批和大量生产中。组合机床的组成如图8-1所示。

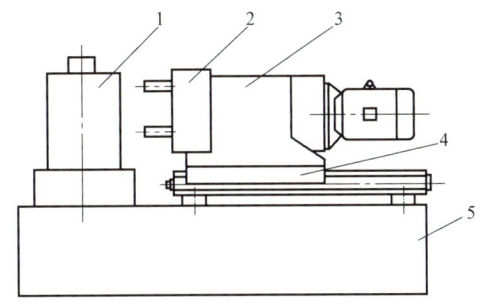

图 8-1 组合机床的组成
1—夹具及工件 2—主轴箱 3—动力头
4—动力滑台 5—床身

动力滑台是组合机床的一种通用部件。根据加工需要在滑台上可以配置动力头、主轴箱和各种工艺用途的切削头，例如钻削头、铣削头、镗削头等，以完成所需的加工工序。

YT4543型组合机床液压动力滑台可以实现多种不同的工作循环，其中一种比较典型的工作循环：快进→第一次工作进给（简称一工进）→第二次工作进给（简称二工进）→止挡块停留→快退→原位停止，同时还要求系统工作稳定，效率高。

根据组合机床的加工特点，对动力滑台液压系统性能的主要要求如下：
1）进给速度稳定。
2）速度换接平稳。
3）能实现快进和快退。
4）系统效率高、发热少，功率利用合理。

完成这一动作循环的动力滑台液压系统的工作原理图如图8-2所示。该动力滑台进给速度范围为 6.6~600mm/min，最大进给力为 4.5×10^4 N。

该系统中采用限压式变量叶片泵供油，并使液压缸差动连接以实现快速运动。由电液动换向阀换向，用行程阀、液控顺序阀实现快进与工进的转换，用二位二通电磁换向阀实现一工进和二工进之间的速度换接。

二、动力滑台液压系统的工作原理

1. 快进

按下起动按钮，三位五通电液动换向阀4的先导电磁换向阀电磁铁1YA得电，使其阀芯右移，左位进入工作状态。由于此时为空载，系统压力较低，故外控顺序阀6处于关闭状态，限压式变量液压泵2输出的流量最大，液压缸14左右两腔连通，形成差动连接回路，动力滑台实现快进。这时系统主油路中油液的流动路线如下：

进油路：过滤器1→液压泵2→单向阀3→电液动换向阀4左位→行程阀13下位→液压

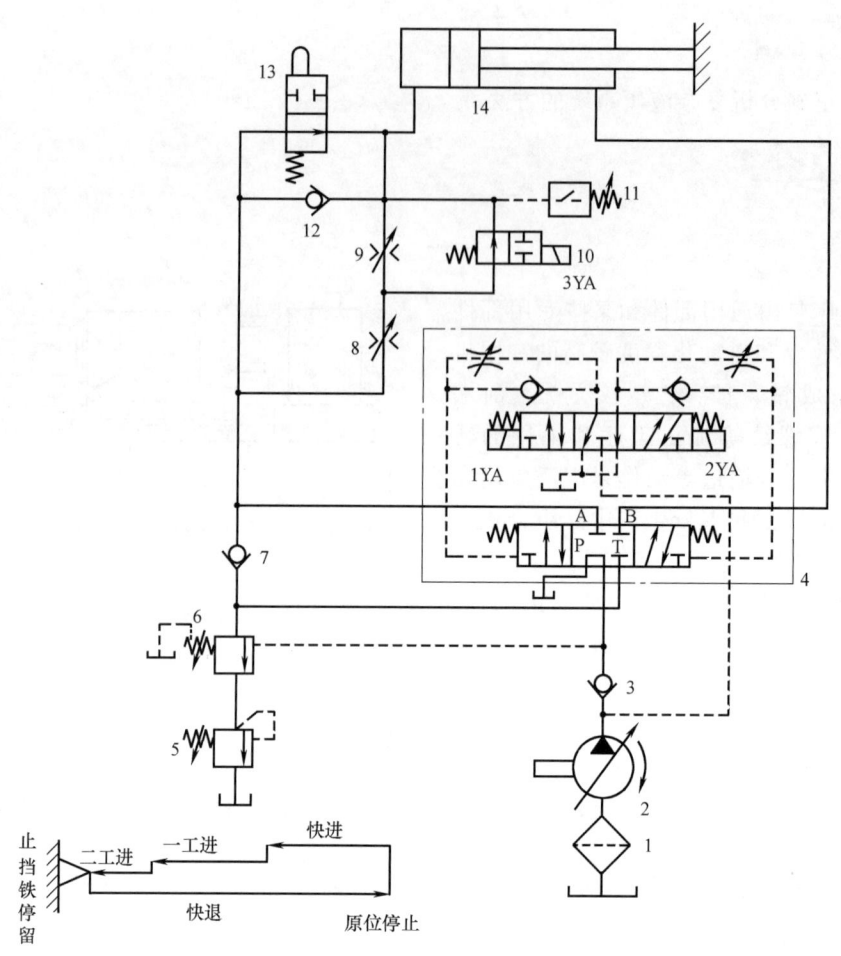

图 8-2 YT4543 型动力滑台液压系统的工作原理图

1—过滤器 2—液压泵 3、7、12—单向阀 4—电液动换向阀 5—背压阀 6—外控顺序阀
8、9—调速阀 10—电磁换向阀 11—压力继电器 13—行程阀 14—液压缸

缸 14 左腔。

回油路：液压缸 14 右腔→电液动换向阀 4 左位→单向阀 7→行程阀 13 下位→液压缸 14 左腔。

2. 第一次工作进给

在快进行程结束时，滑台上的挡铁压下行程阀 13，行程阀上位工作，阀口关闭，快速运动进油路被断开。电磁铁 1YA 继续通电，电液动换向阀 4 左位仍在工作状态，二位二通电磁换向阀 10 的电磁铁 3YA 处于失电状态，换向阀左位工作。进油路油液必须经调速阀 8 和电磁换向阀 10 的左位进入液压缸左腔。由于工进时系统压力升高，同时将外控顺序阀 6 打开，并关闭单向阀 7，使液压缸 14 实现差动连接的油路切断。液压缸 14 右腔的回油经外控顺序阀 6 和背压阀 5 回到油箱。系统主油路中油液的流动路线如下：

进油路：过滤器 1→液压泵 2→单向阀 3→电液动换向阀 4 左位→调速阀 8→二位二通电磁换向阀 10 左位→液压缸 14 左腔。

回油路：液压缸 14 右腔→电液动换向阀 4 左位→外控顺序阀 6→背压阀 5→油箱。

因为工作进给时油压升高，液压泵 2 的流量自动减小，所以动力滑台向前做第一次工作进给，进给量的大小可以用调速阀 8 调节。

3. 第二次工作进给

在第一次工作进给结束时，滑台上的挡铁压下行程开关，发出电信号使电磁换向阀 10 的电磁铁 3YA 得电，电磁换向阀 10 右位接入工作，切断了该阀所在的油路，经调速阀 8 的油液必须经过调速阀 9 进入液压缸的左腔，其他油路不变。由于调速阀 9 的开口量小于调速阀 8，进给速度降低，进给量的大小可由调速阀 9 来调节。其回油路与第一次工作进给相同。系统主油路中油液的流动路线如下：

进油路：过滤器 1→液压泵 2→单向阀 3→电液动换向阀 4 左位→调速阀 8→调速阀 9→液压缸 14 左腔。

回油路：液压缸 14 右腔→电液动换向阀 4 左位→外控顺序阀 6→背压阀 5→油箱。

4. 止挡铁停留

当第二次工作进给终了时，动力滑台碰上止挡铁停止不动，使液压缸 14 左腔的压力升高，达到压力继电器 11 的调定值时，压力继电器 11 发出电信号，经过时间继电器延时后，使滑台退回。在时间继电器延时动作前，滑台停留在止挡块限定的位置上，停留时间可根据工艺要求由时间继电器调定。设置止挡铁的作用是提高动力滑台行程的位置精度。

5. 快退

压力继电器 11 发出电信号后，滑台结束停留，此时 2YA 得电，1YA 失电，3YA 失电，电液动换向阀 4 右位工作，油液流动路线如下：

进油路：过滤器 1→液压泵 2→单向阀 3→电液动换向阀 4 右位→液压缸 14 右腔。

回油路：液压缸 14 左腔→单向阀 12→电液动换向阀 4 右位→油箱。

因快退时负载较小，这时系统的压力较低，液压泵 2 输出流量又自动恢复到最大，动力滑台实现快速退回。

6. 原位停止

当动力滑台退回到原始位置时，挡块压下行程开关，这时电磁铁 1YA、2YA、3YA 都失电，电液动换向阀 4 处于中位，动力滑台停止运动，液压泵 2 通过电液动换向阀 4 的中位卸荷，其油液流动路线如下：

过滤器 1→液压泵 2→单向阀 3→电液动换向阀 4 中位→油箱。

表 8-1 是 YT4543 型组合机床动力滑台液压系统中各个电磁铁和行程阀的动作顺序（电磁铁得电、行程阀压下，用"+"表示，反之用"-"表示）。

表 8-1　YT4543 型组合机床动力滑台液压系统电磁铁和行程阀动作顺序

循环动作	电磁铁、行程阀			
	1YA	2YA	3YA	行程阀 13
快进	+	-	-	-
一工进	+	-	-	+
二工进	+	-	+	+
止挡铁停留	+	-	+	+
快退	-	+	-	-
原位停止	-	-	-	-

三、动力滑台液压系统的特点

通过以上对 YT4543 型动力滑台液压系统的分析可知，该系统具有下列特点：

1）采用了由限压式变量泵和调速阀组成的容积节流调速回路，调速阀放在进油路上，回油路上设置了背压阀，使滑台得到稳定的低速运动和较好的速度负载特性，提高了滑台运动的平稳性。

2）采用了限压式变量泵和液压缸的差动连接回路来实现快速运动，比较经济合理，系统效率较高。

3）采用行程换向阀加液控顺序阀实现快慢速度的换接，动作可靠，速度换接平稳，换接位置精度高。

4）采用了两个调速阀串联的两种工作进给速度换接回路，可使速度换接时的前冲小，换接的性能较好；同时便于利用压力继电器发出信号进行控制。

5）在行程终点采用止挡铁停留，提高了滑台进给时的位置精度，也保证了加工阶梯孔端面时的加工精度。

任务二 熟悉数控加工中心液压系统

任务分析

本任务从卧式镗铣数控加工中心液压系统的功能出发，首先学习加工中心液压系统的工作原理，然后总结数控加工中心液压系统的特点，在此基础上会正确分析液压系统，会分析、排除液压系统的常见故障。

任务重点

1. 掌握阅读和正确分析复杂液压系统的方法。
2. 熟悉卧式镗铣数控加工中心液压系统的工作原理及特点。

任务难点

阅读和正确分析复杂液压系统的方法。

知识链接

一、概述

数控机床和数控加工中心都采用计算机数控技术（简称 CNC），在数控加工中心机床上配备有刀库和换刀机械手，可在一次装夹中完成对工件的钻、扩、铰、镗、铣、锪、螺纹加工、复杂曲面加工和测量等多道加工工序，是集机、电、液、气、计算机、自动控制等技术于一体的高效柔性自动化机床。数控加工中心一般由主轴组件、刀库、换刀机械手、三个进给坐标轴（X、Y、Z）、床身、CNC 系统、伺服驱动装置、液压系统、电气系统等部件组成。

二、加工中心液压系统的工作原理

在大多数的加工中心中，其液压系统可实现刀库、机械手自动进行刀具交换及选刀的动作，加工中心主轴箱、刀库机械手的平衡，加工中心主轴箱的齿轮拨叉变速，主轴松夹刀动作，交换工作台的松开、夹紧及其自动保护等。图 8-3 所示为卧式镗铣数控加工中心液压系统的工作原理。

1. 液压源

该液压系统采用变量叶片泵和蓄能器联合供油的方式，液压泵为限压式变量叶片泵，最高工作压力为 7MPa。接通机床电源，起动电动机 1，变量叶片泵 2 运转，调节单向节流阀 3，构成容积节流调速系统。溢流阀 4 起安全阀的作用，其调整压力为 8MPa，只有系统过载时才起作用。二位二通手动换向阀 5 用于系统卸荷，过滤器 6 用于对系统回油进行过滤。回油过滤器 6 的过滤精度为 10μm，过滤器两端压差超过 0.3MPa 时系统报警，此时应更换滤芯。

2. 液压平衡装置

加工中心的主轴、垂直滑板、变速箱、主电动机等连成一体，由 Y 轴滚珠丝杠通过伺服电动机带动而上下移动。为了保证零件的加工精度，减少滚珠丝杠的轴向受力，整个垂直运动部分的重量需采用平衡法加以处理。平衡回路有多种，本系统采用平衡阀与液压缸来平衡重量。

液压平衡装置由平衡阀 7、溢流阀 8、手动卸荷阀 9、平衡缸 10 等组成，蓄能器 11 用于吸收液压冲击。平衡缸 10 为支承加工中心立柱丝杠的液压缸。调节平衡阀 7，使平衡缸 10 处于最佳工作状态，这可通过测量 Y 轴伺服电动机电流的大小来判断。为减小丝杠与螺母间的摩擦，并保持摩擦力均衡，保证主轴精度，用平衡阀 7 维持平衡缸 10 下腔的压力，使丝杠在正、反向工作状态下处于稳定的受力状态。当平衡缸上行时，液压油和蓄能器向平衡缸下腔供油，当平衡缸在滚珠丝杠带动而下行时，平衡缸下腔的油又被挤回蓄能器 11 或经过平衡阀 7 回油箱，因而起到平衡作用。调节平衡阀 7 可使平衡缸 10 处于最佳受力工作状态，其受力的大小可通过测量 Y 轴伺服电动机的负载电流来判断。手动卸荷阀 9 用于使平衡缸卸载。

3. 主轴变速

主轴变速箱换挡变速由换挡液压缸 40 完成。在图 8-3 所示位置，液压油直接经电磁换向阀 13、14 的右位进入换挡液压缸 40 的左腔，完成低速向高速换挡；当电磁换向阀 13 切换至左位时，液压油经减压阀 12、电磁换向阀 13、14 进入换挡液压缸 40 的右腔，完成高速向低速换挡。换挡液压缸的速度由双单向节流阀 15 调整，减压阀 12 的出口压力由测压接头 16 测得。

主轴通过交流变频电动机实现无级调速。为了得到最佳的转矩性能，将主轴的无级调速分成高速和低速两个区域，并通过一对双联齿轮变速来实现。主轴的这种换挡变速由换挡液压缸 40 完成。

4. 换刀回路及动作

加工中心在加工零件过程中，当前道工序完成后就需换刀，此时机床主轴退至换刀点，且处在准停状态，所需置换的刀具已处在刀库预定换刀位置。换刀动作由机械手完成，其换刀过程：机械手抓刀→刀具松开和定位→机械手拔刀→机械手换刀→机械手插刀→刀具夹紧和松开→机械手复位。

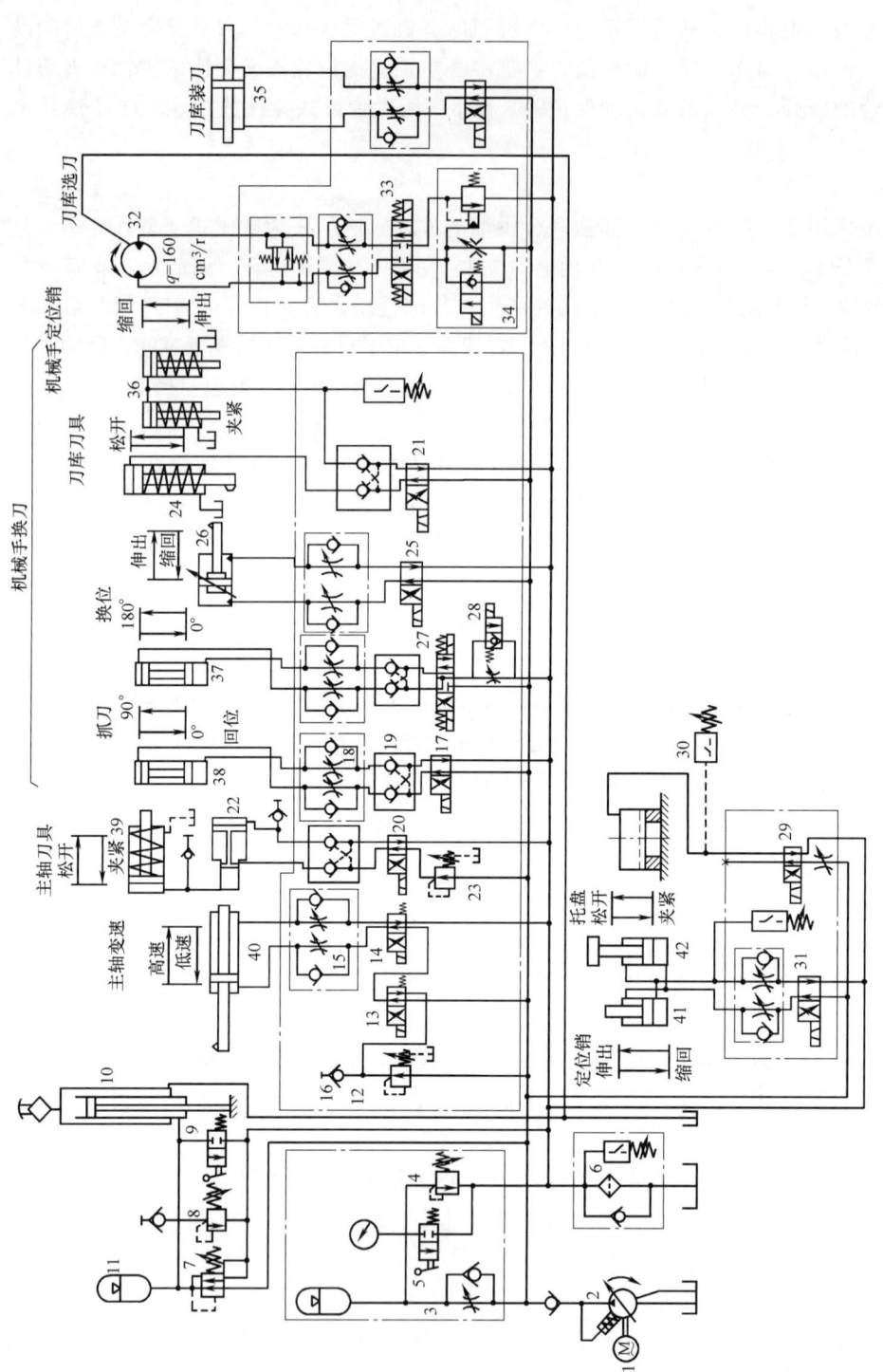

图 8-3 卧式镗铣数控加工中心液压系统的工作原理

1—电动机 2—变量叶片泵 3—单向节流阀 4、8—溢流阀 5—二位二通手动换向阀 6—过滤器 7—平衡阀 9—手动卸荷阀 10—平衡缸 11—蓄能器 12、23—减压阀 13、14、17、20、21、25、29、31—二位四通电磁换向阀 15、18—双单向节流阀 16—测压接头 19—双液控单向阀 22—增压器 24、26、35、36、39、41、42—液压缸 27、33—三位四通电磁换向阀 28—二位二通电磁换向阀 30—压力继电器 32—液压马达 34—液压马达控制单元 37、38—齿条缸 40—换挡液压缸

1）机械手抓刀：当系统收到换刀信号时，电磁换向阀 17 切换至左位，液压油进入齿条缸 38 下腔，推动活塞上移，使机械手同时抓住主轴锥孔中的刀具和刀库上预选的刀具。双单向节流阀 18 控制抓刀和回位的速度，双液控单向阀 19 保证系统失压时机械手位置不变。

2）刀具松开和定位：当抓刀动作完成后，发出信号使电磁换向阀 20 切换至左位，电磁换向阀 21 处于右位，从而使增压器 22 的高压油进入液压缸 39 左腔，活塞杆将主轴锥孔中的刀具松开；同时，液压缸 24 的活塞杆上移，松开刀库中预选的刀具；此时，液压缸 36 的活塞杆在弹簧力作用下将机械手上两个定位销伸出，夹住机械手上的刀具。松开主轴锥孔中刀具的压力可由减压阀 23 调节。

3）机械手拔刀：当主轴、刀库上的刀具松开后，无触点开关发出信号，电磁换向阀 25 处于右位，由液压缸 26 带动机械手伸出，使刀具从主轴锥孔和刀库链节中拔出。液压缸 26 带有缓冲装置，防止其在行程终点发生撞击，产生噪声，影响精度。

4）机械手换刀：机械手拔刀动作完成后，发出信号，使电磁换向阀 27 换向至左位。齿条缸 37 的活塞向上移动，使机械手旋转 180°，转位速度由双单向节流阀 18 调节，并可根据刀具的质量，由电磁换向阀 28 确定两种换刀速度。

5）机械手插刀：机械手旋转 180°后发出信号，使电磁换向阀 25 换向，液压缸 26 使机械手缩回，刀具分别插入主轴锥孔和刀库链节中。

6）刀具夹紧和松开：机械手插刀动作完成后，电磁换向阀 20、21 换向。液压缸 39 使主轴中的刀具夹紧；液压缸 24 使刀库链节中的刀具夹紧；液压缸 36 使机械手上定位销缩回，以便机械手复位。

7）机械手复位：刀具夹紧信号发出后，电磁换向阀 17 换位，齿条缸 38 使机械手旋转 90°，回到起始位置。

至此，整个换刀动作结束，主轴起动进入零件加工状态。

5. NC 旋转工作台液压回路

1）NC 旋转工作台夹紧：NC 旋转工作台可使工件在加工过程中连续旋转，当零件连续旋转加工进入固定位置加工时，电磁换向阀 29 切换至左位，使工作台夹紧，并由压力继电器 30 发出信号。

2）托盘交换：交换工件时，电磁换向阀 31 处于右位，液压缸 41 使定位销缩回，同时液压缸 42 松开托盘，由交换工作台交换工件，交换结束后电磁换向阀 31 换向，定位销伸出，托盘夹紧，即可进入加工状态。

6. 刀库选刀、装刀

在零件加工过程中，刀库需把下道工序所需的刀具预选到位。首先判断所需的刀具在刀库中的位置，确定液压马达 32 的旋转方向，使电磁换向阀 33 换位，液压马达控制单元 34 控制液压马达的起动、中间状态、到位、旋转速度，刀具到位后由旋转编码器组成的闭环系统控制发出信号。双向溢流阀起安全作用。液压缸 35 用于刀库装卸刀具。

三、加工中心液压系统的特点

1）在加工中心中，液压系统所承担的辅助动作的负载力较小，主要负载是运动部件的摩擦力和起动时的惯性力，因此一般采用压力在 10MPa 以下的中低压系统，且液压系统流量一般在 30L/min 以下。

2）加工中心在自动循环过程中，各个阶段流量需求的变化很大，并要求压力基本恒定。采用限压式变量泵与蓄能器组成的液压源，可以减小流量脉动、能量损失和系统发热，提高机床加工精度。

3）加工中心的主轴刀具需要的夹紧力较大，而液压系统其他部分需要的压力为中低压，且受主轴结构的限制，不宜选用缸径较大的液压缸，采用增压器可以满足主轴刀具对夹紧力的要求。

4）在齿轮变速箱中，采用液压缸驱动滑移齿轮来实现两级变速，可以扩大由伺服电动机驱动的主轴调速范围。

5）加工中心的主轴、垂直滑板、变速箱、主电动机等连成一体，由伺服电动机通过 Y 轴滚珠丝杠带动其上下移动。采用平衡阀—平衡缸的平衡回路，可以保证加工精度，减小滚珠丝杠的轴向受力，且结构简单，体积和质量小。

任务三　熟悉塑料注射成型机液压系统

任务分析

本任务从塑料注射成型机对液压系统的要求出发，首先学习塑料注射成型机液压系统的工作原理，然后总结塑料注射成型机液压系统的特点，在此基础上会正确分析塑料注射成型机液压系统，会分析、排除塑料注射成型机液压系统的常见故障。

任务重点

1. 掌握阅读和正确分析复杂液压系统的方法。
2. 熟悉塑料注射成型机液压系统的工作原理及特点。

任务难点

阅读和正确分析复杂液压系统的方法。

知识链接

一、概述

1. 塑料注射成型机的工作循环

塑料注射成型机（简称注塑机）是一种通用设备，主要用于热塑性塑料制品的成型加工，通过与不同专用注塑模具配套使用，能够生产出各种类型的塑料制品。注塑机工作时，将颗粒状塑料加热熔化到流动状态，以高压快速注入模腔，保压一定时间后，经冷却凝固成型为塑料制品，按照其注塑工艺要求，要完成对塑料原料的预塑、合模、注塑机筒快速移动、熔融塑料注射、保压冷却、开模、顶出成品等一系列动作。

注塑机主要由床身，合模保压部件，预塑和注射部件三大部分组成，其液压系统和电气控制系统安装在床身中；合模保压部件中的动模板和定模板用来成对安装不同类型的专用注塑模具。图8-4所示为注塑机的组成及注塑动作循环。

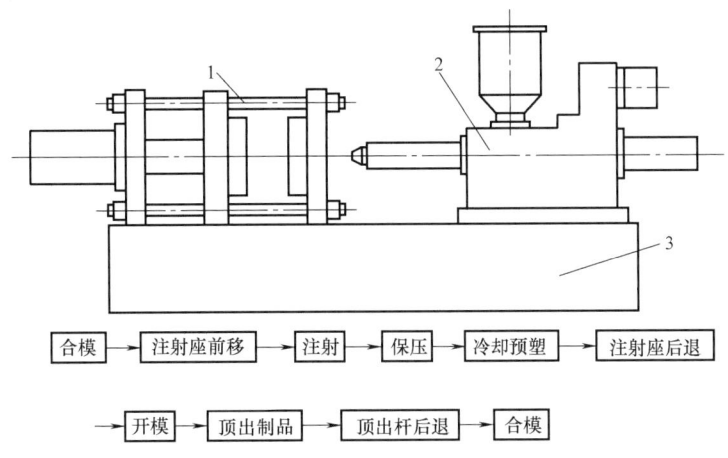

图8-4 注塑机的组成及注塑动作循环
1—合模保压部件 2—预塑注射部件 3—床身

2. 注塑机对液压系统的要求

1）具有足够的合模力：确保对闭合后的模具的锁紧，避免注塑时模具产生缝隙使塑料制品产生溢边，出现废品。

2）模具的开、合模速度可调：满足空程时动模快速运动的要求以提高生产效率及合模时动模慢速运动，以免冲击力太大撞坏模具的要求，并减少合模时的振动和噪声。

3）注射座整体进退：要求注射座移动液压缸应有足够的推力，确保注射时注射嘴和模具浇口能紧密接触，防止注射时有熔融的塑料从缝隙中溢出。

4）注射压力和注射速度可调：为适应不同塑料品种、制品形状及模具浇注系统的工艺要求，注射时的压力与速度在一定的范围内应可调。

5）保压及压力可调：保压的目的是保证塑料紧贴模腔而获得精确的形状以及防止制品在冷却凝固而收缩过程中因充料不足而产生废品。保压的压力也要求根据不同情况可以调整。

6）制品顶出速度要平稳：保证成品以平稳的速度顶出，不受损坏。

二、液压系统的工作原理

SZ-250A型塑料注射成型机属于中小型注塑机，图8-5所示为该注塑机的液压系统的工作原理。该系统由双联液压泵供油，1为低压大流量泵，其工作压力由溢流阀21调定为较低压力；2为高压小流量泵，其压力可由多级调压回路设定为所需压力值，最高工作压力由远程调压阀4调定。当系统需要快速运动时，由双泵同时供油；当需要慢速运动时，低压大流量泵1卸荷，由高压小流量泵2单独供油。该系统中各执行元件的动作循环主要依靠行程开关切换电磁换向阀来实现。SZ-250A型注塑机液压系统电磁铁动作顺序见表8-2。

表 8-2 SZ-250A 型注塑机液压系统电磁铁动作顺序

工作循环		电磁铁													
		1YA	2YA	3YA	4YA	5YA	6YA	7YA	8YA	9YA	10YA	11YA	12YA	13YA	14YA
合模	慢速	-	+	+	-	-	-	-	-	-	-	-	-	-	-
	快速	+	+	+	-	-	-	-	-	-	-	-	-	-	-
	低压慢速	-	+	+	-	-	-	-	-	-	-	-	-	+	-
	高压慢速	-	+	+	-	-	-	-	-	-	-	-	-	-	-
注射座前移		-	+	-	-	-	-	+	-	-	-	-	-	-	-
注射	慢速	-	+	-	-	-	-	+	-	+	-	-	+	-	-
	快速	+	+	-	-	-	-	+	-	+	+	-	-	-	-
保压		-	+	-	-	-	-	+	-	-	-	-	-	-	+
预塑		+	+	-	-	-	-	-	-	-	-	-	-	-	-
注射座后退		-	+	-	-	-	+	-	-	-	-	-	-	-	-
开模	慢速	-	+	-	-	+	-	-	-	-	-	-	-	-	-
	快速	+	+	-	-	+	-	-	-	-	-	-	-	-	-
	缓慢速	-	+	-	-	+	-	-	-	-	-	-	-	-	-
顶出制品		-	+	-	+	-	-	-	-	-	-	-	-	-	-
顶出杆后退		-	+	-	-	-	-	-	-	-	-	-	-	-	-

注:"+"表示得电,"-"表示失电。

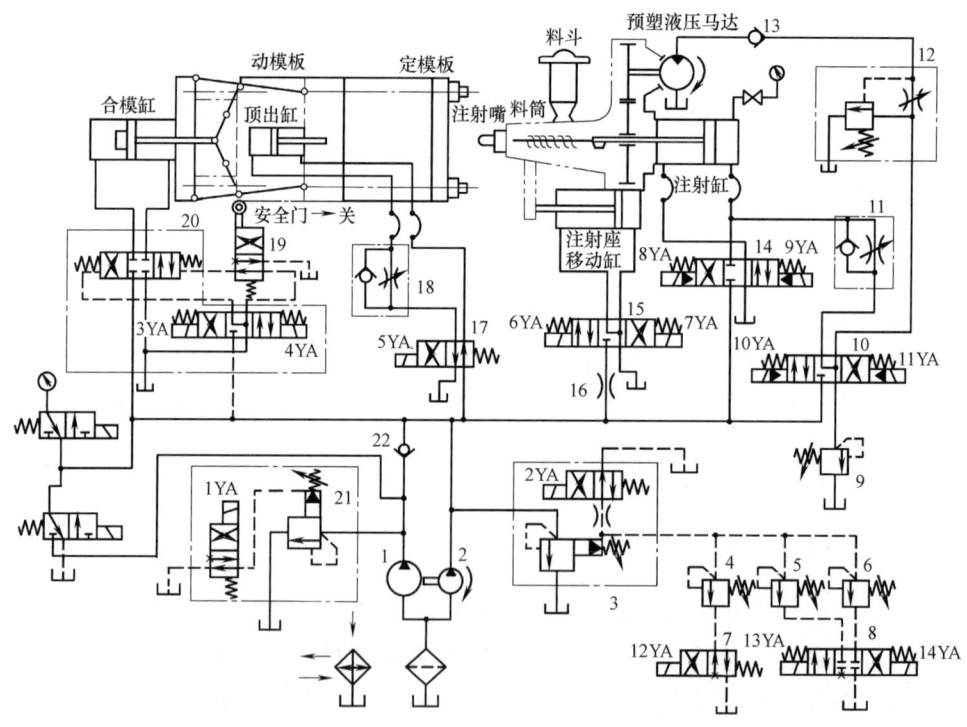

图 8-5 SZ-250A 型塑料注射成型机液压系统的工作原理

1—低压大流量泵 2—高压小流量泵 3、21—溢流阀 4~6—远程调压阀
7、8、10、14、15、17—电磁换向阀 9—背压阀 11、18—单向节流阀 12—旁路调速阀
13、22—单向阀 16—节流阀 19—行程换向阀 20—电液换向阀

为保证安全生产，该注塑机设置了安全门，并在安全门下装设一个行程换向阀 19 加以控制，只有在安全门关闭、行程换向阀 19 下位接入系统的情况下，系统才能进行合模运动。

1. 合模运动

1) 慢速合模：当按下合模按钮，电磁铁 2YA、3YA 得电，电液换向阀 20 右位接入系统。此时电磁铁 1YA 失电，低压大流量泵 1 通过溢流阀 21 卸荷，高压小流量泵 2 输出的液压油经电液换向阀 20 右位进入合模缸左腔，合模缸推动动模板开始慢速向右运动。右腔油液经远程调压阀 4 流回油箱。此时系统主油路油液流动路线如下：

进油路：高压小流量泵 2→电液换向阀 20（右位）→合模缸左腔。

回油路：合模缸右腔→电液换向阀 20（右位）→油箱。

2) 快速合模：动模板上的行程挡块压下行程开关，慢速合模转为快速合模，电磁铁 1YA、2YA 和 3YA 得电，低压大流量泵 1 不再卸荷，其液压油经单向阀 22 与高压小流量泵 2 的液压油汇合，共同向合模缸供油，实现动模板快速合模运动。此时系统油液流动路线如下：

进油路：$\begin{cases}低压大流量泵 1→单向阀 22\\高低小流量泵 2\end{cases}$→电液换向阀 20 右位→合模缸左腔。

回油路：合模缸右腔→电液换向阀 20 右位→油箱。

3) 低压慢速合模：当动模板快速靠近定模板时，压下其对应的另一行程开关，使电磁铁 2YA、3YA 和 13YA 得电，1YA 失电，低压大流量泵 1 卸荷，高压小流量泵 2 的压力由溢流阀 3 的远程调压阀 6 决定，油路又恢复到慢速合模的状况，使快速合模运动又转为慢速合模运动，直至将模具完全合拢。

4) 高压慢速锁模：当动模板合拢到位后又压下一行程开关，使电磁铁 2YA、3YA 得电，13YA 失电，高压小流量泵 2 的压力由溢流阀 3 调定为高压，该压力也是最大合模力下对应的系统最高工作压力。合模缸活塞慢速前行并通过五连杆增力机构系将模具锁紧。油路与低压慢速合模相同。

2. 注射座前移

注射座的整体运动由注射座移动缸驱动。合模缸锁紧后，电磁铁 2YA、7YA 得电，使电磁换向阀 15 右位接入系统，高压小流量泵 2 的液压油经节流阀 16、电磁换向阀 15 右位进入注射座移动缸右腔，左腔油液经电磁换向阀 15 右位流回油箱。此时注射座整体向左移动，使注射嘴与模具浇口接触。此时系统油液流动路线如下：

进油路：高压小流量泵 2→节流阀 16→电磁换向阀 15 右位→注射座移动缸右腔。

回油路：注射座移动缸左腔→电磁换向阀 15 右位→油箱。

3. 注射

（1）慢速注射 当注射座到达预定位置后，压下行程开关，使电磁铁 2YA、7YA、10YA 和 12YA 得电，高压小流量泵 2 输出的液压油经电磁换向阀 10 左位和单向节流阀 11 进入注射缸右腔，左腔油液经电磁换向阀 14 中位流回油箱。此时注射缸活塞带动注射螺杆将料筒前端，已经预塑好的熔料经注射嘴注入模腔。注射缸的注射速度由单向节流阀 11 调节。此时系统油液流动路线如下：

进油路：高压小流量泵 2→电磁换向阀 10 左位→单向节流阀 11→注射缸右腔。

回油路：注射缸左腔→电磁换向阀 14 中位→油箱。

（2）快速注射 快速注射时，电磁铁 1YA、2YA、7YA、9YA、10YA 和 12YA 得电，低

压大流量泵 1 的液压油经单向阀 22 与高压小流量泵 2 的液压油汇合,一起经电磁换向阀 10 左位、电磁换向阀 14 右位进入注射缸右腔,左腔油液经电磁换向阀 14 右位流回油箱。此时系统油液流动路线如下:

进油路:$\left\{\begin{array}{l}\text{低压大流量泵 1}\to\text{单向阀 22}\\ \text{高压小流量泵 2}\end{array}\right\}\to\left\{\begin{array}{l}\text{电磁换向阀 10 左位}\\ \text{电磁换向阀 14 右位}\end{array}\right\}\to\text{注射缸右腔}。$

回油路:注射缸左腔→电磁换向阀 14 右位→油箱。

4. 保压

当注射缸对模腔内的熔料实行保压并补塑时,注射液压缸活塞位移量较小,只需少量油液即可。电磁铁 2YA、7YA、10YA 和 14YA 得电,1YA 失电,使低压大流量泵 1 卸荷,高压小流量泵 2 单独向系统供油,以实现保压,其压力由溢流阀 3 的远程调压阀 5 调定,多余的油液经溢流阀 3 溢回油箱。此时系统油液流动路线如下:

进油路:高压小流量泵 2→电磁换向阀 10 左位→单向节流阀 11→注射缸右腔。

回油路:注射缸左腔→电磁换向阀 14 中位→油箱。

5. 预塑

保压完毕后,电磁铁 1YA、2YA、7YA 和 11YA 得电,电磁换向阀 10 右位接入系统,低压大流量泵 1 和高压小流量泵 2 的液压油经电磁换向阀 10、旁路调速阀 12 和单向阀 13 进入预塑液压马达,使预塑液压马达旋转并带动螺杆转动,将料斗的塑料原料卷入料筒加热预塑并带至料筒前端,并在螺杆头部逐渐建立起一定的压力。液压马达的转速由旁路调速阀 12 调节,溢流阀 21 为安全阀。当此螺杆头部的压力上升到可以克服注射液压缸活塞退回的背压阻力时,螺杆逐步开始后退,并不断将预塑好的塑料送至机筒前端。当螺杆后退到预定位置,即螺杆头部熔料达到所需注射量时,螺杆停止后退和转动,为下一次向模腔注射熔料做好准备。与此同时,已经注射到模腔内的制品冷却成型过程完成。

螺杆后退时,注射缸右腔油液经注射缸右腔、单向节流阀 11、电磁换向阀 10 右位和背压阀 9 回油箱,其压力由背压阀 9 调节。同时注射缸活塞后退时,其左腔会形成真空,此时在大气压的作用下,油液从油箱通过电磁换向阀 14 中位向左腔进行补油。此时系统油液流动路线如下:

① 预塑液压马达回路:

进油路:$\left\{\begin{array}{l}\text{低压大流量泵 1}\to\text{单向阀 22}\\ \text{高压小流量泵 2}\end{array}\right\}\to\text{电磁换向阀 10 右位}\to\text{调速阀 12}\to\text{液压马达进油口}。$

回油路:液压马达回油口→油箱。

② 注射缸回路:

进油路:油箱→电磁换向阀 14 中位→注射缸左腔。

回油路:注射缸右腔→单向节流阀 11→电磁换向阀 10 右位→背压阀 9→油箱。

6. 注射座后退

保压和预塑结束后,电磁铁 2YA、6YA 得电,电磁换向阀 15 左位接入系统,高压小流量泵 2 的液压油经电磁换向阀 15 进入注射座移动缸左腔,右腔油液经电磁换向阀 15 回油箱,使注射座后退。低压大流量泵 1 经溢流阀 21 卸荷。此时系统油液流动路线如下:

进油路:高压小流量泵 2→电磁换向阀 15 左位→注射座移动缸左腔。

回油路：注射座移动缸右腔→电磁换向阀 15 左位→油箱。

7. 开模

开模过程与合模过程相似，开模速度一般历经"慢→快→缓慢"的过程。

1）慢速开模：此时电磁铁 2YA、4YA 得电，电液换向阀 20 左位接入系统，高压小流量泵 2 的液压油经电液换向阀 20 进入合模缸右腔，左腔的油液经电磁换向阀 20 流回油箱。低压大流量泵 1 经溢流阀 21 卸荷。此时系统油液流动路线如下：

进油路：高压小流量泵 2→电液换向阀 20 左位→合模缸右腔。

回油路：合模缸左腔→电液换向阀 20 左位→油箱。

2）快速开模：此时电磁铁 1YA、2YA 和 4YA 得电，低压大流量泵 1、高压小流量泵 2 两个液压泵一起向合模缸右腔供油，开模速度提高。此时系统油液流动路线如下：

进油路：$\begin{cases} \text{低压大流量泵 1→单向阀 22} \\ \text{高压小流量泵 2} \end{cases}$→电液换向阀 20 左位→合模缸右腔。

回油路：合模缸左腔→电液换向阀 20 左位→油箱。

3）缓慢速开模：当电磁铁 1YA 失电，电磁铁 2YA、4YA 得电时，低压大流量泵 1 经溢流阀 21 卸荷，只有高压小流量泵 2 的压力油经电液换向阀 20 左位进入合模缸右腔，合模缸又以慢速后退。油液流动路线同慢速开模。

8. 顶出制品

模具开模完成后，挡块压下行程开关，使电磁铁 2YA、5YA 得电，高压小流量泵 2 的液压油经过电磁换向阀 17 左位和单向节流阀 18 进入顶出缸的左腔，右腔回油经电磁换向阀 17 左位流回油箱。顶出缸通过顶杆将已经注塑成型好的塑料制品从模腔中推出，顶出速度由单向节流阀 18 调定。此时系统油液流动路线如下：

进油路：高压小流量泵 2→电磁换向阀 17 左位→单向节流阀 18→顶出缸左腔。

回油路：顶出缸右腔→电磁换向阀 17 左位→油箱。

9. 顶出杆后退

顶出杆完成推料后，电磁铁 5YA 失电，2YA 得电，高压小流量泵 2 的液压油经电磁换向阀 17 右位进入顶出缸右腔，左腔油液经过单向节流阀 18 和电磁换向阀 17 右位流回油箱。此时系统油液流动路线如下：

进油路：高压小流量泵 2→电磁换向阀 17 右位→顶出缸右腔。

回油路：顶出缸左腔→单向节流阀 18→电磁换向阀 17 右位→油箱。

三、液压系统的工作特点

综合以上对 SZ-250A 型注塑机液压系统工作原理的分析，可知该系统具有下列特点：

1）采用双泵供油方式，液压缸快速动作时，用双泵联合供油，液压缸慢速动作或保压时，用高压小流量泵供油，低压大流量泵卸荷，系统能量利用较合理。

2）采用先导式溢流阀加远程调压阀的多级调压控制方式，满足了系统工作时各种执行装置及各个阶段对工作压力的不同要求。

3）采用油液—机械组合式锁模机构实现增力和自锁，在合模和锁模时保证了足够的锁模力。

4）采用行程开关控制各顺序动作的切换，位置精度高，控制方式机动灵活，且系统较简单。

5)采用安全门加行程阀顺序控制回路的安全保护方式,只有当操作者离开模具,将安全门关闭时压下行程阀后,合模缸才能实现合模运动,以确保操作者的人身安全。

任务实施

数控车床液压系统的操作、调试与维护

1. 任务组织

以小组为单位,小组规模一般为 3~6 人,每小组选举 1 名小组长协调小组的各项工作,教师提出必要的指导和建议,任务完成后以小组为单位组织学生进行汇报、讨论和交流,并针对共性问题在课堂上组织讨论和专门讲解。

2. 任务内容

MJ-50 型数控车床液压系统的操作、调试与维护。

3. 任务目的

熟悉 MJ-50 型数控车床液压系统的工作原理和特点,掌握液压系统的操作、调试与维护方法。

4. 操作过程

步骤一:对照图 8-6 所示 MJ-50 型数控车床液压系统的工作原理,逐一熟悉 MJ-50 数控车床的实际液压系统。

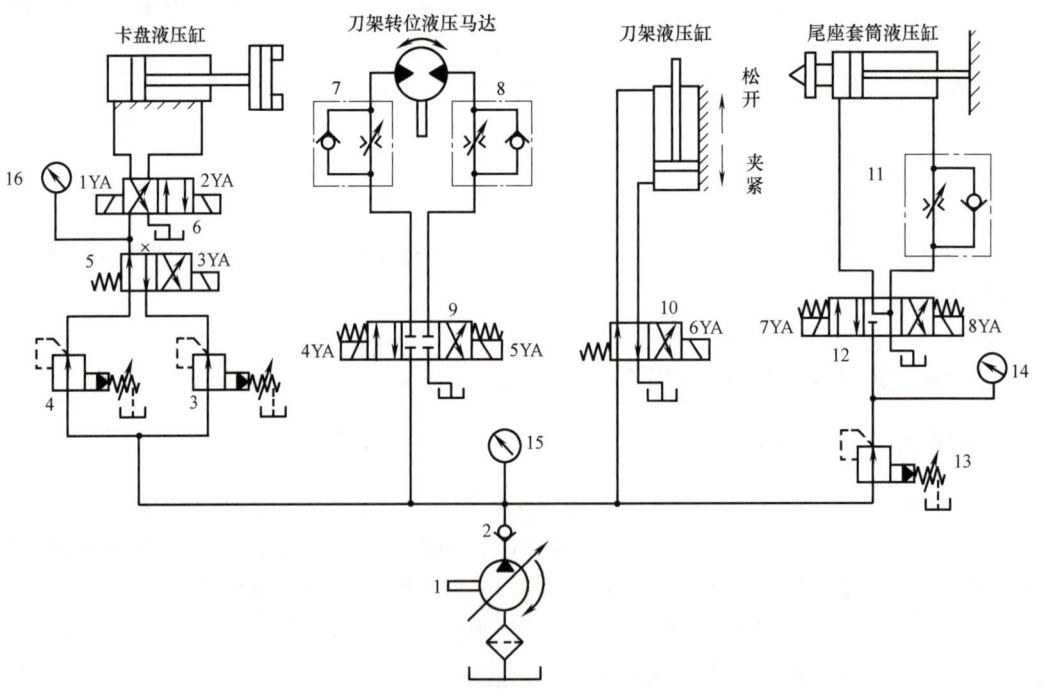

图 8-6 MJ-50 型数控车床液压系统的工作原理

1—液压泵 2—单向阀 3、4、13—减压阀 5、6、9、10、12—电磁换向阀
7、8、11—单向调速阀 14~16—压力表

项目八 典型液压与气动系统

步骤二：操作机床，完成"卡盘的夹紧与松开、刀架的夹紧与松开、刀架的正转与反转、尾座套筒的伸出与缩回"等动作，观察、分析该液压系统实现每一动作所对应的回路及工作过程。

步骤三：对液压系统进行调试，使其输出符合要求的卡盘夹紧力、刀架正反转速度、尾座套筒顶紧力及套筒的伸出速度。

步骤四：分析、解决该液压系统无压力或压力不够、卡盘夹不紧工件、刀架正反转速度或套筒的伸出速度过慢等故障。

MJ-50 型数控车床液压系统电磁铁动顺序见表 8-3。

表 8-3　MJ-50 型数控车床液压系统电磁铁动作顺序

工作循环			电磁铁							
			1YA	2YA	3YA	4YA	5YA	6YA	7YA	8YA
卡盘正夹	高压	夹紧	+	−	−	−	−	−	−	−
		松开	−	+	−	−	−	−	−	−
	低压	夹紧	+	−	+	−	−	−	−	−
		松开	−	+	+	−	−	−	−	−
卡盘反夹	高压	夹紧	−	+	−	−	−	−	−	−
		松开	+	−	−	−	−	−	−	−
	低压	夹紧	−	+	+	−	−	−	−	−
		松开	+	−	+	−	−	−	−	−
刀架	松开		−	−	−	−	−	+	−	−
	转位		−	−	−	+	−	−	−	−
	复位		−	−	−	−	+	−	−	−
	夹紧		−	−	−	−	−	−	−	−
尾座	套筒伸出		−	−	−	−	−	−	+	−
	套筒缩回		−	−	−	−	−	−	−	+

注："+"表示得电，"−"表示失电。

知识拓展

问题　液压系统常见故障及其产生原因有哪些？如何排除？

解答　液压系统常见故障、产生原因及排除方法见表 8-4。

表 8-4　液压系统常见故障、产生原因及排除方法

故障现象	产生原因	排除方法
系统噪声、振动大	液压泵中的噪声、振动引起管路、油箱共振	1. 在液压泵的进、出油口用软管 2. 液压泵不装在油箱上 3. 液压泵底座和油箱下垫防振材料 4. 降低液压泵的安装高度，或采用立式电动机将液压泵浸在油液中
	系统回路中混入了空气	堵塞空气混入渠道
	管道过于细长、安装固定不牢	更换油管并固牢
	液压阀工作不良	修配、更换液压阀
系统无压力或压力不足	液压泵、液压马达或液压缸损坏、内泄大	修理或更换
	溢流阀、减压阀等压力阀出现故障	修理或更换相关压力阀
	液压元件及连接处内、外泄漏量大	修理或更换相关元件

(续)

故障现象	产生原因	排除方法
系统油温过高	溢流阀、卸荷阀、压力继电器等卸荷回路的元件工作不良	调整各元件的不正常工作状况
	阀的泄漏大	修理更换相关阀
	液压泵故障，液压泵内泄漏大	修理、更换液压泵
	液压油黏度不合适	换油
	油箱内油量不足	加油，加大油箱
	管路的阻力大	清洗、疏通管路，采用适当管径的油管
系统压力正常，执行元件无动作	电磁阀中电磁铁有故障	修理或更换
	机械故障	排除
	没有指令信号	查找、修复
	阀不工作	修理或更换故障阀
	液压缸或液压马达损坏	修复、更换液压缸或液压马达
执行元件动作慢	液压泵输出流量不足或系统泄漏太大	检查液压泵，修复或更换泄漏元件
	液压缸或液压马达磨损严重	修理或更换
	油液黏度太高或太低	换用合适黏度的油液
	阀的控制压力不够或阀内阻尼孔堵塞	清洗、调整液压阀
	外负载过大	检查原因，调整系统

📊 任务评价

教师根据同学或小组任务实施情况给予表扬或指正，并视完成情况给予每个同学成绩。数控车床液压系统的操作、调试与维护考核表见表 8-5。

表 8-5　数控车床液压系统的操作、调试与维护考核表

考核项目	考核内容	分　数	得　分
工作态度	按时完成任务	5 分	
	遵守纪律，服从管理	10 分	
任务内容	能够正确选用液压元件搭建系统回路并实现其功能	30 分	
	严格按照操作规范操作	10 分	
	对系统进行正确调试，能够排除简单故障	20 分	
团队合作精神	团队有较强的凝聚力	5 分	
	团队成员间有良好的协作精神	5 分	
	团队成员间有相互的服务意识	5 分	
团队成员间互评	认为该团队较好地完成了本任务	10 分	
总分		100 分	

任务四　熟悉气动机械手气动系统

📊 任务分析

本任务从气动机械手对气动系统的要求出发，首先学习气动机械手气动系统的工作原

理，然后总结气动机械手气动系统的特点，在此基础上会正确分析气动机械手气动系统，会分析、排除气动机械手气动系统的常见故障。

任务重点

1. 掌握阅读和正确分析复杂气动系统的方法。
2. 熟悉气动机械手气动系统的工作原理。

任务难点

阅读和正确分析复杂气动系统的方法。

知识链接

一、概述

气动机械手广泛应用于汽车制造、半导体及家电制造、食品和药品的包装、精密仪器等行业，是自动生产设备和自动生产线的重要装置，可按照预定的程序完成自动取料、上料、卸料等各种工作，作为机械手的一种，它具有结构简单，重量轻，动作迅速、平稳、可靠，节能和不污染环境等优点。图 8-7 所示为某专用设备上采用的气动机械手的结构示意图。

图 8-7 中所示气动机械手由四个气缸组成，可在三个坐标系内作业。A 为夹紧缸，其活塞杆退回时夹紧工件，活塞杆伸出时松开工件。B 为长臂伸缩缸，可实现伸出和缩回动作。C 为立柱升降缸。D 为立柱回转缸，该气缸有两个活塞，分别装在带齿条的活塞杆两头，齿条的往复运动带动立柱上的齿轮旋转，从而实现立柱的回转。

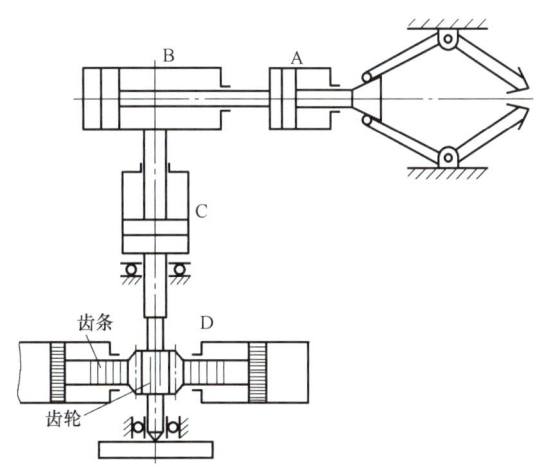

图 8-7 气动机械手的结构示意图
A—夹紧缸 B—长臂伸缩缸 C—立柱升降缸 D—立柱回转缸

机械手的动作顺序：立柱下降 C_0→伸臂 B_1→夹紧工件 A_0→缩臂 B_0→立柱顺时针旋转 D_1→立柱上升 C_1→放开工件 A_1→立柱逆时针旋转 D_0。

二、气动系统工作原理

图 8-8 所示为气动机械手的控制系统，其工作原理如下：

1) 按下启动阀 q，控制气体通过控制回路使 C 缸的主控阀 c 处于左位（C_0 位）工作状态，压缩空气通过主控阀 c 进入升降缸 C 右腔，C 缸活塞杆退回，实现动作 C_0（立柱下降）。此时压缩空气流动路线如下：

控制回路：压缩空气→行程换向阀 d_0 上位→启动阀 q 上位→主控阀 c 左位（C_0 位）。

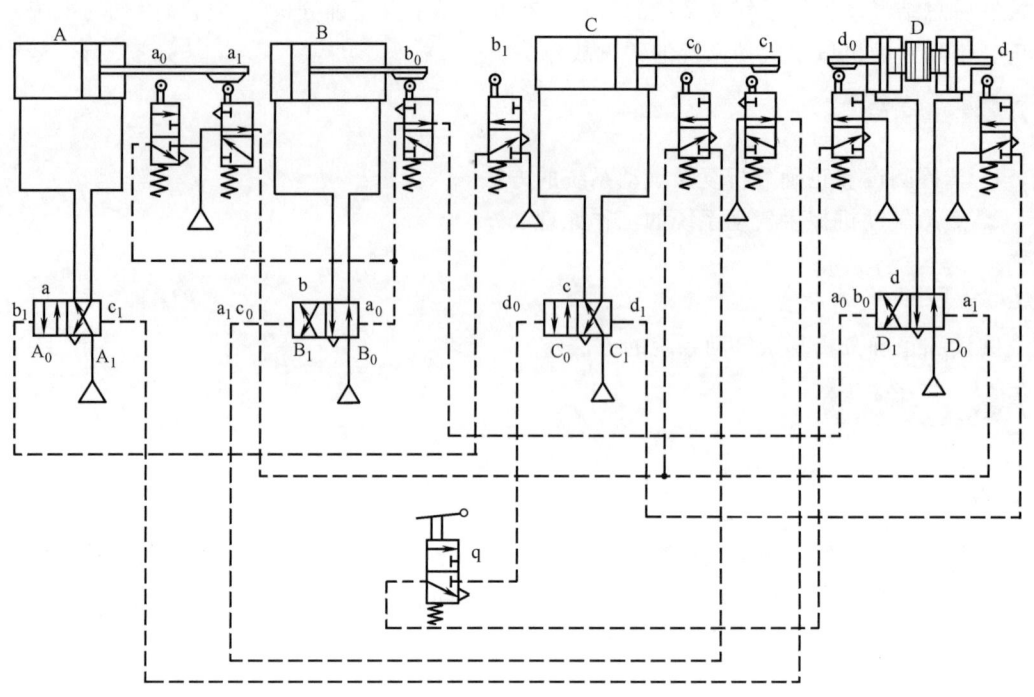

图 8-8 气动机械手的控制系统

主回路: $\begin{cases}供气: 压缩空气 \to 主控阀 c 左位（C_0 位）\to 升降缸 C 右腔。\\ 排气: 压缩空气 \to 升降缸 C 左腔 \to 阀 c 左位 \to 大气。\end{cases}$

2）当立柱下降行程结束时，C 缸活塞杆上的挡铁压下行程换向阀 c_0 的顶杆，阀 c_0 上位工作，控制气体使 B 缸的主控阀 b 处于左位（B_1 位）工作状态，压缩空气通过主控阀 b 进入伸缩缸 B 左腔，使 B 缸活塞杆伸出，实现动作 B_1（伸臂）。此时压缩空气流动路线如下：

控制回路：压缩空气 → 行程阀 c_0 上位 → 主控阀 b 左位（B_1 位）。

主回路: $\begin{cases}供气: 压缩空气 \to 主控阀 b 左位（B_1 位）\to 伸缩缸 B 左腔。\\ 排气: 压缩空气 \to 伸缩缸 B 右腔 \to 主控阀 b 左位 \to 大气。\end{cases}$

3）当伸臂行程结束，B 缸活塞杆上的挡铁压下行程换向阀 b_1 顶杆，阀 b_1 上位工作，控制气体使 A 缸的主控阀 a 处于左位（A_0 位）工作状态，压缩空气通过主控阀 a 进入夹紧缸 A 右腔，使活塞杆退回，实现动作 A_0（夹紧工件）。此时压缩空气流动路线如下：

控制回路：压缩空气 → 行程换向阀 b_1 上位 → 主控阀 a 左位（A_0 位）。

主回路: $\begin{cases}供气: 压缩空气 \to 主控阀 a 左位（A_0 位）\to 夹紧缸 A 右腔。\\ 排气: 压缩空气 \to 缸 A 左腔 \to 阀 a 左位 \to 大气。\end{cases}$

4）夹紧动作结束后，A 缸活塞杆上的挡铁压下行程换向阀 a_0 顶杆，阀 a_0 上位工作，控制气体使 B 缸的主控阀 b 处于右位（B_0 位）工作状态，压缩空气通过主控阀 b 进入 B 缸右腔，使 B 缸活塞杆退回，实现动作 B_0（缩臂）。此时压缩空气流动路线如下：

控制回路：压缩空气 → 行程换向阀 a_0 上位 → 主控阀 b 右位（B_0 位）。

主回路: $\begin{cases}供气:压缩空气\to主控阀 b 右位(B_0 位)\to B 缸右腔。\\ 排气:压缩空气\to B 缸右腔\to主控阀 b 右位\to大气。\end{cases}$

5) 当 B 缸活塞杆退回,活塞杆上的挡铁压下行程换向阀 b_0 顶杆,阀 b_0 上位工作,控制气体使 D 缸的主控阀 d 处于左位(D_1 位)工作状态,压缩空气通过主控阀 d 进入立柱回转缸 D 左腔,使 D 缸活塞杆右移,实现动作 D_1(立柱顺时针旋转)。此时压缩空气流动路线如下:

控制回路:压缩空气→行程阀 b_0 上位→主控阀 d 左位(D_1 位)。

主回路: $\begin{cases}供气:压缩空气\to主控阀 d 左位(D_1 位)\to立柱回转缸 D 左腔。\\ 排气:压缩空气\to D 缸右腔\to主控阀 d 左位\to大气。\end{cases}$

6) 当 D 缸活塞杆上的挡铁压下行程换向阀 d_1 顶杆,阀 d_1 上位工作,控制气体使 C 缸的主控阀 c 处于右位(C_1 位)工作状态,压缩空气通过主控阀 c 进入 C 缸左腔,使 C 缸活塞杆伸出,实现动作 C_1(立柱上升)。此时压缩空气流动路线如下:

控制回路:压缩空气→行程阀 d_1 上位→主控阀 c 右位(C_1 位)。

主回路: $\begin{cases}供气:压缩空气\to主控阀 c 右位(C_1 位)\to升降缸 C 左腔。\\ 排气:压缩空气\to C 缸右腔\to主控阀 c 右位\to大气。\end{cases}$

7) 当立柱上升到位,C 缸活塞杆上的挡铁压下行程换向阀 c_1 顶杆,阀 c_1 上位工作,控制气体使 A 缸的主控阀 a 处于右位(A_1 位)工作状态,压缩空气通过主控阀 a 进入 A 缸左腔,使 A 缸活塞杆伸出,实现动作 A_1(放开工件)。此时压缩空气流动路线如下:

控制回路:压缩空气→行程阀 c_1 上位→主控阀 a 右位(A_1 位)

主回路: $\begin{cases}供气:压缩空气\to主控阀 a 右位(A_1 位)\to夹紧缸 A 左腔。\\ 排气:压缩空气\to A 缸右腔\to主控阀 a 右位\to大气。\end{cases}$

8) 当 A 缸活塞杆伸出,其上的挡铁压下行程换向阀 a_1 顶杆,阀 a_1 上位工作,控制气体使 D 缸的主控阀 d 处于右位(D_0 位)工作状态,压缩空气通过主控阀 d 进入 D 缸右腔,使 D 缸活塞杆左移,实现动作 D_0(立柱逆时针旋转)。此时压缩空气流动路线如下:

控制回路:压缩空气→行程阀 a_1 上位→主控阀 d 右位(D_0 位)。

主回路: $\begin{cases}供气:压缩空气\to主控阀 d 右位(D_0 位)\to立柱回转缸 D 右腔。\\ 排气:压缩空气\to D 缸左腔\to主控阀 d 右位\to大气。\end{cases}$

9) 当 D 缸活塞杆上的挡铁压下行程换向阀 d_0 顶杆,阀 d_0 上位工作,控制气体经启动阀 q 又使 C 缸的主控阀 c 处于左位(C_0 位)工作状态,压缩空气通过主控阀 c 进入 C 缸右腔,C 缸活塞杆退回,实现动作 C_0(立柱下降),于是又开始新的一轮工作循环。

任务五 熟悉客车车门气动系统

任务分析

本任务从客车车门对气动系统的要求出发,主要介绍客车车门气动系统的工作原理,使学生在此基础上会正确分析客车车门气动系统。

> **任务重点**

1. 掌握阅读和正确分析复杂气动系统的方法。
2. 熟悉客车车门气动系统的工作原理及特点。

> **任务难点**

阅读和正确分析复杂气动系统的方法。

> **知识链接**

一、概述

图 8-9 所示为客车车门气动系统。在驾驶员和售票员座位各装有气动控制开关,操作气动控制开关可控制车门的开启和关闭。若车门在关闭过程中遇到障碍物,系统会立即使车门自动转为开启状态,起到安全保护的作用。

二、客车车门气动系统的工作原理

如图 8-9 所示,车门的开启与关闭用气缸 12 来驱动实现,气缸运动方向由双气控换向阀 8 来控制。双气控换向阀 8 又由 1、2、3、4 四个按钮式手动换向阀操纵,气缸往返运动速度的快慢由单向节流阀 9、10 来调节。车门的开启用阀 1、阀 2 控制,车门的关闭用阀 3、阀 4 控制。起安全保护作用的机动换向阀安装在车门上。

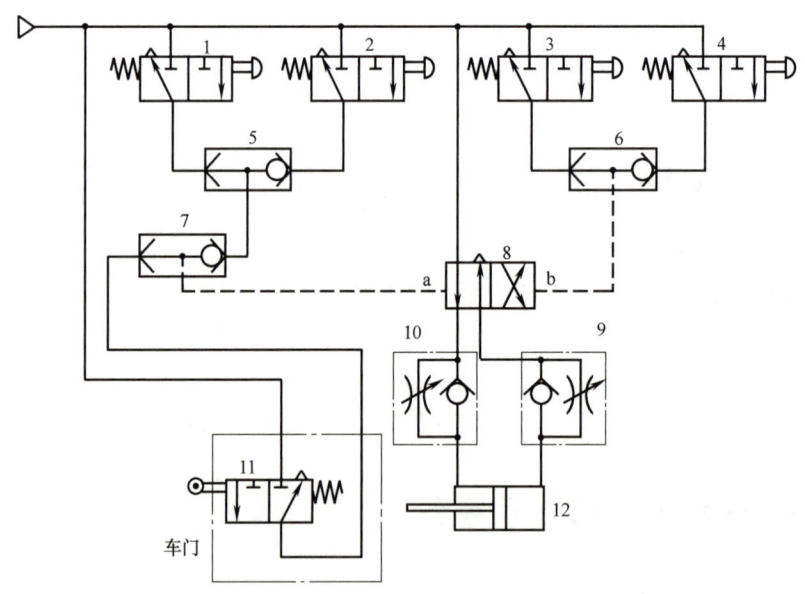

图 8-9 客车车门气动系统
1~4—按钮式手动换向阀 5~7—梭阀 8—双气控换向阀
9、10—单向节流阀 11—机动换向阀 12—气缸当按下换向阀 1 或 2 的按钮时，气源的压缩空气经阀 1 或 2 到梭阀 5 和梭阀 7，再到达双气控换向阀 8 的 a 端，使双气控换向阀 8 向车门开启方向切换，左位接入系统，此时压缩空气便经双气控换向阀 8 左位和单向节流阀 10 中的单向阀进入气缸 12 的左腔，推动活塞右移，使车门开启，开启速度由单向节流阀 9 调节。

同样，当按下换向阀 3 或 4 的按钮时，气源的压缩空气便经阀 3 或 4 到梭阀 6，再到达双气控换向阀 8 的 b 端，使双气控换向阀 8 向车门关闭方向切换，右位接入系统，压缩空气则经双气控换向阀 8 右位和单向节流阀 9 中的单向阀进入气缸 12 的右腔，推动活塞左移，使车门关闭，关闭速度由单向节流阀 10 调节。

若车门在关闭过程中碰到障碍物，则会推动机动换向阀 11 换位，使其右位接入系统，压缩空气便经梭阀 5、7 到达双气控换向阀 8 的 a 端，使双气控换向阀 8 向车门开启方向切换，从而使车门重新开启。不过若阀 3 或阀 4 仍保持在按下状态，则机动换向阀 11 不能起到自动开启车门的安全保护作用。

任务实施

客车车门气动系统的操作、调试与维护

1. 任务组织

以小组为单位，小组规模一般为 3~6 人，每小组选举 1 名小组长协调小组的各项工作，教师提出必要的指导和建议，任务完成后以小组为单位组织学生进行汇报、讨论和交流，并针对共性问题在课堂上组织讨论和专门讲解。

2. 任务内容

在实训台上构建客车车门气压控制系统。

3. 任务目的

掌握客车车门气压控制系统的组成及工作原理。

4. 操作过程

步骤一：根据图 8-9 所示的客车车门气动系统选择对应的气动元件。

步骤二：在气动实训台上构建客车车门气动系统。

步骤三：操作气动系统使执行元件完成规定动作。

步骤四：调节车门开启和关闭速度。

步骤五：分析该气动系统的工作原理及特点。

知识拓展

问题 气动系统的使用及维护包括哪些内容及要求？应注意哪些事项？

解答 气动系统的使用与维护保养是保证系统正常工作、减少系统故障发生、延长系统使用寿命的一项十分重要的工作。

对气动系统的维护保养工作的要求：保证供给气动系统的压缩空气清洁干燥；保证气动系统的气密性良好；保证润滑元件得到良好的润滑；保证气动元件和系统在规定的工作条件下运行。

气动系统的维护保养分为日常性维护和定期性维护。日常性维护是指每天必须进行的维护工作，定期性维护是指每周、每月、每季度或每年进行的维护工作。

气动系统的日常性维护工作主要包括以下内容：

（1）冷凝水的管理　压缩空气中的冷凝水会使管道和元件锈蚀。其防止方法就是要及时地排除系统各排水阀中积存的冷凝水，经常检查自动排水器、干燥器是否正常，定期清洗分水滤气器、自动排水器。

（2）系统润滑的管理　气动系统中从控制元件到执行元件凡有相对运动的表面都需要润滑。如果润滑不足，会使摩擦力增大，导致元件动作不灵敏，因密封磨损而引起泄漏，润滑油的性质将直接影响润滑的效果。通常，高温环境下使用高黏度的润滑油，低温则使用低黏度的润滑油。在系统工作过程中，要经常检查油雾器是否正常，如发现油杯中油量没有减少，需要及时调整滴油量。

（3）空气压缩机系统的管理　检查空气压缩机是否有异常声音或异常发热，润滑油位是否正常，空气压缩机系统供给水冷式冷却器的冷却水是否足够。

除做好日常性维护工作外，在气动系统的使用中还必须注意以下几点：

1）开机前后要放掉系统中的冷凝水。

2）定期给油雾器加油。

3）随时注意压缩空气的清洁度，对分水滤气器的滤芯要定期清洗。

4）开机前检查各调节旋钮是否在正确位置，行程阀、行程开关、挡块的位置是否正确、牢固。对活塞杆、导轨等外露部分的配合表面进行擦拭后方能开机。

5）长期不使用时，应将各旋钮放松，以免弹簧失效而影响元件的性能。

6）间隔三个月需定期检修，一年应进行一次大修。

7）对受压容器应定期检验，漏气、漏油、噪声等要进行防治。

任务评价

教师根据同学或小组任务实施情况给予表扬或指正，并视完成情况给予每个同学成绩。客车车门气动系统的操作、调试与维护考核表见表 8-6。

表 8-6　客车车门气动系统的操作、调试与维护考核表

考核项目	考核内容	分　数	得　分
工作态度	按时完成任务	5 分	
	遵守纪律，服从管理	10 分	
任务内容	能够正确选用气压元件构建系统回路并实现其功能	30 分	
	严格按照操作规范操作	10 分	
	对系统进行正确调试，能够排除简单故障	20 分	
团队合作精神	团队有较强的凝聚力	5 分	
	团队成员间有良好的协作精神	5 分	
	团队成员间有相互的服务意识	5 分	
团队成员间互评	认为该团队较好地完成了本任务	10 分	
	总分	100 分	

课后练习

一、思考题

1. 图 8-2 所示的 YT4543 型动力滑台液压系统由哪些基本回路组成？阀 3、阀 4 和阀 5 在系统中起什么作用？

2. 图 8-5 所示 SZ-250A 型注塑机液压系统在不同工作阶段的压力分别是由哪些阀来调定的？这些阀组成的是什么回路？

3. 分析图 8-9 所示客车车门气压控制系统的工作原理，若控制要求改为"只有当驾驶员和售票员都按下气动控制开关时，车门才能关闭"，系统该如何改动？

二、分析题

如图 8-10 所示的压力机液压系统能实现"快进→慢进→保压→快退→停止"的动作循环。大直径液压缸 13 为主缸，小直径液压缸 14 为实现快速运动的辅助缸。试根据动作循环要求对系统进行分析，写出循环中各阶段油液流动路线情况，并指出标号元件的名称及作用。

三、综合实训

试用 FluidSIM 仿真软件设计一个液压系统，要求能完成"快进→工进→止挡铁停留→快退→原位停止，泵卸荷"的动作循环，画出其系统工作原理，编制电磁铁动作顺序表并在综合实训台上构建。

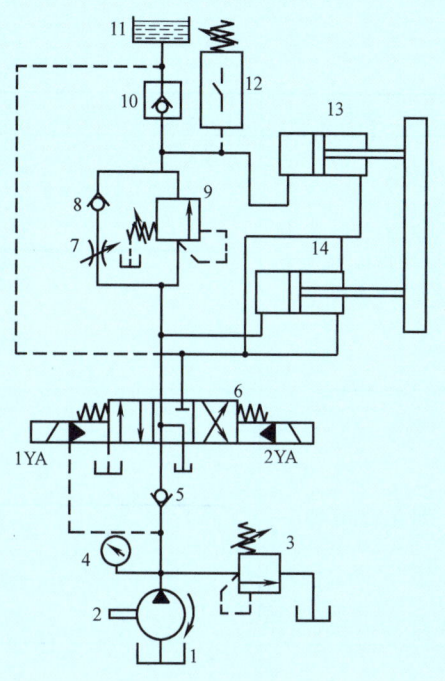

图 8-10 压力机液压系统

附录 常用液压与气动系统及元件图形符号（摘自GB/T 786.1—2021）

附表1 图形符号的基本要素

描述	图形	描述	图形
供油/气管路、回油/气管路、元件框线和符号框线	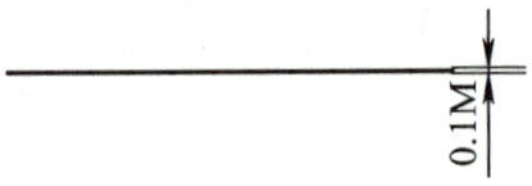	压力控制阀符号的基本位置由流动方向决定（供油/气口通常画在底部）	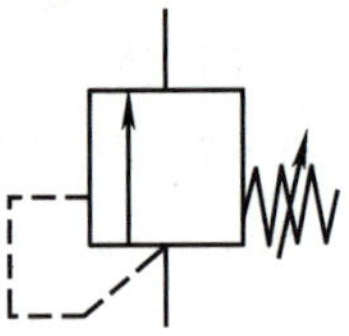
组合元件框线	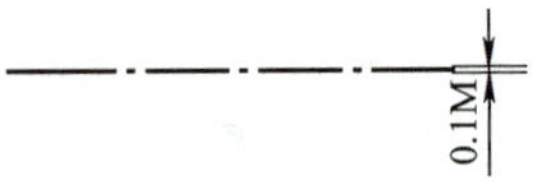	两个流体管路的连接	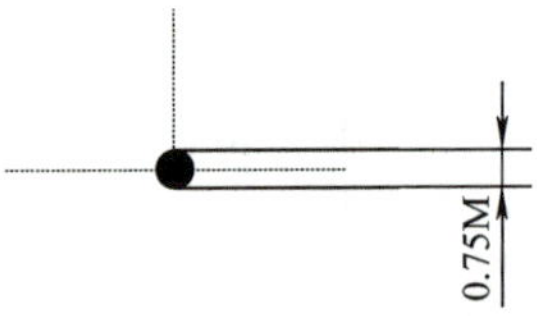
位于溢流阀内的控制管路	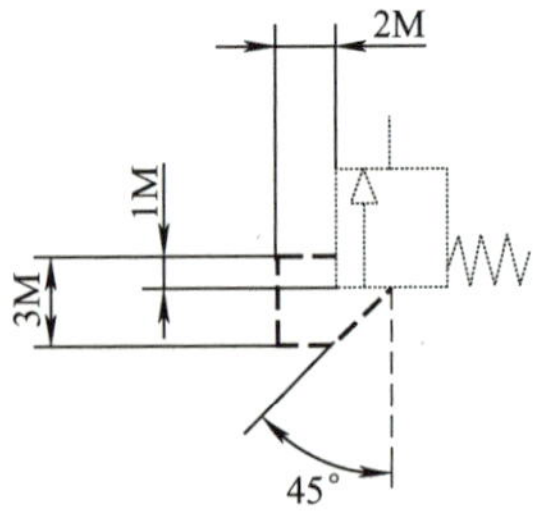	内部和外部先导（控制）管路、泄油管路、冲洗管路、排气管路	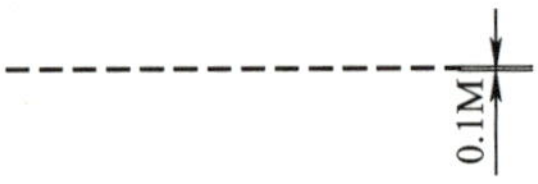
位于减压阀内的控制管路	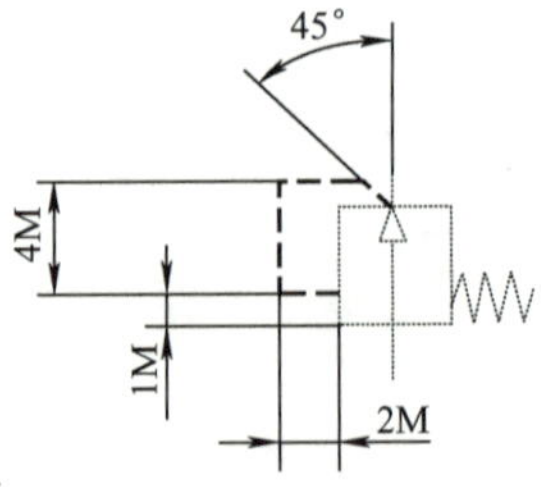	位于三通减压阀内的控制管路	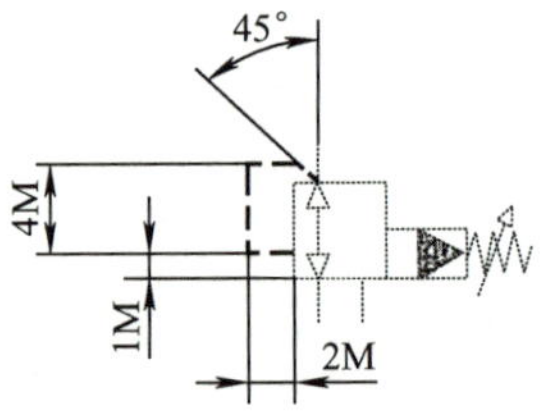

附录 常用液压与气动系统及元件图形符号（摘自 GB/T 786.1—2021）

(续)

描述	图形	描述	图形
控制机构应画在矩形/正方形的右侧，除非两侧均有	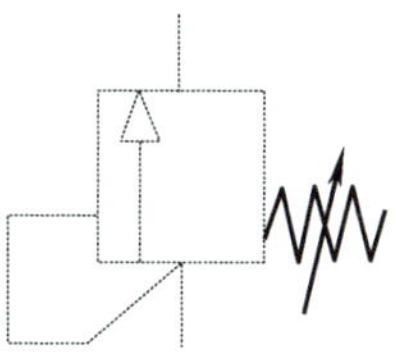	多路旋转管接头两边的接口都有2M的间隔。数字可自定义并扩展。接口标号表示在接口符号上方	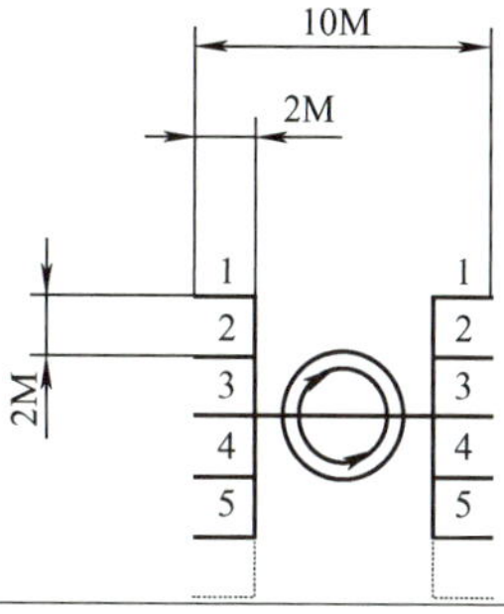
流体流过阀的通道和方向(1)	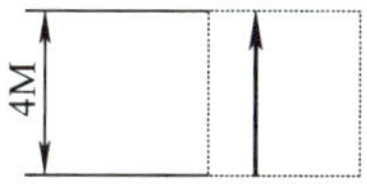	顺时针方向旋转指示箭头	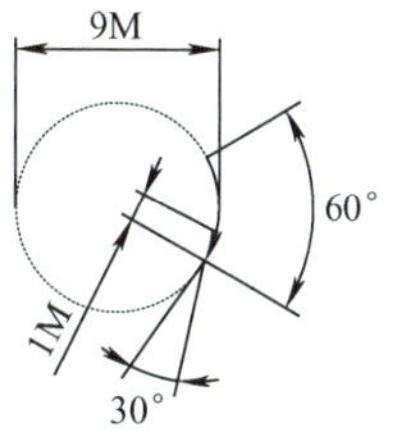
流体流过阀的通道和方向(2)	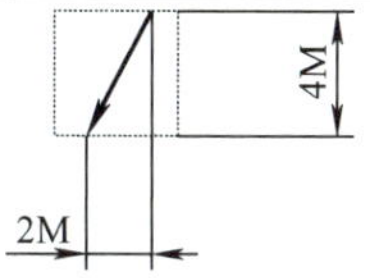	弹簧(缸用)	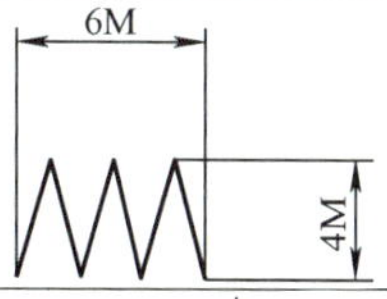
单向阀的阀座	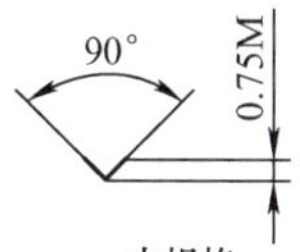 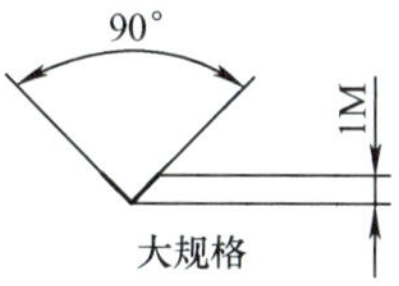	单向阀运动部分	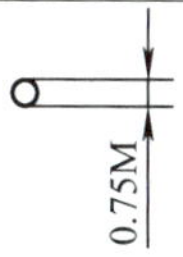 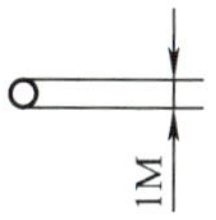
节流(1)	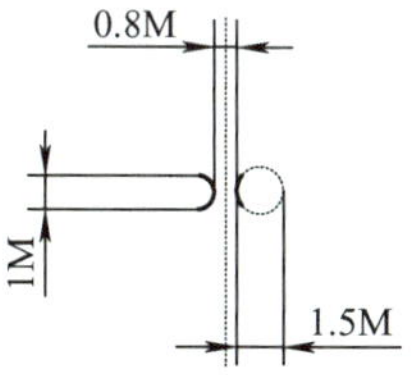 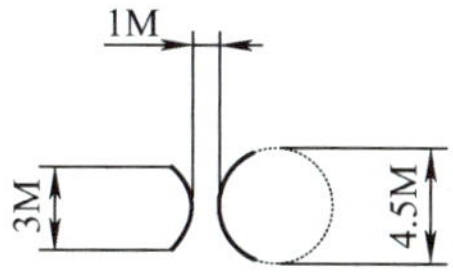	节流(2)	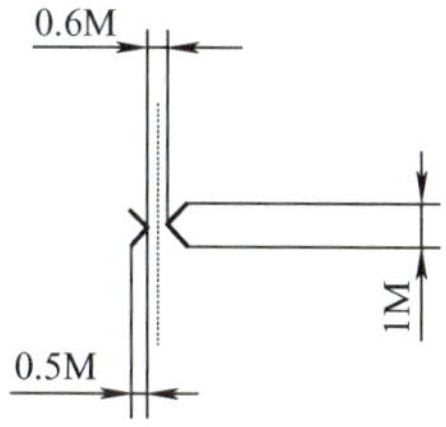 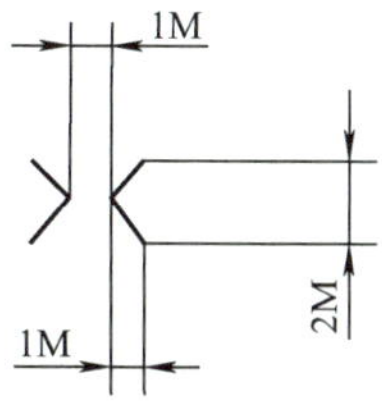

(续)

描述	图形	描述	图形
带控制管路或泄油管路的端口	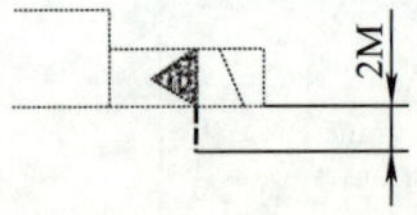	泵的驱动轴位于左边（首选位置）或右边，且可延伸 2M 的倍数	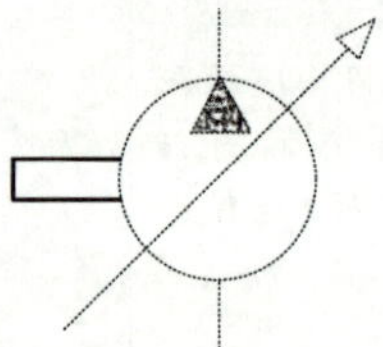
流体的流动方向	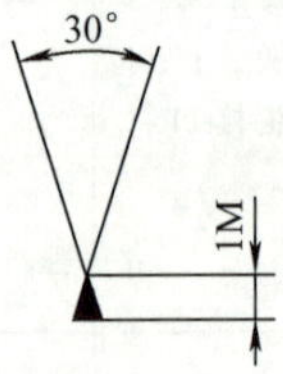		
活塞应距离缸端盖 1M 以上。连接端口距离缸的末端应在 0.5M 以上	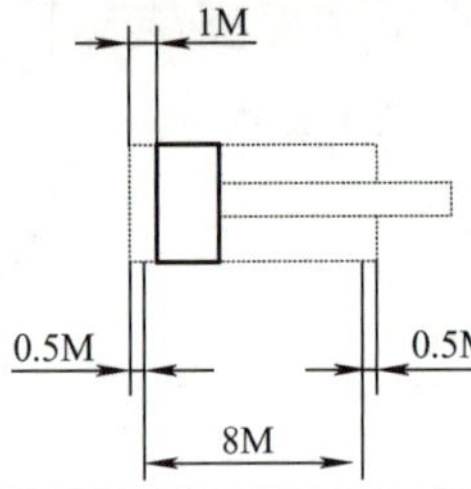	气源	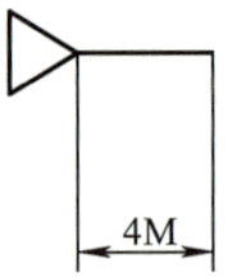
双向旋转指示箭头	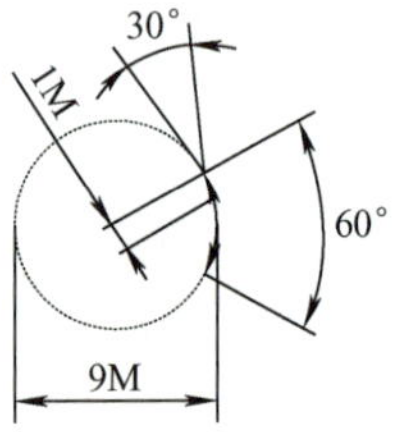	输入信号	F—流量 G—位置或长度 L—液位 P—压力或真空度 S—速度或频率 T—温度 W—重量或力
控制元件：弹簧	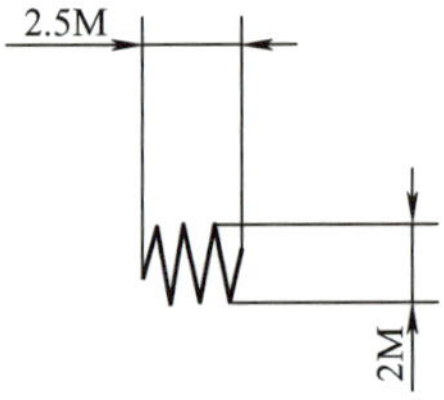	电动机的轴位于右边（首选位置）或左边	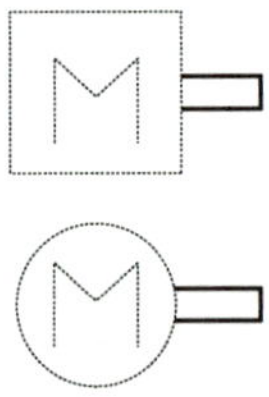
*—输入信号 **—输出信号	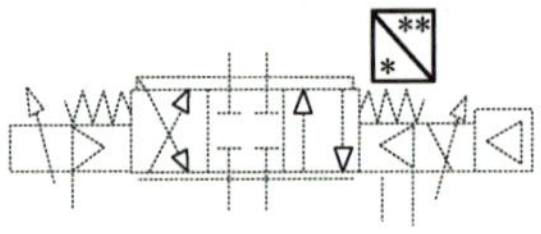	液压油源	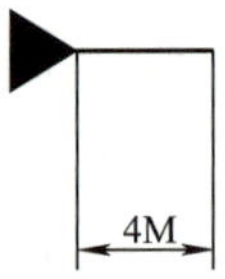

附表 2　控制机构

描述	图形	描述	图形
带有可拆卸把手和锁定要素的控制机构	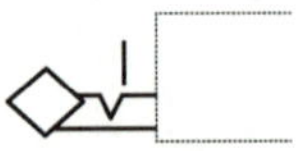	带有一个线圈的电磁铁	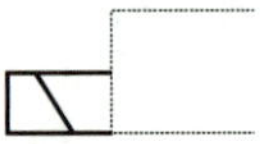 动作背离阀芯 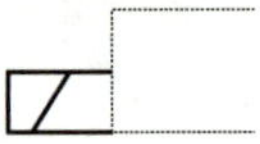 动作指向阀芯
带有定位的推/拉控制机构	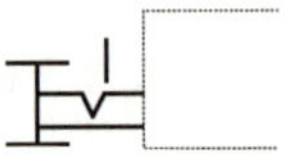		

附录　常用液压与气动系统及元件图形符号（摘自 GB/T 786.1—2021）

（续）

描述	图形	描述	图形
电控气动先导控制机构	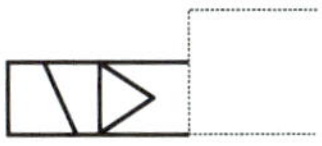	带有两个线圈的电气控制装置（动作指向或背离阀芯）	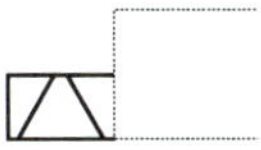
气压复位（外部压力源）	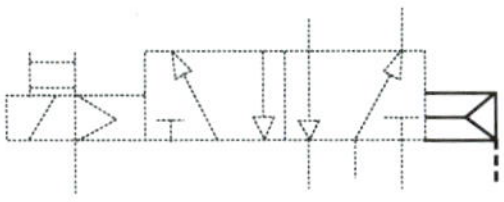	带有一个线圈的电磁铁（动作背离阀芯，连续控制）	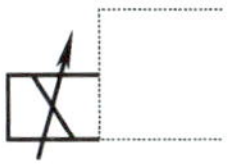
使用步进电动机的控制机构	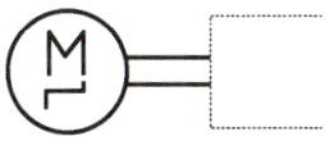		
用于单向行程控制的滚轮杠杆	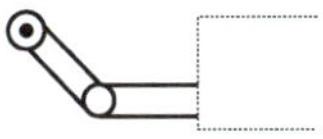	带有可调行程限制的推杆	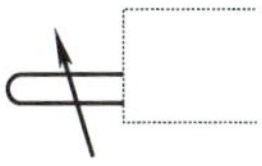
外部供油的电液先导控制机构	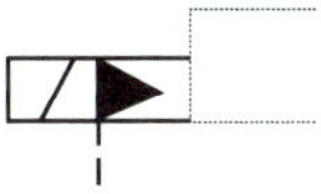	带有手动越权锁定的控制机构	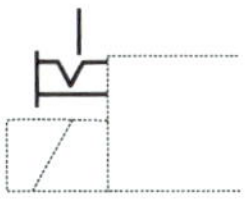

附表 3　单向阀、梭阀和方向控制阀

描述	图形	描述	图形
单向阀（只能在一个方向自由流动）		二位三通方向控制阀（电磁控制，无泄漏）	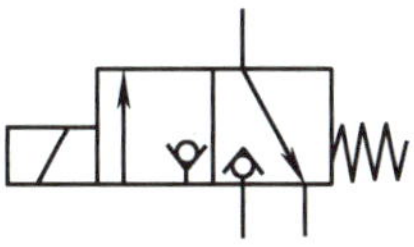
梭阀（逻辑为"或"，压力高的入口自动与出口接通）	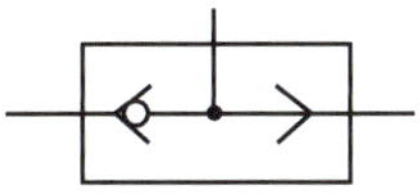	液控单向阀（带有弹簧，先导压力控制，双向流动）	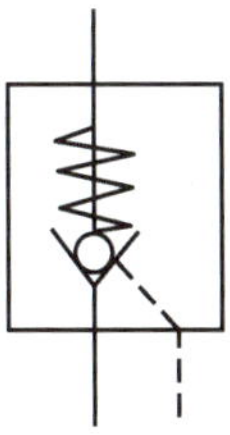
二位二通方向控制阀（双向流动，推压控制，弹簧复位，常闭）	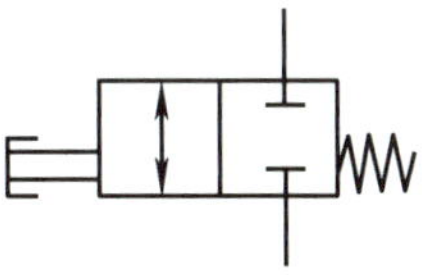		
二位二通方向控制阀（电磁铁控制，弹簧复位，常开）	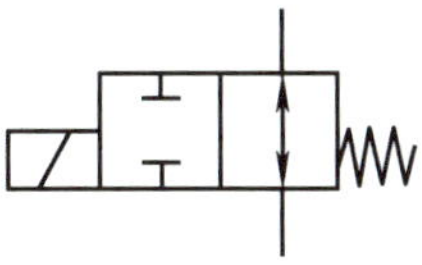	双压阀（逻辑为"与"，两进气口同时有压力时，低压力输出）	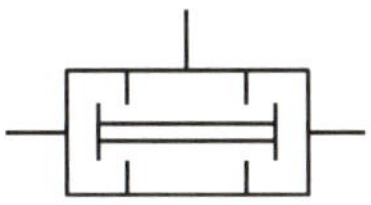
二位四通方向控制阀（电磁铁操纵，弹簧复位）	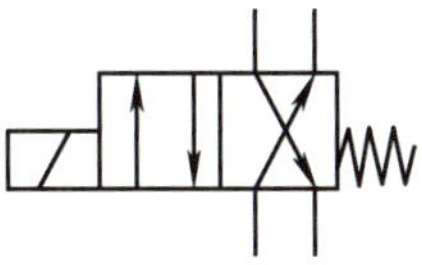	二位三通方向控制阀（单向行程的滚轮杠杆控制，弹簧复位）	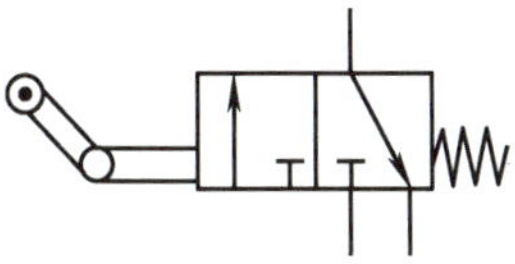

235

（续）

描述	图形	描述	图形
二位三通方向控制阀（单电磁铁控制，弹簧复位，手动越权锁定）	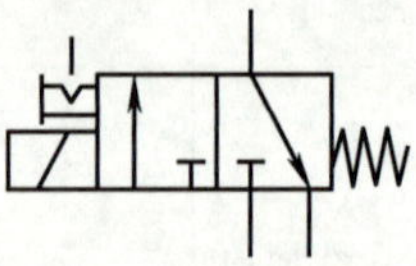	三通四通方向控制阀（电液先导控制，先导级电气控制，主级液压控制，先导级和主级弹簧对中，外部先导供油，外部先导回油）	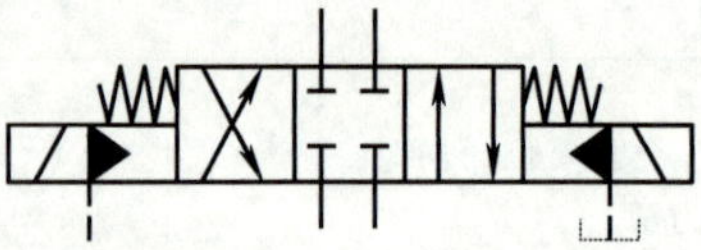
二位四通方向控制阀（双电磁铁控制，带有锁紧机构，也称脉冲阀）	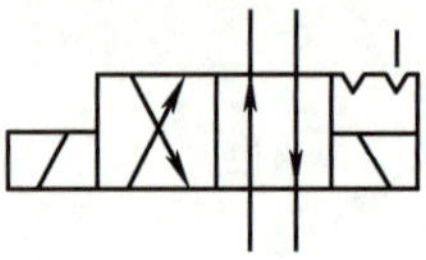	三位四通方向控制阀（双电磁铁控制，弹簧对中）	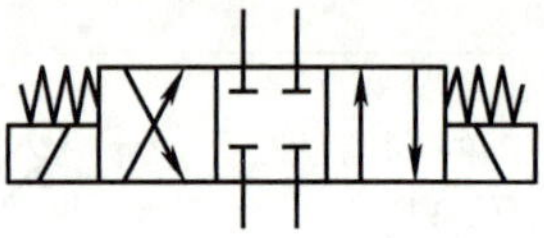
三位四通方向控制阀（液压控制，弹簧对中）	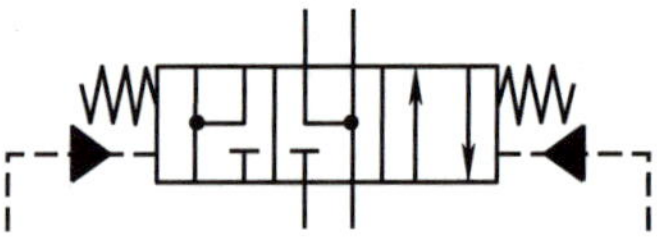	伺服阀（主级和先导级位置闭环控制，集成电子器件）	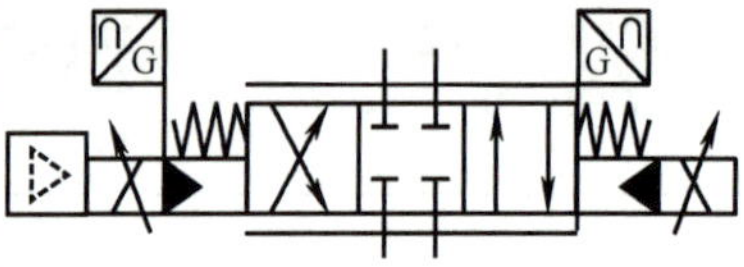
三位五通方向控制阀（手柄控制，带有定位机构）	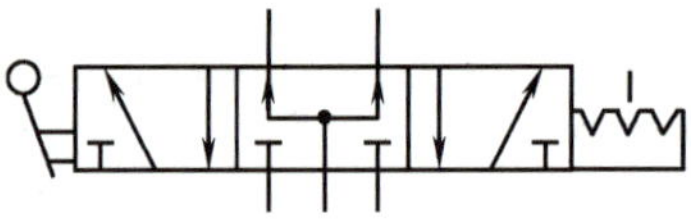	液控单向阀	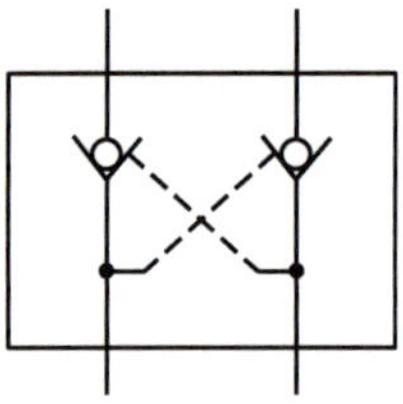
二位五通方向控制阀（单电磁铁控制，外部先导供气，手动辅助控制，弹簧复位）	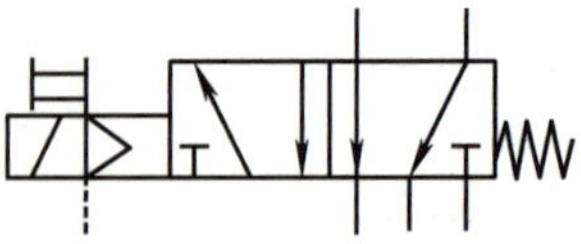	快速排气阀（带消音器）	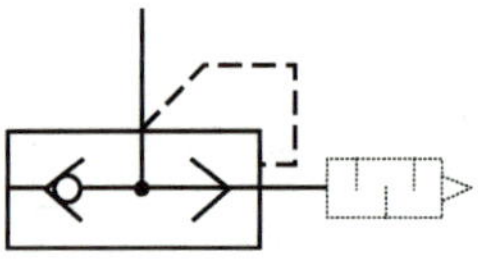
比例方向控制阀（直动式）	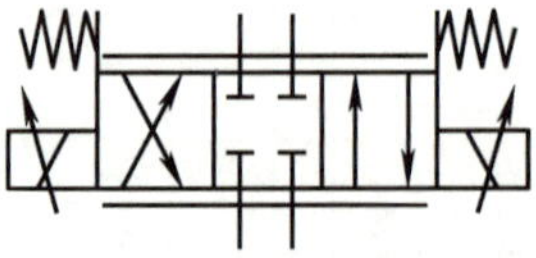		
二位五通方向控制阀（双向踏板控制）	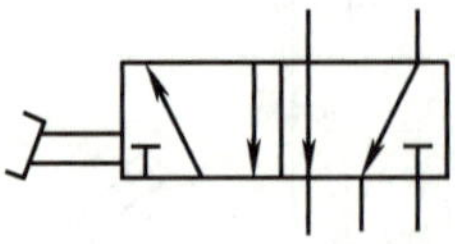	延时控制气动阀（其入口接入一个系统，使得气体低速流入直至达到预设压力才使阀口全开）	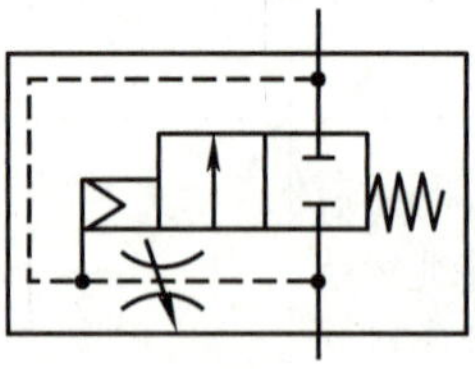

236

附录　常用液压与气动系统及元件图形符号（摘自 GB/T 786.1—2021）

附表 4　压力控制阀

描述	图形	描述	图形
溢流阀（直动式，开启压力由弹簧调节）	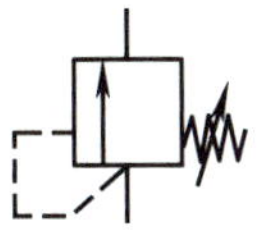	顺序阀（外部控制）	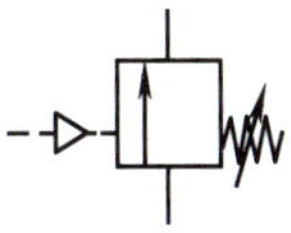
二通减压阀（直动式，外泄型）	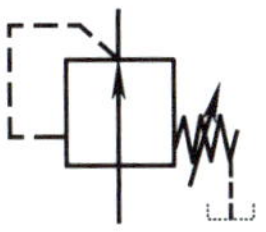	减压阀（内部流向可逆）	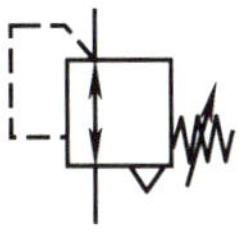
二通减压阀（先导式，外泄型）	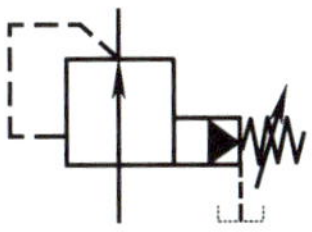	比例溢流阀（直动式，通过电磁铁控制弹簧来控制）	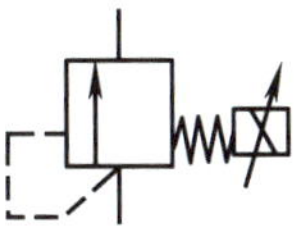
电磁溢流阀，先导式，电气操纵设定压力	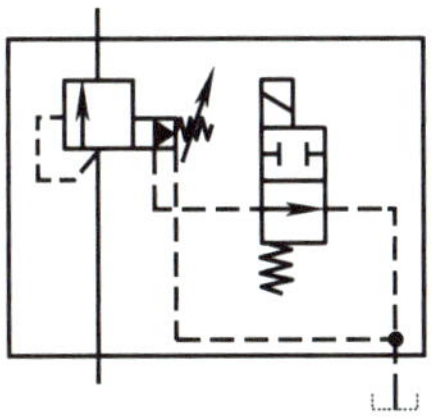	比例溢流阀（直动式，电磁力直接控制，集成电子器件）	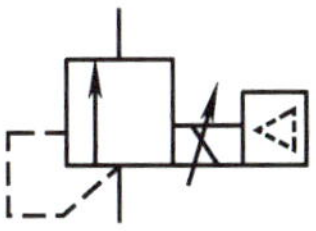
顺序阀（带有旁通单向阀）	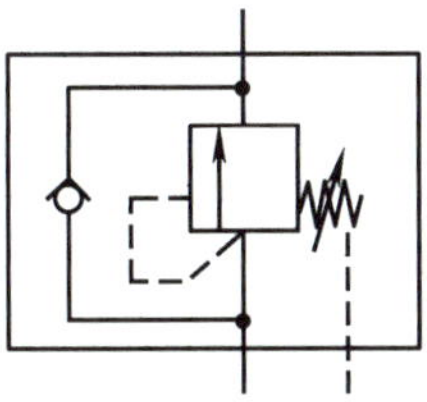	比例溢流阀（带有电磁铁位置反馈的先导控制，外泄型）	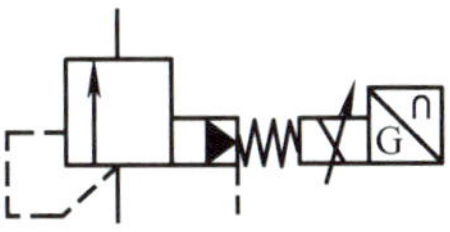

附表 5　泵和马达

描述	图形	描述	图形
变量泵（顺时针单向旋转）	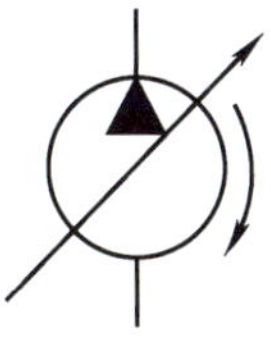	变量泵（双向流动，带有外泄油路，顺时针单向旋转）	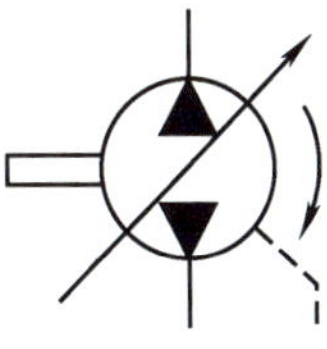
空气压缩机	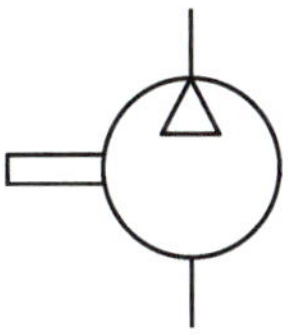	定量泵/马达（顺时针单向旋转）	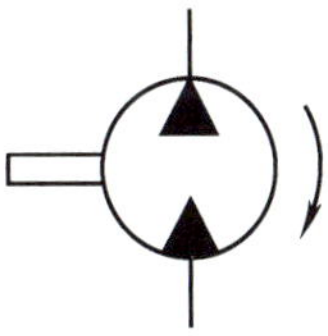
变量泵/马达（双向流动，带有外泄油路，双向旋转）	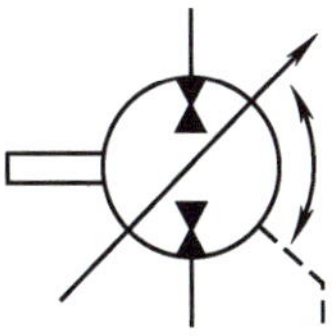	摆动执行器/旋转驱动装置（带有限制旋转角度功能，双作用）	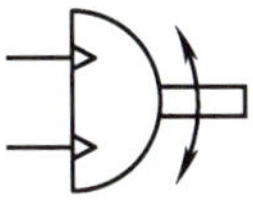

(续)

描述	图形	描述	图形
变量泵（先导控制，带有压力补偿功能，外泄油路，顺时针单向旋转）	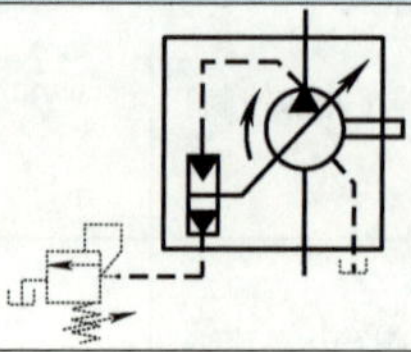	摆动执行器/旋转驱动装置（单作用）	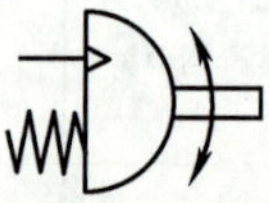
连续增压器（将气体压力 p_1 转换为较高的液体压力 p_2）	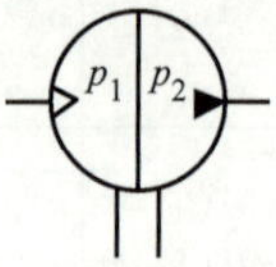	真空泵	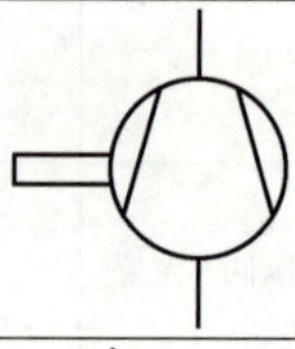
气马达	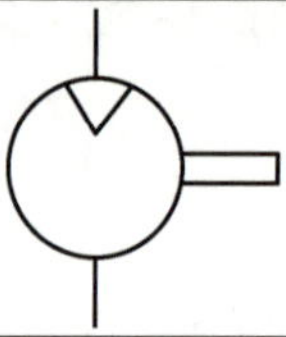	气马达（双向流通，固定排量，双向旋转）	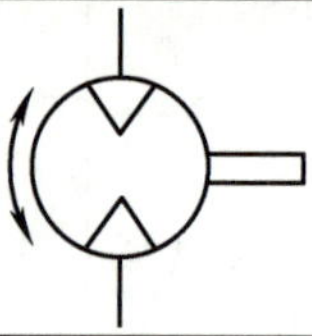

附表 6　流量控制阀

描述	图形	描述	图形
节流阀	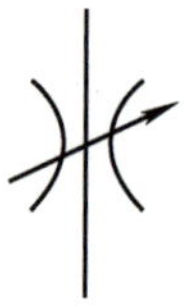	单向节流阀	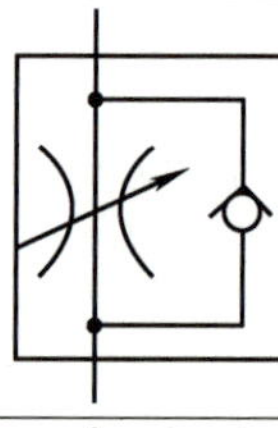
二通流量控制阀（开口度预设置，单向流动，流量特性基本与压降和黏度无关，带有旁路单向阀）	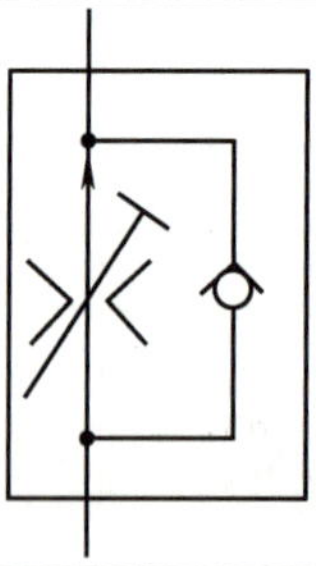	三通流量控制阀（开口度可调节，将输入流量分成固定流量和剩余流量）	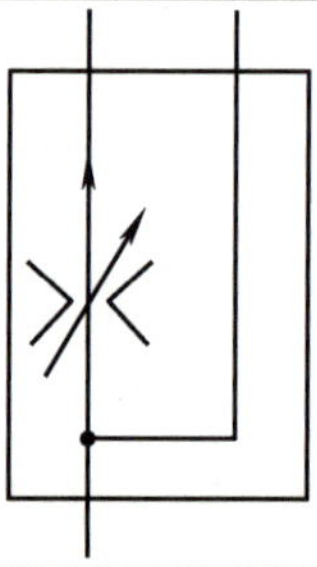
分流阀（将输入流量分成两路输出流量）	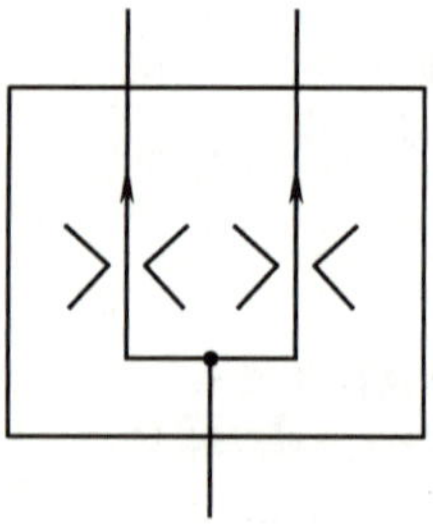	比例流量控制阀（直动式）	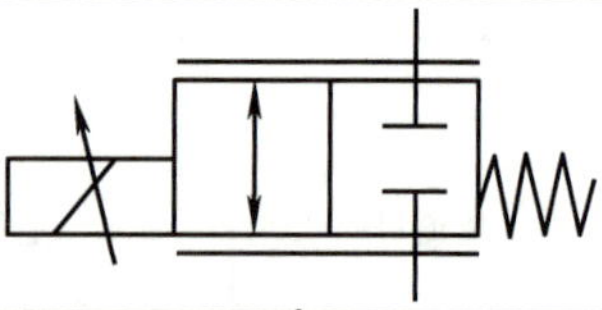
		集流阀（将两路输入流量）	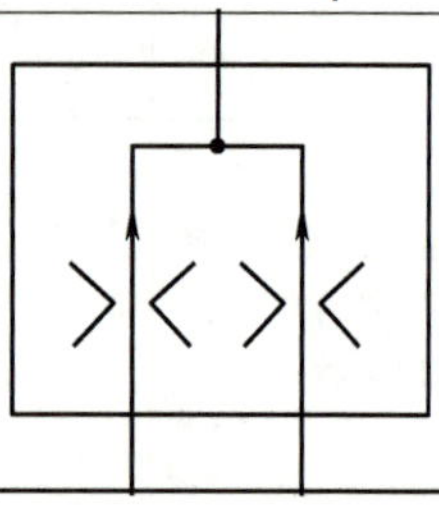

附录　常用液压与气动系统及元件图形符号（摘自 GB/T 786.1—2021）

附表7　插装阀

描述	图形	描述	图形
压力控制和方向控制插装阀插件（锥阀结构，面积比1∶1）		方向控制插装阀插件（带节流端的锥阀结构，面积比≤0.7）	
方向控制插装阀插件（带节流端的锥阀结构，面积比>0.7）		方向控制插装阀插件（锥阀结构，面积比≤0.7）	
方向控制插装阀插件（锥阀结构，面积比>0.7）		方向控制插装阀插件（单向流动，锥阀结构，内部先导供油，带有可替换的节流孔）	
溢流插装阀插件（滑阀结构，常闭）		减压插装阀插件（滑阀结构，常开，带有集成的单向阀）	
带有先导端口的控制盖板		带有先导端口的控制盖板（带有可调行程限制装置和遥控端口）	
带有溢流功能的控制盖板		二通插装阀（带有行程限制装置）	

附表 8 缸

描述	图形	描述	图形
单作用单杆缸(靠弹簧力回程,弹簧腔带连接油口)		双作用双杆缸(左终点带有内部限位开关,内部机械控制,右终点带有外部限位开关,由活塞杆触发)	
双作用双杆缸(活塞杆直径不同,双侧缓冲,右侧缓冲带调节)		双作用单杆缸	
单作用柱塞缸		双作用膜片缸(带有预定行程限制器)	
单作用多级缸		单作用膜片缸(活塞杆终端带缓冲,带排气口)	
行程两端带有定位的双作用缸		双作用多级缸	
双作用磁性无杆缸(仅右边终端带有位置开关)		永磁活塞双作用夹具	
单作用气-液压力转换器(将气体压力转换为等值的液体压力)		单作用增压器(将气体压力 p_1 转换为更高的液体压力 p_2)	

附录　常用液压与气动系统及元件图形符号（摘自 GB/T 786.1—2021）

附表 9　附件

描述	图形	描述	图形
压力开关（机械电子控制，可调节）		空气干燥器	
温度计		电子调节的压力开关（输出开关信号）	
压力表		流量计	
离心式分离器		过滤器	
快换接头（不带有单向阀，断开状态）		快换接头（带有两个单向阀，断开状态）	
气源处理装置（FRL 装置，包括手动排水过滤器、手动调节式溢流减压阀、压力表和油雾器）第一个图为详细示意图第二个图为简化图		过滤器（带有光学阻塞指示器）	
		手动排水过滤器与减压阀的组合元件（通常与油雾器组成气动三联件，手动调节，不带有压力表）	

(续)

描述	图形	描述	图形
手动排水分离器		带有手动排水分离器的过滤器	
自动排水分离器		吸附式过滤器	
油雾器		手动排水式油雾器	
气罐		囊式蓄能器	
隔膜式蓄能器		气瓶	
活塞式蓄能器		软管总成	

参 考 文 献

［1］ 徐小东. 液压与气动应用技术［M］. 北京：电子工业出版社，2009.
［2］ 刘建明，何伟利. 液压与气压传动［M］. 5版. 北京：机械工业出版社，2023.
［3］ 左健民. 液压与气压传动［M］. 5版. 北京：机械工业出版社，2016.
［4］ 王宝敏. 液压与气动技术［M］. 北京：清华大学出版社，2011.
［5］ 张勤，徐钢涛. 液压与气压传动技术［M］. 2版. 北京：高等教育出版社，2015.
［6］ 马宪亭. 液压与气压传动技术［M］. 北京：机械工业出版社，2016.
［7］ 张国军. 气动与液压控制技术项目训练教程［M］. 2版. 北京：高等教育出版社，2019.
［8］ 马振福，柳青. 液压与气压传动［M］. 2版. 北京：机械工业出版社，2021.
［9］ 廖传林. 液压与气动技术［M］. 北京：化学工业出版社，2012.